PA BETH YR AETHOCH ALLAN I'W ACHUB?

Pa beth yr aethoch allan i'w achub?

*Ysgrifau i gynorthwyo'r gwrthsafiad
yn erbyn dadfeiliad y Gymru Gymraeg*

Golygwyd gan:
Simon Brooks a Richard Glyn Roberts

Argraffiad cyntaf: 2013

ⓗ testun: yr awduron/golygyddion

Cyhoeddwyd gan Wasg Carreg Gwalch,
12 Iard yr Orsaf, Llanrwst, Conwy, LL26 0EH.
Ffôn: 01492 642031 Ffacs: 01492 641502
e-bost: llyfrau@carreg-gwalch.com
lle ar y we: www.carreg-gwalch.com

Rhif rhyngwladol: 978-1-84527-462-7

Mae'r cyhoeddwr yn cydnabod cefnogaeth ariannol
Cyngor Llyfrau Cymru

Cynllun clawr: Rhys Llwyd

Lluniau tu fewn (ac eithrio Theatr Felinfach): Simon Brooks

'Ond am Gymry o'r teip arall, nid ydynt hwy am golli eu hunaniaeth Gymreig. Y mae arwyddion, yn wir, eu bod yn mynd i ymgyndynnu yn eu penderfyniad i'w chadw. Daeth rhyw fath o falchder yn yr enw Cymru a rhyw ddechrau tynnu i mewn i loches ei gwahanrwydd yn bethau ffasiynol. Ond os nad yw'r rhain am daflu ymaith yr hunaniaeth Gymreig, *y maent am ei newid*. Ac y maent am ei newid mewn ffordd a fydd yn hwyr neu'n hwyrach yn golygu marwolaeth y Gymru Gymraeg.'

J. R. Jones, 'Pa beth yr aethoch allan i'w achub?'

Cynnwys

Nodyn

O ran natur ei chynnwys a'i chenadwri wleidyddol ddigymrodedd, anaml y cyhoeddir cyfrol fel hon yn Gymraeg ac ni wneid hynny o gwbl oni bai am ehangder gweledigaeth Gwasg Carreg Gwalch. Diolch gan hynny i Myrddin ap Dafydd am ei gefnogaeth ddiwyro i'r syniad o'r cychwyn cyntaf. A diolch i'r cyfranwyr hwythau am eu parodrwydd i dorri consensws academaidd a gwleidyddol.

Cyflwynwyd drafft o'r gyfrol i'r Cyngor Llyfrau yn rhan o'r broses ddyrannu grantiau. Yn y drafft hwnnw roedd pob dyfyniad mewn iaith dramor wedi'i gyfieithu i'r Gymraeg ond gadawyd y dyfyniadau Saesneg heb eu cyfieithu. Yn ei adroddiad argymhellodd darllenydd y Cyngor y dylid cyfieithu yn ogystal y dyfyniadau Saesneg. Mae hynny'n groes i'r arfer mewn cyhoeddiadau a chyfryngau Cymraeg o ddyfynnu Saesneg yn Saesneg, sy'n cyflyru darllenwyr a gwrandawyr i dderbyn dwyieithrwydd yn norm.

Mae dwyieithrwydd fel ideoleg yn ymbesgi ar ddwyieithrwydd fel realiti ac o'r herwydd cydsyniasom â chais darllenydd y Cyngor Llyfrau. Gan hynny, oni nodir yn wahanol, y cyfranwyr unigol biau'r cyfieithiadau o ieithoedd heblaw'r Saesneg yn eu penodau ond y golygyddion sy'n gyfrifol am gyfieithu'r dyfyniadau o weithiau Saesneg. Ni chyfieithwyd rhai datganiadau llafar Saesneg er hynny, gan eu bod yn eu Saesneg cysefin yn cyfleu dirmyg eu llefarwyr at yr iaith Gymraeg a'i siaradwyr gymaint yn well nag unrhyw fersiwn cyfieithedig, gwyngalchedig ohonynt.

Rhagymadrodd

Mae'n wir fod grwpiau ieithyddol gorthrymedig yn mynd o argyfwng i argyfwng, ac yn ymddangos fel pe baent yn llwyddo i ddod drwyddi dro ar ôl tro. Ac eto, ffenomen lled-derfynol yw shifft iaith, yn enwedig pan fo'n digwydd o gyfeiriad iaith leiafrifedig i iaith fwyafrifol rymus, a phrin eithriadol yw'r enghreifftiau o'i wrthdroi. Dengys y Gymru Gymraeg heddiw holl nodweddion shifft iaith clasurol: crebachu ar y diriogaeth a'r sefyllfaoedd cymdeithasol ble y defnyddir yr iaith leiafrifol yn ddidramgwydd; hollt yn ymagor rhwng y cenedlaethau gyda mwy o fynd 'naturiol' ar y Gymraeg ymhlith ei siaradwyr canol oed a hŷn nag ymhlith yr ifanc; newidiadau cystrawennol a chyfyngu ar eirfa; symudiad o ddiglosia lled-sefydlog Cymraeg/Saesneg i ddiglosia dwyieithrwydd/Saesneg mwy ansefydlog o lawer; ac adferiad ieithyddol sy'n gaeth i'r system addysg a defnydd swyddogol o'r iaith sy'n arwynebol at ei gilydd, a heb y nerth angenrheidiol i wyrdroi arferion ieithyddol gweddill y gymdeithas yn llwyddiannus.

Yng nghymunedau Cymraeg y gogledd a'r de-orllewin gwelwyd diboblogi wrth i frodorion adael i chwilio am waith a dwysawyd yr argyfwng ieithyddol ac economaidd ymhellach gan fewnlifiad o Saeson cymharol gefnog. Troes y disodliad poblogaeth yn wladychiaeth wrth i gynrychiolwyr y wladwriaeth a thrwch y newydd-ddyfodiaid fel ei gilydd arddel yr ideoleg wrthnysig nad oes disgwyl i fewnfudwyr ddysgu Cymraeg. Ac eto, erys o hyd yn y rhanbarth hwn gymdeithas sydd, ymhlith mwyafrif ei phobl gynhenid o leiaf, yn Gymraeg ei hiaith, ac ni wna faint bynnag o ymwthio iddi gan boblogaeth newydd ddi-Gymraeg ddim oll i ddileu'r cof am ei chyfanheddiad mwy cyflawn ar y tiriogaethau hyn.

Amlygwyd gwirionedd y darnio hwn ar y Gymru Gymraeg gan ganlyniadau Cyfrifiad 2011. Chwalwyd y consensws cyfforddus a chelwyddog fod 'y Gymraeg wedi'i hachub' a bod 'brwydr yr iaith drosodd'. Ni fu yn siroedd y gogledd, y canolbarth a'r gorllewin erioed unrhyw dystiolaeth wrthrychol i gefnogi'r dyb honno beth bynnag. Celwyd y cwymp mawr yn nifer a hyfywdra'r cymunedau mwyafrifol Gymraeg rhwng 1991 a 2001 gan dwf ymddangosiadol yn nifer absoliwt siaradwyr Cymraeg trwy Gymru gyfan, ond gwyddom erbyn hyn nad oedd hynny ond rhith yr ymelwodd cynheiliaid y drefn ddatganoledig newydd arno i'r eithaf. Nid oedd yn ddim amgen nag adlewyrchiad ystadegol o'r ymchwydd mewn dysgu Cymraeg fel pwnc ail iaith mewn ysgolion cyfrwng Saesneg. Dysgir y Ffrangeg hefyd yn ysgolion Cymru, ond nid oes eto yng Nghymru gymdeithas Ffrangeg ei hiaith.

Amcan y llyfr hwn yw cefnogi'r gymuned Gymraeg i wrthsefyll gorthrwm diwylliannol ac economaidd – o du trefedigaethedd mewnol Gwladwriaeth Prydain ar y naill law, ac ar y llaw arall o du cenedligrwydd sifig Cymreig sydd yn y cyfnod wedi datganoli yn gynyddol dueddol o weld parhad cymdeithas Gymraeg gydlynol fel bygythiad diangen i'w hegemoni.

Gyda hyn mewn golwg eir i'r afael â rhai o'r cysyniadau a'r rhagdybiaethau y seilir trafodaeth bolisi swyddogol am yr iaith arnynt. Rhagdybiaethau neu gredoau yw'r rhain a dderbynnir yn ddigwestiwn, a ddefnyddir wrth ddadlau ond na ddadleuir yn eu cylch. Maent yn ffurfio sail o uniongrededd ar gyfer pob polisi cyhoeddus, yn naturioli'r drefn gymdeithasol ('Fel'na mae hi') ac yn rhwystro cwestiynu'r egwyddorion mwyaf sylfaenol sydd wrth wraidd y drefn honno. Maent yn aml yn gyfeiliornus ac wedi'u beirniadu ym mhob trafodaeth academaidd ryngwladol o werth sy'n ymdrin â hwy. Er hynny, y gyfundrefn hon o ddaliadau sy'n pennu ffiniau pob trafodaeth a phob ymdrech i ddal pen rheswm â llywodraethau San Steffan a Chaerdydd.

Yn y cyswllt hwn bu'r gwyddorau dynol yng Nghymru, a chymdeithaseg yn enwedig, yn brysur yn dilysu goruchafiaeth y Saesneg yn rhan o'r norm cymdeithasol gan gyfiawnhau trefn wrth-Gymraeg heb i'r academyddion hyn gwestiynu eu rhagdybiaethau Prydeinig eu hunain. Gwelir unrhyw wyro oddi wrth yr uniongrededd hwnnw'n rhagfarn gibddall. Fel y cyhuddir y gwyddorau dynol gan athronwyr fel Alain Badiou, Slavoj Zizek a Jacques Rancière o wasanaethu meistri grym, felly hefyd gellir cyhuddo cymdeithasegwyr a sosioieithegwyr yng Nghymru o gadarnhau gorthrwm ieithyddol naill ai'n uniongyrchol neu'n anuniongyrchol drwy gynhyrchu cyfiawnhad theoretig ar gyfer polisïau sy'n ymgorffori goruchafiaeth y grŵp ieithyddol llywodraethol. Esgusodir gorthrwm ieithyddol a diwylliannol y mwyafrif ar y lleiafrif, a chyhuddir y sawl sy'n gwrthwynebu gwladychiaeth o gulni ethnig, a lladd arnynt am godi iaith yn warchodfur. Eithriad yw astudiaeth graff Glyn Williams a Delyth Morris, *Language Planning and Language Use: Welsh in a Global Age* (2000). Glaniodd y llyfr hwnnw fel UFO disglair yn anialwch plwyfol-Brydeinig adrannau cymdeithaseg ac ieithyddiaeth prifysgolion Cymru ac fe'i anwybyddwyd yn llwyr.

Un o'r prif ddylanwadau ar deithi meddwl y gyfrol bresennol yw'r cymdeithasegydd Ffrengig, Pierre Bourdieu, a ymroes yn ei waith i ddadansoddi cymdeithaseg gorthrwm gan ei ddadlennu yn y mannau hynny lle mae'n fwyaf cuddiedig. Cymdeithaseg hunanfeirniadol yw eiddo Bourdieu ac yn ei *Méditations pascaliennes* (1997) mae'n rhybuddio rhag gorhyder deallusion yng ngrym eu syniadau a'r duedd i 'fyw chwyldro yn nhrefn geiriau fel chwyldro radical yn nhrefn pethau'. Nid yw'r newid ar wastad disgwrs sy'n deillio o ailgloriannu maes yn ddigon; rhaid i'r ailgloriannu esgor ar weithredoedd.

Gan hynny, er mai cyfrol gysyniadol yw hon, dymunwn fod y dadleuon a gyflwynir ynddi'n grymuso'r Cymry mewn gweithgarwch ar lawr gwlad. I'r perwyl hwn ceir astudiaeth achos fer ar ddiwedd pob pennod yn awgrymu sut y gellir cymhwyso casgliadau'r ysgrifau at fywyd a phrofiad bob dydd, neu'n arddangos effeithiau gormesol rhai camsyniadau gwreiddiedig ar y gymdeithas Gymraeg.

Ac eto, gobeithio y cyfrifir y gyfrol hon yn un radical yn rhinwedd ei syniadaeth yn ogystal â'i chynghorion. Gwreiddir llawer o'r syniadau craidd sy'n gefn i weithgarwch y mudiad iaith heddiw yn radicaliaeth a bwrlwm syniadol y 1960au a'r 1970au (wrth fudiad iaith, ni olygir unrhyw fudiad unigol ond yn hytrach y symudiad cymdeithasol cyffredinol o blaid amddiffyn y gymdeithas Gymraeg). Ers y cyfnod hwnnw ni chynhyrchwyd yr un cysyniad theoretig o bwys gan y mudiad hwn, a llafurio'n ddygn, yn gydwybodol ac yn anrhydeddus yn y rhigolau a dorrwyd gan genhedlaeth flaenorol a wnaed oddi ar hynny.

Bwrir golwg o'r newydd yma ar y syniadau hyn yn wyneb y newid tir ideolegol a ddaeth yn sgil sefydlu'r Gymru ddatganoledig. Ond gwneir hynny heb ildio dim o ran ffyddlondeb i'r weledigaeth a oedd wrth wraidd digwyddiadau'r 1960au a'r 1970au, sef y dymuniad i weld cymunedau Cymraeg yn bod yn y dyfodol, a'r rheini'n rhai trwchus a hirhoedlog mewn gofod ac amser. O blith ysgrifwyr y gyfrol hon, yr un a ddôi agosaf at feirniadu gosodiad o'r fath, oherwydd ei natur fetaffisegol dybiedig, fyddai Huw Lewis. Mae ei gyfraniad sy'n craffu ar y cysyniad o hawl o safbwynt theori wleidyddol ryddfrydol, yn bur feirniadol o rethreg ymgyrchwyr iaith, ac yn awgrymu cyfeiriad newydd. Geilw am arddel 'sicrwydd ieithyddol' yn hytrach na 'pharhad' neu 'oroesiad' ieithyddol yn nod terfynol ymgyrchu.

Dymuna eraill gadw terminoleg y 1960au ond gan ei dehongli o'r newydd ac anadlu anadl einioes iddi unwaith eto. Nid ymarferiad deallusol esoterig mo hyn. Mae'r ffordd y diffinnir geiriau, termau a chysyniadau penodol yn hollbwysig gan eu bod yn strwythuro ein dirnadaeth o realiti gymdeithasol. Ar lawer gwedd, astudiaeth o'r allweddeiriau pwysicaf (gweler *Keywords* Raymond Williams (1976) am gymhariaeth) sy'n amlygu tensiynau yn y drafodaeth am iaith yng Nghymru yw'r gyfrol hon: geiriau fel priod iaith, unieithrwydd, dwyieithrwydd, bro, ethnig, sifig, cenedlaetholdeb, hawl, dosbarth, Cymry.

Mewn pennod ar y cyd craffwn ni ein dau ar ystyron amryfath y gair 'Cymry', yn hanesyddol a chyfredol, a chanfod mai'r diffiniad ieithyddol – 'siaradwyr Cymraeg' – fu'n greiddiol i'w semanteg erioed. Byddai adfer yr ystyr hon nid yn unig yn pwysleisio undod y gymuned Gymraeg ei hiaith, ond hefyd yn gynhwysol o fewnfudwyr sydd wedi dysgu Cymraeg (gan na fyddent fel arall yn 'Gymry'). Llesteiriai yn ogystal y broses o ddiriaethu'r iaith yn 'jwg ar seld' a'i thrin fel gwrthrych sy'n bodoli ar wahân i'w siaradwyr. Nid nod hyn yw gwadu cenedligrwydd na dinasyddiaeth Gymreig yr *Welsh* di-Gymraeg, ond nodi fod y grŵp ieithyddol Cymraeg yn bod fel endid gydlynol oddi mewn (ac oddi allan) i'r uned diriogaethol hanesyddol a elwir Cymru, a bod ganddo yn ei briod iaith ei hun (Cymraeg) ei enw priod arferedig arno'i hun (Cymry).

Try Iwan Edgar at ddau air arall a fu o dan iau anghymeradwyaeth, neu o leiaf yn fater anghydweld, sef 'Bro Gymraeg' a'r 'Fro Gymraeg' (mae gwahaniaeth rhwng y ddau gysyniad hyn). Deil fod y Fro Gymraeg yn parhau'n realiti wrthrychol yn ail ddegawd yr unfed ganrif ar hugain, a geilw am ei diffinio yn wyneb cyndynrwydd hanesyddol y wladwriaeth i wneud hynny. Heb gydnabod yn ffurfiol y Fro Gymraeg, nid oes modd ei gwarchod ac erys o'r herwydd yn ddiamddiffyn yn wyneb y mewnlifiad.

Yn ei bennod yntau, dengys Ned Thomas nad oes gwahaniaeth ystyrlon rhwng y mathau o genedlaetholdeb a arwyddoceir gan ddau air arall a ddefnyddir yn helaeth ers datganoli: 'ethnig' a 'sifig'. Bu'r dybiaeth fod cenedlaetholdeb sifig yn tra rhagori ar genedlaetholdeb ethnig (a bod yr ethnig rywsut yn gysylltiedig â'r Gymraeg a'r sifig yn nodweddu iaith fwyafrifol fel y Saesneg) yn gloffrwym i'r mudiad iaith. Defnyddiwyd y rhagdybiaeth hon i awgrymu fod hybu buddiannau siaradwyr Cymraeg yn wedd ar anoddefgarwch ethnig: cyhuddiad na wneir fyth yn erbyn siaradwyr Saesneg. Awgryma Ned Thomas y dylid rhoi'r gorau i ddefnyddio termau fel ethnig a sifig wrth drafod iaith, ac arddel cysyniad newydd yn eu lle, sef 'cymuned ieithyddol'.

Mae hyn oll yn amlygu shifft oddi mewn i genedlaetholdeb Cymreig rhwng y 1970au a dechrau'r ganrif hon wrth i genedlaetholwyr anwybyddu realiti wrthrychol y Cymry fel grŵp ieithyddol gorthrymedig a chanolbwyntio yn hytrach ar feithrin hunaniaeth genedlaethol diriogaethol Gymreig ac amlhau arwyddion allanol cenedligrwydd. Codwyd yr iaith i wastad crair symbolaidd ond parheir i danseilio'r grŵp ieithyddol sy'n ei siarad. Yn y cyd-destun hwn y mae deall cyfraniad Richard

Glyn Roberts sy'n dal fod cenedlaetholdeb wedi peidio â bod yn rym rhyddfreiniol a bod y broses o ddychmygu a gwireddu cenedl yng Nghymru yn atgynhyrchu gorthrwm ar wastad newydd. Nid yn nhermau brwydr genedlaethol y mae deall argyfwng y Gymru Gymraeg ond yn hytrach yn nhermau trais symbolaidd ar y grŵp ieithyddol gorthrymedig. Dadleua fod y gwrthsafiad yn erbyn dadfeiliad y Gymru Gymraeg yn ffurf leol ar y gwrthsafiad cyffredinol i ymlediad gwleidyddiaeth neoryddfrydol ein gwladwriaethau seneddol-gyfalafol.

Yng ngoleuni hyn oll, ymddengys pwyslais ymgyrchwyr iaith y 1970au ar gymunedau Cymraeg yn nes ati mewn gwirionedd na rhethreg y 1990au a'r ganrif hon fod modd i'r Gymraeg wneud hebddynt. Cododd hefyd genhedlaeth sy'n rhy ifanc i gofio chwerwder a bustl dadleuon y 1970au ynghylch mudiad Adfer. Dangosodd galwad ddiweddar un o ffigyrau amlycaf Plaid Cymru, Adam Price, am sefydlu haen o lywodraeth leol ar gyfer y Fro Gymraeg, fod cefnogaeth i'r syniad o ranbarth Cymraeg. Un rheswm am fyrhoedledd Cymuned, mudiad arall a ddadleuai dros gydnabod y Fro Gymraeg, oedd iddo ymddangos yn rhy fuan wedi datganoli yn 1999 i'w ofynion gael gwrandawiad teg: yr oedd gwynt yn hwyliau cenedlaetholdeb sifig, a dymuniad y sefydliad gwleidyddol oedd canolbwyntio ar y prosiect cyfansoddiadol. Eto, ni ellir ymateb yn onest i ganlyniadau iaith Cyfrifiad 2011 heb dderbyn mai dehongliad sosioieithyddol mudiadau fel Cymuned a Chymdeithas yr Iaith fu'n gywir, a byddai'r Gymraeg mewn lle cryfach heddiw pe buasai mwy o ganolbwyntio arni fel iaith gymunedol.

Oherwydd ei ddirnadaeth aeddfed o'r prosesau sydd ynghlwm wrth shifft iaith, esgorodd mudiad iaith y 1970au ar lwyddiannau pwysig ar lawr gwlad, yn eu plith y papurau bro, cymdeithasau tai, polisi iaith cadarn mewn ambell gyngor sir a dosbarth (Gwynedd a Dwyfor yn benodol) a chwmnïau cydweithredol. Roedd y rhain oll yn wreiddiedig yn y gymuned, ac yn blaenoriaethu gweithgarwch yn yr iaith Gymraeg a buddiannau ei siaradwyr mewn modd amlwg iawn. O weithredu fel hyn yn ddwys ar lefel leol, llwyddwyd, mewn rhai rhannau o'r wlad o leiaf, i gadw'r Gymraeg yn iaith gymunedol am genhedlaeth arall.

Cymharer y llwyddiant hwn â'r ffurfiau ar ddiwylliant a ddatblygodd wedi datganoli, yn oes neothatcheriaeth a chenedlaetholdeb sifig Cymreig. Barometr amlwg o'r tro ar fyd yw'r gwefannau cymunedol a sefydlwyd yn negawd cyntaf y ganrif hon, ac sy'n ddwyieithog bron yn ddieithriad. Mae'r cyferbyniad â'r papurau bro uniaith Gymraeg a sefydlwyd genhedlaeth ynghynt er mwyn gwasanaethu'r un cymunedau yn drawiadol. Yn yr un modd disodlwyd gwyliau Cymraeg y ganrif ddiwethaf (Sesiwn Fawr Dolgellau, y Cnapan, Corwen) gan wyliau dwyieithog (Sŵn, Nyth) a gwyliau masnachol Saesneg yn bennaf (Wakestock).

Ideoleg fwyaf difaol y cyfnod wedi datganoli yw dwyieithrwydd a gyflwynir fel cydraddoldeb rhwng ieithoedd ond sy'n ddall i'r anghydraddoldeb rhwng grwpiau ieithyddol. Cysyniad â hanes diddorol yw dwyieithrwydd yng Nghymru: fe'i coleddwyd yn gynhwynol er mwyn ennill cydnabyddiaeth i'r Gymraeg a'i diwylliant o du'r wladwriaeth, ac fe'i derbyniwyd gan ymgyrchwyr iaith ar sail *realpolitik*, gan na thybid fod y gymuned Gymraeg yn ddigon nerthol i fynnu darpariaethau yn y Gymraeg yn unig. Ond yn sgil Deddf yr Iaith Gymraeg 1993, mewnolwyd y syniad yn ddelfryd gan rai o arweinwyr y mudiad cenedlaethol, a'i droi'n nod ynddo'i hun.

Canlyniad ymarferol hyn fu sefydlu cydraddoldeb rhithiol ar wastad swyddogol sy'n celu'r anghydraddoldeb sylfaenol rhwng siaradwyr Cymraeg a siaradwyr Saesneg, gan ddwysáu'r gorthrwm a'i wneud yn fwy anweledig ar yr un pryd. Ni ddwyieithogwyd asiantaethau'r llywodraeth ond yn arwynebol iawn, ac eto, ar yr un pryd, cyflwynwyd y Saesneg i gymunedau a sefydliadau a fuasai gynt, yn ymarferol, yn uniaith Gymraeg. Yn ei bennod yntau, sy'n craffu ar ddwyieithrwydd, dengys Simon Brooks fod y defnydd ohono mewn cymunedau Cymraeg yn ffuantus am nad oes disgwyl i'r di-Gymraeg ddysgu Cymraeg. Nid yw felly ond ffordd o Seisnigo'r broydd Cymraeg. Gan ailymweld â gwaith J. R. Jones, dadleua nad cyrchu rhagor o ddwyieithrwydd arwynebol yw gwir frwydr y Gymraeg, ond adennill peuoedd cymdeithasol sy'n uniaith Gymraeg neu'n Gymraeg-yn-bennaf.

Fel y troes Emrys ap Iwan at genhedloedd bychain diwladwriaeth Ewrop am ysbrydoliaeth yn negawdau olaf y bedwaredd ganrif ar bymtheg, felly ninnau ar ddechrau'r unfed ganrif ar hugain. Nid yw Cymru'n bod namyn fel rhan o Ewrop, chwedl Saunders Lewis, a mantais hynny yw bod modd ymestyn y tu hwnt i amgylchfyd glawstroffobig ac Eingl-ganolog Prydain Fawr, gyda'i syniadau am ragoriaeth naturiol yr iaith a'r diwylliant Saesneg. Cyflwynir ym mhennod Patrick Carlin gysyniad a arferir ar dir mawr Ewrop, ac sydd wedi dod yn fwy dylanwadol ymhlith ymgyrchwyr iaith yn ystod y degawd diwethaf fel ateb i ddiffygion ideoleg dwyieithrwydd. Canolbwyntia ei ysgrif ar y defnydd o'r syniad o 'briod iaith' yng ngwleidyddiaeth Catalwnia a Gwlad y Basg, a'i berthnasedd posibl i Gymru yng nghyd-destun fframwaith gyfreithiol Gymreig newydd.

Cyflwynir y llyfr hwn er coffadwriaeth am J. R. Jones (1911-70), athronydd a fagwyd ym Mhwllheli yn 'fab i chwarelwr o'r dre a Chymraes uniaith o Dinas, Llŷn'. Ef oedd meddyliwr praffaf mudiad iaith y 1960au. Dadleuai J. R. Jones dros gydymdreiddiad tir ac iaith, a'r angen am droedle tiriogaethol i'r gymdeithas Gymraeg. Ddeugain mlynedd yn ddiweddarach gallwn weld y bu'n gwbl gywir i fynnu hynny. Bu tuedd i'w ddadansoddi yn y byd academaidd fel meddyliwr hanfodaidd adweithiol, gan fod y syniad o gymunedau Cymraeg tiriogaethol yn wrthun i gynheiliaid y gyfundrefn Brydeinig. Mewn gwirionedd, meddyliwr gwrthdrefedigaethol mawr ydyw J. R. Jones, y dylid ei gloriannu yng nghyd-destun meddylwyr gwrth-drefedigaethol y cyfnod (fel Frantz Fanon ac Albert Memmi) yn eu gwrthwynebiad i ymerodraethau mawrion a lledaeniad gormes trefedigaethol Ewropeaidd.

Dehonglwyd J. R. Jones ar gam gan ei wrthwynebwyr fel rhamantydd haniaethol, metaffisegol ond o ddarllen ei waith heddiw gwelir pa mor ganolog yw'r pwyslais materol sy'n ei gysylltu â meddylwyr Marcsaidd, ôl-Farcsaidd a strwythurol. Mae'r tebygrwydd rhyngddo ag etifeddion materoliaeth yn Ewrop – athronwyr fel Bourdieu a Michel Foucault – yn drawiadol. Yn ei waith, fel yng ngwaith ei gymheiriaid Ffrengig, endidau diriaethol yw realïau cymdeithasol y cadarnheir eu bodolaeth gan ddisgwrs. Try ei waith o amgylch y cwestiwn sylfaenol: sut mae llunio cydnabyddiaeth o'r Gymru Gymraeg a diriaethu'r 'Bobl' Gymraeg drwy eu diffinio er mwyn atal eu difodiant. Daliai na ellid hynny heb gydnabod adeiledd a materoldeb y gymdeithas Gymraeg diriogaethol. I J. R. Jones, arfer (*praxis*) yw'r Gymraeg sydd, gan ei bod ar dafod leferydd mewn cymdeithas Gymraeg, yn rhan annatod o wneuthuriad y gymdeithas honno; yn graidd ei ffurfiant.

Yn ysgrif Delyth Morris eir i'r afael â'r realiti cymdeithasegol yma o safbwynt y gwaith ymchwil empirig sy'n cadarnhau bodolaeth wrthrychol y grŵp ieithyddol. Dengys fod yn y gogledd-orllewin gymdeithas lle ceir ffracsiynu dosbarth ar hyd llinellau ieithyddol o ganlyniad i'r rhaniad diwylliannol o lafur yn economi'r rhanbarth.

Oherwydd perthynas economaidd neo-drefedigaethol y parthau Cymraeg ag ardaloedd mwy ffyniannus Lloegr ceir tuedd gyffredinol, yn neilltuol yn y sector breifat, i Saeson fod yn y swyddi breision ac i Gymry lenwi'r swyddi hynny sy'n nes at waelod hierarchiaeth y gweithle. Gwelir felly fod gormes ieithyddol yn annatod glwm wrth ormes economaidd. Bu polisi iaith cadarn rhai sefydliadau yn fodd i wrthweithio'r duedd hon yn y sector gyhoeddus (mewn modd nid annhebyg i atgynhyrchiad y dosbarth canol du wedi'r ymgyrchoedd hawliau sifil yn yr Unol Daleithiau) ond bygythir y symudiad rhyddfreiniol hwn gan doriadau tebygol pellach mewn gwasanaethau cyhoeddus. Yn sicr, os oes adrefnu i fod ar lywodraeth leol yng Nghymru, bydd sefydlu'r Gymraeg yn iaith gweinyddiaeth fewnol cynghorau sir yr ardaloedd Cymraeg yn hollbwysig er mwyn gwrthbwyso effeithiau neo-drefedigaethol y sector breifat.

Mae'n ddiddorol yn y cyswllt hwn fod J. R. Jones yn effro iawn i ormes economaidd yn ei weithiau cynnar. Dywed mewn ysgrif yn y gyfrol amlgyfrannog *Credaf* (1943):

> Daliaf gan hynny at fy ffydd a dywedyd nad gormod ond rhy fychan o oleuo a fu, neu, yn hytrach, na bu cydio goleuo wrth ymdrech am gyfundrefniad newydd gwrthecsbloityddol ar gymdeithas. Dyma mewn gwirionedd pam y credaf mai'r ail drobwynt mawr yn hanes datblygu posibiliadau rhesymoldeb dyn wedi'r Dadeni oedd y chwyldro Sofiet.

Yng ngwaith diweddarach J. R. Jones ceir pwyslais cynyddol ar y symbolaidd, ar drais symbolaidd a gormes ddiwylliannol. Bu'r cysyniad o drais symbolaidd yn bwysig iddo yn ei wrthwynebiad i'r Arwisgo yn 1969 – gwrthsafiad nad oedd a wnelo, ar yr wyneb o leiaf, â'r iaith o gwbl.

Deallodd serch hynny mai ymgais i gyfnerthu grym symbolaidd Saeson dros Gymry oedd urddo etifedd llinach Edward I yn dywysog Cymru, a'i fod yn rhan o'r un rhwydwaith grym sy'n dyrchafu'r Saesneg yn iaith lywodraethol ac yn dirmygu siaradwyr Cymraeg. Ac o'r herwydd roedd y gwrthwynebiad i'r Arwisgo yn rhan o'r un frwydr gyffredinol wrthdrefedigaethol.

Efallai mai gwaddol mwyaf J. R. Jones heddiw yw ei rybudd fod hegemoni diwylliannol y grŵp ieithyddol trechaf yn ymhlyg ym mhob cenedlaetholdeb sifig, yn ddigrybwyll yn hyrwyddo'i fuddiannau ei hun. Felly y rhagwelodd baradocs mawr y Gymru ddatganoledig, sef fod y garfan ddi-Gymraeg yn parhau'n fwyafrif llywodraethol, a'i grym diwylliannol yr un mor gryf â hegemoni diwylliannol y wladwriaeth Brydeinig o'i blaen.

> Pe caem fyth annibyniaeth ac i hynny darddu allan o unrhyw garn neu ffynhonnell arall [na chydymdreiddiad tiriogaeth a phriod iaith y diriogaeth, sef yr iaith Gymraeg], hynny yw, pe dibynnai ennill yr enw o fod yn 'genedl' ar i chwi dynnu'r Gymraeg rywfodd allan o graidd ein ffurfiant a'i gwneud yn ddim amgen nag eiliaith lleiafrif gweddilliedig neu'n fath o foeth diwylliannol esoterig ym meddiant rhywrai ffodus ohonom, yna nid wedi ennill annibyniaeth i'r genedl Gymreig y byddech chwi, ond wedi creu rhyw gymuned arall nad yw'n barhad o ffurfiant gwreiddiol y Cymry ond yn barhad o ddirywiad ac eiddiliad eu ffurfiant. Ac nid cwplad i'n *hanffurfiad* a geisiwn, nid annibyniaeth 'ranbarthol' i ryw 'Wales' seisnigedig lle pery'r Cymry Cymraeg i fod ar drugaredd 'goddefgarwch ymarferol' y gweddill!

Gweld perygl hyn a wnaethpwyd yn *Tynged yr Iaith* hefyd. Ac eto, er mwyn lledu ffordd lydan a dirwystr o flaen ymdaith y prosiect cyfansoddiadol Cymreig, rhoddwyd y ddadl hon o'r neilltu a'i gwthio i gyrion disgwrs derbyniol, a phan geisir ei chrybwyll eto, caiff ei gwthio allan drachefn. Dyna, yn ôl Foucault, yw natur disgwrs ymhob cymdeithas – yn dilysu'r hyn y caniateir ei leisio, ac yn annilysu'r hyn na chaniateir. Nid ar lefel ddatganoledig yn unig mae hyn yn digwydd er hynny; yn wir gwelir hyn gliriaf o gymharu disgwrs yng Nghymru a Lloegr ynghylch dyletswydd mewnfudwyr i ddysgu priod iaith eu cymdeithas newydd. Yn Lloegr ni chaniateir unrhyw farn ond bod rhaid i bob mewnfudwr ddysgu Saesneg. Yng Nghymru, ni chaniateir ond y farn groes, sef na ellir ar unrhyw gyfrif orfodi mewnfudwyr i ddysgu Cymraeg.

Cais y gyfrol hon chwalu'r niwl coegddeallusol a ledaenwyd gan y wladwriaeth a'i chyfryngau ym mater y Gymraeg ac annog y Cymry i weithredu i ddiogelu enillion y gorffennol a dyfalbarhau i wrthsefyll gorthrwm yn y presennol. Ni ellir datrys argyfwng y Gymraeg heb yn gyntaf gydnabod bodolaeth y gymuned Gymraeg yn ei thiriogaeth (hynny yw ar lawr gwlad rhagor felly nag yn yr wybren ddigidol neu ar ffurflenni swyddogol). Gellir, os mynnir, ieuo'r pwyslais hwn wrth swyddogaeth y Gymraeg yn briod iaith genedlaethol, ond cydsyniwn â barn Ned Thomas yn ei ragymadrodd i adargraffiad 2012 o *Tynged yr Iaith* fod 'perygl y bydd y naill grŵp a'r llall', Cymry'r Fro Gymraeg a Chymry canolfannau grym dinesig, 'yn marw ar wahân os na ddysgwn feddwl amdanom ein hunain a threfnu ein hunain fel un grŵp ieithyddol'. Ffenomen gymdeithasol yw iaith, ac ni ellir achub iaith heb gadw'r gymdeithas sy'n ei siarad. Meddai J. R. Jones, yntau, yn 1970:

Y mae'n bryd gweld plastro slogan newydd ar y pontydd a'r parwydydd yng Nghymru – 'y mae iaith a drengodd yn anadferadwy', 'y mae Pobl a ddiflannodd allan o fod wedi diflannu am byth'.

Simon Brooks
Richard Glyn Roberts
Eifionydd a Llŷn, Gorffennaf 2013

CYMRY

Pwy yw'r *Cymry*? Hanes enw
Simon Brooks a Richard Glyn Roberts

Canlyniad brwydr symbolaidd, boliticaidd i orseddu ffordd neilltuol o weld y byd yw dosbarthiadau cymdeithasol. Nid ydynt yn bodoli ond megis mewn potensial nes y cânt eu hadnabod a'u cydnabod drwy weithgarwch gwleidyddol ac nes iddynt ddechrau gweithredu fel dosbarth. Mae'r un peth yn wir am grwpiau cymdeithasol neilltuol o fewn ac ar draws dosbarthiadau cymdeithasol. Yn hanesyddol y mae siaradwyr Cymraeg wedi gweithredu fel grŵp cymdeithasol arwahanol yn y modd hwn, a'u henw arnynt hwy eu hunain yw *Cymry*. Amcan y bennod hon yw olrhain hanes cysyniadol yr enw.[1]

Yn y cofnod hanesyddol ac yng Nghymraeg plaen, pob dydd heddiw ystyr *Cymry* yw siaradwyr Cymraeg brodorol neu gymathedig sy'n arfer y Gymraeg. Ystyrier, er enghraifft, gwestiwn cyffredin fel 'Cymro ydy'r tafarnwr?' wrth holi a yw tafarnwr yn siarad Cymraeg. Gan mai enwau ar grwpiau ieithyddol yw *Cymry* a *Saeson*, y mae'r ffin weinyddol rhwng Cymru a Lloegr yn amherthnasol i'w semanteg ac, yn iaith y *Cymry* hynny nad ydynt wedi dod dan ddylanwad cenedlaetholdeb sifig, ceir *Saeson* am yr *Welsh* a'r *English* di-Gymraeg fel ei gilydd. Ond yn groes i'r arfer hon, yn yr ugeinfed ganrif bu cenedlaetholwyr yn ymdrechu i orfodi ystyr arall ar yr enw, gan haeru mai *Cymry* trwy ddiffiniad *ex cathedra* yw pawb fu'n byw yng Nghymru, neu sydd wedi eu geni yng Nghymru, neu sydd o dras Cymreig.[2]

Un o nodweddion datganoli yw tanseilio cyfansoddiad y gymuned Gymraeg ei hiaith fel uned neilltuol a'i thraflyncu gan hunaniaeth Gymreig drawsieithyddol (hynny yw, yn ymarferol, Saesneg). Mae'r ymgais i ailddiffinio ystyr y gair *Cymry* ynghlwm wrth hyn.

Nid yw bodolaeth yr iaith Gymraeg a siaradwyr Cymraeg unigol yn fygythiad i genedlaetholdeb sifig Cymreig. Drwy ddiriaethu'r iaith a'i gwneud rywfodd yn nwydd sy'n perthyn i bawb (boed y rheiny'n siarad yr iaith neu beidio), yn hytrach nag arfer ieithyddol cymuned ieithyddol neilltuol, gall y Gymraeg fod yn gaffaeliad i genedlaetholwyr fel symbol hanesyddol o arwahanrwydd cenhedlig. Dyna yw swyddogaeth yr Wyddeleg o safbwynt y wladwriaeth yn Iwerddon, er enghraifft. Ond y mae bodolaeth y Cymry fel grŵp ieithyddol arwahanol, sy'n gweithredu'n ymwybodol fel grŵp, yn rhwystr i ymlediad hunaniaeth sifig Gymreig (*Welsh*) a sylfaenir ar hegemoni diwylliannol y grŵp mwyafrifol Saesneg ei iaith (er ei gyflwyno fel dwyieithrwydd) yng Nghymru, fel yr oedd hefyd yn rhwystr ar ffordd ymlediad yr hunaniaeth genedlaethol Brydeinig o'i blaen.

Agwedd ar y dadfeddiannu ar y *Cymry* yw ymgais cenedlaetholwyr sifig i drawsfeddiannu eu henw a'i arddel yn enw ar yr *Welsh* hefyd, mewn ymdrech i orseddu norm hunaniaethol cenedlaethol newydd. Mae'r ymyrraeth semantig yma â'r enw *Cymry* yn gyfystyr ag annilysu bodolaeth y *Cymry* fel grŵp ieithyddol cydlynol ystyrlon.

Nid mater dibwys yw'r enw a ddefnyddir gan siaradwyr Cymraeg arnynt hwy eu hunain. Mae'n egwyddor bwysig mai'r grŵp ethnoieithyddol lleiafrifedig ddylai bennu'r enw priodol arno'i hun. Yn union fel y dymuna'r Sámi gyfeirio atynt eu hunain fel Sámi (ac nid fel Lapiaid), a'r Inuit fel Inuit (ac nid fel Esgimo), mater i'r boblogaeth sy'n arfer y Gymraeg, a neb arall, yw eu henw. Cyn yr ugeinfed ganrif, dim ond un term a geid, sef *Cymry*, ac y mae wedi parhau ar lafar gwlad hyd heddiw er gwaethaf y gwgu swyddogol arno. Mae'n wreiddiedig mewn hanes ac eto'n hygyrch i bawb sy'n siarad Cymraeg, gan mai dynodiad ieithyddol ydyw. Mae'n gallu cynnwys dysgwyr Cymraeg cymathedig y mae canran uchel ohonynt, yn enwedig yn y Fro Gymraeg, o gefndir ethnig Seisnig, ynghyd â siaradwyr Cymraeg sy'n meddu ar hunaniaeth genedligol neu ethnig arall (*Archentwr, Basgwr, Sîc* ac yn y blaen).

Mae'r ymdrech i herwgipio'r enw *Cymry* a'i wacáu o unrhyw ystyr nad ydyw'n cyfateb yn union i *Welsh* yn enghraifft arwyddocaol o natur synthetig, ormesol cenedligrwydd sifig Cymreig. Byddai adfeddiannu'r gair *Cymry* yn ergyd yn ei erbyn.

* * *

Mae'r enw *Cymro* (lluosog: *Cymry*) yn eglur ei darddiad: Daw o *bro* (yn yr ystyr wreiddiol o 'ffin' neu 'derfyn'), *mrog yn y lle cyntaf, cytras y gair Ffrangeg *marche* a'r Lladin *margo*, gyda'r rhagddodiad *com-* yn dynodi cyswllt neu berthynas. Ei ystyr wreiddiol, gan hynny, oedd 'un yn preswylio o fewn yr un ffiniau', 'cydwladwr'. Fel y daeth *Ffrainc* mewn Cymraeg Canol, a ddefnyddid gyntaf yn enw ar y bobl (Ffrancwyr, Normaniaid, Eingl-Normaniaid), i olygu'r wlad yr oeddent yn hanu ohoni, felly hefyd y defnyddid y ffurf *Cymry* yn enw ar y bobl a'r wlad y preswylient ynddi. Mae'r confensiwn orgraffyddol rheolaidd o wahaniaethu rhwng *Cymry* (y bobl) a *Cymru* (y wlad) yn dyddio o'r bedwaredd ganrif ar bymtheg. Serch hynny, nid yw ystyr geiriau'n gaeth i'w hetymoleg ac yn y cyfnod hanesyddol ymbellhaodd yr enw oddi wrth yr ystyr a awgrymir gan ei elfennau crai.

Dengys y ffynonellau cynharaf ei fod yn enw a arddelid gan Frythoniaid Cymru a rhai Ystrad Clud a Chymbria. Dyry

Chronica Ethelwerd (diwedd y ddegfed ganrif) y trosiad *Pihtis Cumbrisque* am *Peohtas* ('Pictiaid') a *Straecled Wealas* (hynny yw, *Strathclyde Welsh*) yr *Anglo-Saxon Chronicle*. Yn yr olaf hefyd ceir *Cumbri* ddwywaith am Wŷr y Gogledd.[3] Digwydd yr enghreifftiau cyntaf o *Cymry* mewn perthynas â Brythoniaid Cymru mewn testunau a briodolir i gyfnod Hen Gymraeg.[4] Erbyn hynny yr oedd yr ysgariad rhwng y ddwy boblogaeth yn gyflawn a chydnabyddiaeth o hynny yn ymhlyg yn yr enwau a arferid mewn Cymraeg Canol cynnar. Yn *Armes Prydein,* darn o farddoniaeth gan awdur anhysbys a briodolir i flynyddoedd cynnar y ddegfed ganrif, ceir *Cludwys* a *Gwŷr y Gogledd* am wŷr Ystrad Clud a Chymbria, gan gadw *Cymry* ar gyfer eu cymheiriaid yng Nghymru.

Arwydd pellach o ymaddasu i realiti gwleidyddol yw'r cefnu graddol ar yr enw *Brython* wrth i *Cymry* ennill ei blwyf. Er gwaethaf y defnydd parhaus ohono mewn Cymraeg Canol, y mae *Brython* fel enw grŵp yn ddieithriad yn edrych yn ôl i'r Brydain ôl-Rufeinig gynnar neu'n arwydd o ddylanwad (uniongyrchol neu anuniongyrchol) ffug-hanes Sieffre o Fynwy. Mewn Cymraeg diweddar mae blas hynafiaethol ar yr enw *Brython* ac, oddieithr y defnydd cyfyng ohono mewn disgwrs hanesyddol, y mae'n tueddu i fod fymryn yn eironig o'i arfer yng Nghymraeg heddiw.

I Reinhart Koselleck, pensaer hanes cysyniadol (*Begriffsgeschichte*) yn yr Almaen, y mae geiriau neu gysyniadau allweddol yn ddangosyddion o realiti neilltuol ac yn ffactor yng nghyfansoddiad unrhyw realiti hanesyddol.[5] Mewn gwrthgyferbyniad â hyn, bu haneswyr Cymru'r Oesau Canol yn gyndyn o ddefnyddio hanes cysyniadol ochr yn ochr â hanes cymdeithasol. O ganlyniad, nid astudiwyd ystyr y consept *Cymry* mewn Cymraeg Canol fel cwestiwn sy'n annibynnol ar hanes gwleidyddol cymunedau o *Gymry*. Ffiniau daearyddol y wlad yw realiti gyntaf ac olaf chwilfrydedd Hanes Cymru, a sefydlu'r genedl o'i mewn yn endid ystyrlon yw pennaf swyddogaeth y pwnc. Gan hynny, aeth haneswyr Cymru ar gyfeiliorn mewn ymgais i gyfystyru eu delfrydau hunaniaethol ag ystyr y consept *Cymry*. Aethant i gryn drafferth i wrthod y syniad mai dynodiad ieithyddol yw'r enw *Cymry*, er gwaethaf y dystiolaeth ddibrin i'r gwrthwyneb.[6]

Cyn y goresgyniad Normanaidd, yr oedd poblogaethau nas cynhwyswyd yn yr ethnonym *Cymry* wedi ymsefydlu yng Nghymru – y mae tystiolaeth o gyfanheddu gan Wyddyl, Sacsoniaid a Llychlynwyr. Yn yr un modd, golygai amrywiaeth ethnig Cymru wedi'r goncwest nad oedd cyfatebiaeth union rhwng rhychwant tiriogaethol y boblogaeth frodorol a'r wlad a ddygai ei henw. Mae'r ffaith nad oedd *Cymry* fel enw yn ymestyn i gynnwys y grwpiau ethnig neilltuol eraill – y *Ffrainc*, y *Saeson*, y *Gwyddyl*, ac ati – a ymsefydlodd yng Nghymru yn awgrymu nad oedd ei ystyr yn dibynnu ar ystyriaethau tiriogaethol. Nid *Cymry* yw pawb fu'n byw yng Nghymru, er iddynt gael eu geni a'u magu yn y wlad.

Nid oedd *Cymry* yn ddibynnol yn semantaidd ar dras yr unigolion a ddisgrifid ganddo chwaith. Nid oedd yn seiliedig ar waedoliaeth neu *hil* (a defnyddio term a arddelir o hyd yng nghyfraith Prydain ond a wrthodir bellach fel un diystyr gan anthropolegwyr difrif). Yn ystod y bedwaredd ganrif ar ddeg a'r bymthegfed, wrth i gymunedau o wladychwyr gael eu cymhathu'n ieithyddol daeth eu disgynyddion yn *Gymry*.

Dehonglwyd y cyfuniad *Cymro famtad* ('wedi ei eni o rieni yr oedd y ddau ohonynt yn *Gymry*'), sy'n digwydd yn y llyfrau cyfraith, yn dystiolaeth fod *Cymro* yn gysyniad wedi ei wreiddio mewn achyddiaeth. Nid felly mewn gwirionedd, oherwydd, i'r gwrthwyneb, yn ymhlyg yn y cyfuniad hwn, sy'n cyfeirio at fath neilltuol o *Gymro*, y mae'r awgrym fod mathau eraill o *Gymro* yn bod. Yng nghyfraith Hywel, derbynnid cymhathiad llawn disgynyddion alltud wedi'r bedwaredd genhedlaeth, ond ystyriaeth ddamcaniaethol ar ran llunwyr y llyfrau cyfraith oedd hon i raddau helaeth. Roedd yn bur debygol, chwedl Dafydd Jenkins, 'y byddai tylwyth o alltudion wedi ymdoddi i'r gymdeithas gyffredinol cyn y bedwaredd genhedlaeth, ac na fyddai modd dangos mai alltud oedd dyn arbennig o'r ail neu'r drydedd genhedlaeth'.[7]

Dangosir yn eglur yng nghyfansoddiadau llenyddol y *Cymry* eu hunain mai dynodiad ieithyddol ydoedd *Cymry* ymlaen dim – yn *Historia Gruffudd ap Cynan* (a geir gyntaf mewn llawysgrif o'r drydedd ganrif ar ddeg) gelwir gelynion y *Cymry* yn *anghyfiaith*. Ategir y dystiolaeth Gymraeg gan y cyfeiriadau mynych at y *Cymry* fel dynion *de lingua Wallensica*. Dyma unig gonstant semantig yr enw *Cymry* mewn Cymraeg Canol.

Yn yr Oesoedd Canol, awgryma hyn fod diffiniad ieithyddol yn sylfaenol bwysicach nag unrhyw ystyriaeth o ran tras, oherwydd gallai *Cymro* olygu siaradwr Cymraeg rhugl, ynghyd ag unigolyn o waedoliaeth Gymreig. Tra byddai'r rhan fwyaf o *Gymry* o dras Cymreig, nid yw'r enw'n gwahardd y posibilrwydd fod rhai *Cymry*'n ddisgynyddion i bobl a berthynai i grwpiau ethnig eraill. Gallai beirdd fel Hywel Dafi yn y bymthegfed ganrif ganu clodydd *Cymry* o waedoliaeth Normanaidd: 'bob llwyth gida ffrwyth gwaed ffraingk'.[8]

Dyry hyn i'r enw beth hyblygrwydd, sy'n cynnwys paradocs ymddangosiadol, sef bod cynhwysedd ethnig yn ddibynnol ar eithrio ieithyddol. Roedd derbyn bod poblogaeth o dras estron a oedd trwy ymgymhathiad bellach yn un Gymraeg, ac felly yn *Gymry*, yn dra dibynnol ar beidio â derbyn yn *Gymry* y sawl na fedrai'r iaith.

Yn y cyfnod modern cynnar, anogwyd sefydlogrwydd semantig yr enw *Cymry* gan unrhywiaeth ieithyddol gyffredinol y boblogaeth. Mae awduron y llyfrau printiedig

Cymraeg cynharaf yn yr unfed ganrif ar bymtheg a'r ail ar bymtheg yn cyfeirio'n gyson at eu darllenwyr fel *Cymry*, ac y mae'r arfer hon yn parhau yn ystod y canrifoedd dilynol. O baragraff agoriadol y *Llythyr i'r Cymry Cariadus* (1653), Morgan Llwyd y daw'r *locus classicus*: 'Cymmer dithau (O Gymro Caredig) air byr mewn gwirionedd ith annerch yn dy iaith dy hun.' Yr un fformiwla – 'Y Cymro caredig' – sydd gan Charles Edwards yn cloi ei ragair i'r *Ffydd Ddi-ffuant* (1677) ac yn *Rheol Buchedd Sanctaidd* (1701) mae Ellis Wynne yn cyfarch y darllenydd fel 'Anwyl gariadus Gymro'. Yn yr un modd, yn y rhagair Cymraeg i'w *Archaeologia Britannica* (1707), dywed Edward Lhwyd ei fod yn teimlo rheidrwydd 'i annerch y Cymry yn ein hiaith ein hunain'. Mewn llythyr at Richard Morris (dyddiedig Chwefror 1767) mae Evan Evans yn lladd ar yr arfer o benodi clerigwyr nad oeddent yn medru iaith eu plwyfolion i fywoliaethau 'lle y mae'r gynulleidfa i gyd yn Gymry'.[9] Trwy gydol y cyfnod hwn ceidw'r enw *Cymry* yr ystyr sydd iddo ar lafar hyd heddiw, er ei alltudio o ddisgwrs sefydliadol, sef 'siaradwyr Cymraeg brodorol neu wedi'u cymhathu'.

Tystir fod modd i *Gymro* fod yn siaradwr ail iaith cymathedig gan yr amryw gyfeiriadau at unigolion a fu'n *Saeson* ac a ddaeth yn *Gymry*. Felly dywedir am William Wotton (1666-1727), brodor o Suffolk, yn y *Cofrestr o'r Holl Lyfrau Printjedig* (1717) ei fod yn 'Sais cynhwynol' gyda'r awgrym clir ei fod bellach yn *Gymro* yn ogystal â bod yn *Sais*, gan ei fod 'yn gystal Cymreigydd ... a'i fod mor hyfedr a chymryd Copi o Gyfraith *Hywel Dda* yn llaw'.[10]

Fodd bynnag, ni olyga hynny y dylid deall pob cyfuniad o *Cymro* wedi ei oleddfu gan ansoddair mewn ystyr ieithyddol. Yn hanesyddol nid gwrthwyneb (*antonym*) y concept diweddar *Cymro dwyieithog* yw *Cymro uniaith*, ond cyfeiria yn hytrach at y werin blwyfol, annysgedig o safbwynt dilornus braidd ysgrifenwyr nad oeddent wedi ymbellhau rhyw lawer oddi wrthi. Dyna'r ystyr sydd iddo, er enghraifft, yn rhagair William Williams Pantycelyn i'w *Pantheologia* (1762). Mae ei arwyddocâd yn fwy cymdeithasol nag ieithyddol – iaith a godai'r Cymro yn nes ymlaen yn ei yrfa oedd Saesneg (neu Ladin neu Roeg), yn yr ysgol neu wrth weini yng Nghaer neu yn yr Amwythig. Yma y mae'r gyfatebiaeth gynyddol rhwng grŵp ieithyddol a dosbarth cymdeithasol yn eglur. Yn yr un modd, yn llenyddiaeth boblogaidd y ddeunawfed ganrif y mae'r *Cymro* a geisiai efelychu'r *Saeson* o ran iaith ac arferion yn gyff gwawd. Mewn cerdd rydd o'r ganrif honno yn rhestru beiau'r *Cymry* ceir peth fel hyn:

> 'Rwy'n gweled er ys dyddiau,
> Ar rai o'r Cymry feiau,
> Am droi yn Saeson, surion waith,
> A gwadu iaith eu mamau.[11]

A gellid amlhau enghreifftiau o waith Twm o'r Nant ac eraill. Erys yr ymglywed â'r gydberthynas rhwng dosbarth cymdeithasol ac iaith yn gryf ymysg *Cymry*'r bedwaredd ganrif ar bymtheg a dechrau'r ganrif ddilynol, fel y tystia'r penillion hyn a ddyfynnir gan R. Merfyn Jones yn ei *The North Wales Quarrymen*:

> Os bydd eisiau cael swyddogion,
> Danfon ffwrdd a wneir yn union,
> Un ai Gwyddel, Sais neu Scotsman,
> Sydd mewn swyddau braidd ymhobman.
>
> Mewn gweithfeydd sydd yma'n Nghymru,
> Gwelir Saeson yn busnesu;
> Rhaid cael Cymry i dorri'r garreg,
> Nid yw'r graig yn deall Saesneg.[12]

Mae'r cyfuniad *Cymro Seisnigaidd*, a gofnodir gyntaf yn yr ail
ganrif ar bymtheg, yn adlewyrchu shifft iaith i'r Saesneg
ymhlith y bonedd, nad ydyw o reidrwydd yn golygu na
fyddent yn abl i siarad Cymraeg â'u gweision. Buasai shifft
iaith hefyd ar gyrion eithaf y wlad. Dyna arwyddocâd y
catecism dwyieithog a gyhoeddwyd ar gyfer *Cymry* a *Saeson*
plwyf yr Waun ger Wrecsam, *Sacrament Gatechism, neu
Gatechism i barattoi rhai i dderbyn Sacrament Swpper yr
Arglwydd* (1720). Ar yr wyneb-ddalen eglurir yn Saesneg:
*For the Use of the Parish of CHIRK, whose Inhabitants are
partly Welsh and partly English*. Gwelir felly mai iaith yw ffon
fesur cenedligrwydd mewn ardaloedd cymysg eu hiaith.

Mae peth defnydd o'r cyfuniad *Cymro Cymraeg* yn y
bedwaredd ganrif ar bymtheg, ond y mae'n bur
anghyffredin, ac yn awgrymu rhywbeth yn debyg i *Gymro
Cymroaidd*, hynny yw *Cymro* sy'n gefnogol i ddiwylliant
Cymreig, yn hytrach na siaradwr Cymraeg ynddo'i hun. Nid
yw *Cymro Cymraeg* yn digwydd fel gwrthwyneb *Cymro
Seisnigaidd*. Gan mai consept yw *Cymro* sydd wedi ei ganoli
ar arfer y Gymraeg, ni ddefnyddid *Cymro Cymraeg* yn yr
ystyr gyfoes (na'i wrthwyneb, *Cymro di-Gymraeg*) nes y
daeth yn angenrheidiol yn sgil y datgysylltiad rhwng iaith a
thiriogaeth a broblemateiddiwyd gan genedlaetholdeb sifig
yn ystod yr ugeinfed ganrif.

Yn y bedwaredd ganrif ar bymtheg a'r ugeinfed ganrif,
nid yw *Sais* yn wastad yn golygu unigolyn o gefndir ethnig
Seisnig. Yn nofel Daniel Owen, *Enoc Huws* (1891) neu yn
nofelau T. Rowland Hughes, *William Jones* (1944) a
Chwalfa (1946), ystyr bod yn *Sais* neu'n *Sais da* yw bod yn
ddwyieithog, hynny yw *Cymro* sy'n medru siarad Saesneg
hefyd. 'Yr oedd fy nhaid wedi cael addysg dda, wedi bod yn
Ellesmere yn yr ysgol am flynyddoedd ... Yr oedd yn well
Sais nag oedd o Gymro,' meddai Hugh Evans yn ei ragair i
Cwm Eithin (1931).

Cyfiawnhai Lewis Edwards, arweinydd ymneilltuaeth Cymru'r bedwaredd ganrif ar bymtheg, sefydlu achosion Saesneg mewn ardaloedd Cymraeg gan ymresymu, 'gan fod y deyrnas yn myned yn Saeson, y mae yn rhaid i ninnau fyned ar ei hol'.[13] Newid ieithyddol oddi mewn i'r gymuned Gymraeg ei hunan, yn hytrach na mewnlifiad o bobl ddi-Gymraeg, a arwyddoceir gan fynd yn *Saeson*. Cyfeiria'r ymadrodd 'cael eu magu'n Saeson', sy'n gyffredin mewn Cymraeg hyd heddiw, at blant siaradwyr Cymraeg sy'n cael eu magu i siarad Saesneg. Trwy beidio ag arfer Cymraeg y mae'r *Cymry*, neu'u plant, yn peidio â bod yn *Gymry*. Felly y mae deall sylw T. J. Morgan ar dranc yr iaith yng Nghwm Grwyne Fechan: 'Pan af yno nesaf odid na fydd yr iaith wedi marw'n llwyr gan nad oes yno ond rhyw bump o Gymry, bob un tua'r pedwar ugain'.[14]

Ystyr *Saeson*, gan hynny, yw pobl y mae'n arfer ganddynt siarad Saesneg, gan gynnwys unigolion o ethnigrwydd Cymreig. Ni olyga hyn fod siaradwyr Cymraeg yn cyhuddo siaradwyr Saesneg di-Gymraeg, a elwir ganddynt yn *Saeson*, o fod yn *English*. Nid yw *Saeson* ac *English* yn gyfystyron. Mae'n amheus a fyddai E. Tegla Davies sy'n ysgrifennu am *Saeson* Wrecsam a Biwmares, neu D. J. Williams sy'n defnyddio'r un enw am drigolion gwaelodion Sir Benfro ('Saeson y "Down Belows"'), neu Gwenallt sydd, yn ei gerdd eiconig, 'Rhydcymerau', yn sôn am 'Saeson y De', yn cyfeirio at unrhyw un o'r grwpiau cymdeithasol hyn fel *English*.[15] Yn wir, y mae hi'n berffaith bosibl cyfeirio at unigolyn yn Saesneg fel *Welshman* a rhywbeth amgen na *Chymro* yn Gymraeg.

Ceir symudiad rhannol yn ystyr y geiriau *Cymry* a *Saeson* tua diwedd y bedwaredd ganrif ar bymtheg ac yn gynnar yn yr ugeinfed ganrif wrth iddynt ddechrau cael eu defnyddio i gyfeirio at hunaniaethau anieithyddol. Canlyniad ideoleg cenedlaetholdeb sifig oedd hyn, ac y mae i'w weld yn benodol yn ysgrifeniadau'r deallusion Cymraeg hynny a oedd yn agos at Blaid Genedlaethol Cymru rhwng y ddau ryfel byd. Mae hwn yn bwynt allweddol: theorïwyr cenedlaetholdeb Cymreig a fynnai alw'r sawl na fedrai'r Gymraeg yn *Gymry*. Erbyn heddiw, a'r arfer hwn wedi hen ennill ei blwyf mewn disgwrs sefydliadol (a'i gryfhau drwy ddatblygiad datganoli), daeth yn fwyfwy amlwg fod dynodi hunaniaeth genedlaethol sifig Gymreig drwy wagio'r enw *Cymry* o'i ystyr draddodiadol yn rhwyddhau'r ffordd i wadu bodolaeth y Cymry fel grŵp ieithyddol cydlynol.

Y safbwynt arall oedd mai siaradwyr Cymraeg oedd y *Cymry*. Nodweddiadol yw haeriad Morgan Watkin yn 1923 fod dwy genedl yng Nghymru, *Cymry* (siaradwyr Cymraeg) a *Saeson* (siaradwyr Saesneg), a ddylai fod yn gydradd gerbron y gyfraith.[16] Hynny yw, dylent feddu ar hawliau ieithyddol. Roedd Watkin yn dadlau dros fodel Ewropeaidd o ddinasyddiaeth Gymreig, yn debyg i hwnnw ym Mohemia a thiriogaethau eraill yng nghanol Ewrop lle yr oedd iaith feunyddiol (*Umgangssprache*) y dinesydd yn dynodi ei genedligrwydd.

Pe byddid wedi mabwysiadu'r model yma yng Nghymru, byddai hanes Cymru a'i hiaith yn bur wahanol. Oherwydd nid dibwys mo enw. Ceryddwyd safbwyntiau fel un Watkin gan y cenedlaetholwr, Ambrose Bebb, a haerai fod pawb sy'n byw yng Nghymru, ni waeth pa iaith a siaredir ganddynt, yn *Gymry* (hynny yw, *Welsh*).[17] Dymuniad Bebb i godi gwladwriaeth Gymreig a'i cymhellai i ddiffinio sut beth fyddai dinesydd Cymreig, a chanolbwyntio ar ddiffiniadau sifig o genedligrwydd, yn hytrach na rhai ethnoieithyddol. Eto gallai diffiniadau anieithyddol o genedligrwydd ganiatáu gwahaniaethu ar sail tras yn haws o lawer na'r deuddiwyll-iannedd yn seiliedig ar iaith a argymhellai Watkin. Roedd dylanwad ffasgaeth yr *Action française* yn drwm ar Bebb, a llychwinid cenedlaetholdeb sifig Cymreig gan wrthsemitiaeth. Oherwydd nad iaith oedd ffon fesur cenedligrwydd mwyach, trowyd at ddiffiniadau posibl eraill, megis hil.

Roedd y drafodaeth ynghlwm hefyd wrth y newid ieithyddol yng Nghymru rhwng degawdau olaf y bedwaredd ganrif ar bymtheg a chanol yr ugeinfed ganrif pryd yr aeth y wlad o fod yn fwyafrifol Gymraeg, a rhan go lew o'r boblogaeth yn *Gymry uniaith* (term a oedd wedi meithrin ystyron ieithyddol pendant erbyn hyn) i fod yn wlad lle'r oedd y di-Gymraeg yn y mwyafrif, a phawb nad oeddynt yn blant, ac eithrio rhyw lond dwrn o hynafgwyr, yn medru Saesneg.

Ymysg cenedlaetholwyr, parodd y cyfryw newidiadau demograffig, a oedd ar eu cryfaf rhwng y ddau ryfel byd, gryn ddryswch geirfaol yn y 1920au a'r 1930au ynghylch sut orau i ddisgrifio'r *Cymry* hyn nad oeddent yn medru *Cymraeg*. Mae'r cysyniad yn newydd, yn ddadleuol ac yn bur ansefydlog. Eisoes yn 1923 yn *Y Llenor*, y mae gan W. J. Gruffydd *Gymro Cymreig* a *Chymro Seisnig* sydd, tra'n cydnabod bodolaeth y boblogaeth ddi-Gymraeg yng Nghymru, yn awgrymu cyswllt rhwng iaith ac ethnigrwydd.[18] Erbyn 1947 fodd bynnag, gallai Gruffydd alw ei gyd-aelod seneddol, Aneurin Bevan, dyn sy'n fwy symbolaidd na neb o ddiwylliant Saesneg de Cymru, yn *Gymro* ac y mae'r ysgariad rhwng iaith a chenedligrwydd yn gyflawn.[19]

Yn y cyfnod wedi'r Ail Ryfel Byd yn unig yr ymsefydloga'r termau *Cymry Cymraeg* a *Chymry di-Gymraeg* a ddefnyddir yn helaeth heddiw. Y cylchgrawn dinesig o Forgannwg, *Tir Newydd*, yn unig sy'n defnyddio'r term yn rheolaidd cyn 1939, ac mae hynny'n awgrymu ei wreiddiau ideolegol. Mae'r term *Cymry Cymraeg* yn bod i gyfiawnhau *Cymry di-Gymraeg*. 'Some people believe that anyone who doesn't speak Welsh is a Sais', meddai Gwynfor Evans yn y

South Wales Echo yn 1970, 'this is something we in Plaid Cymru set our faces against like flint.'[20]

Eto er gwaethaf ei fanteision, nid yw'r term *Cymry di-Gymraeg* heb ei anawsterau. Os derbynnir fod Saesneg yn iaith sy'n perthyn i Gymru, yna mewn sawl ffordd y mae'n ddiffiniad mwy negyddol, gan ei fod yn arwyddo diffyg neu golled, na *Chymro Saesneg* neu, o ran hynny, *Sais*. Mae'n eironig hefyd fod *Cymry Cymraeg* mewn sawl ffordd yn llai cynhwysol o amrywiaeth ethnig na *Chymry* gan fod *Cymry Cymraeg* yn diffinio siaradwyr Cymraeg fel pobl o ethnigrwydd Cymreig, tra nad yw *Cymry* yn rhagdybio dim o'r fath.

Mae'r diffyg hwn, yng nghyd-destun Cymru amlddiwylliannol ac amlethnig yr unfed ganrif ar hugain, yn un difrifol. Yn wir, y mae'r symudiad diweddar (nad ydyw eto'n gyflawn) mewn disgwrs swyddogol o *Gymry Cymraeg* i *siaradwyr Cymraeg* yn ymddangos fel cydnabyddiaeth hwyrfrydig o'r broblem hon. Nid yw *siaradwyr Cymraeg* yn dynodi ethnigrwydd, ac mae mantais amlwg i hynny. Ond, gan yr awgryma fod siarad Cymraeg yn nodwedd unigolyddol (yn perthyn i ddiwylliant *consumer* – siaradwyr Cymraeg, yfwyr coffi, perchnogion cŵn), yn hytrach na realiti wedi ei gwreiddio mewn cymuned, dosbarth a hanes, yr un yw'r trais symbolaidd oherwydd gwadu cydlynedd y *Cymry* fel grŵp cymdeithasol.

Mae'r pwyslais ar *Cymry* fel enw amlethnig sy'n hyrwyddo cynhwysiad cymdeithasol yn amlwg ar dro yn ysgrifeniadau Cymraeg aelodau o leiafrifoedd ethnig. Yn *Y Tincer Tlawd* (1971), atgofion Tom Macdonald am ei fagwraeth mewn teulu o deithwyr Gwyddelig Saesneg eu hiaith yng Ngheredigion ar ddechrau'r ugeinfed ganrif, y mae'r adroddwr yn datgan mai *Cymro* ydyw gan ei fod yn medru siarad 'Cymrâg', a chan mai ef yw'r adroddwr gorau yn y pentref.[21] Yn ysgrifennu yn 1942, daliai'r ffoadur

Iddewig, Kate Bosse-Griffiths, mai Almaenwr, yn hytrach na Tsiec, oedd Rilke, y bardd o Brâg a farddonai mewn Almaeneg.[22] Anghytunai cyfieithydd Saesneg Rilke, B. J. Morse, a meddai'n fychanus:

> Yn ôl 'rhesymeg' Mrs Bosse-Griffiths, gallai hi, a aned yn yr Almaen, ac sy'n ddinesydd Prydeinig drwy'r drefn ddinasyddio neu drwy briodas, ac yn ysgrifennu fel y gwna yn aml yn Gymraeg, honni ei bod yn Gymraes [*Welsh woman*]; ac ar yr un pryd fod yn Almaenes yn rhinwedd y ffaith y gallai ysgrifennu Almaeneg mewn llaw Almaenig.[23]

Eto, dyna'n union oedd gan Bosse-Griffiths mewn golwg. Roedd Morse yn ddall i'r ffaith fod diffiniadau ieithyddol o genedligrwydd yn medru cynnig i fewnfudwyr sy'n barod i ddysgu iaith eu cymdeithas newydd aelodaeth lawn o'r gymdeithas honno.

Ni ddylid diystyru pwysigrwydd yr enw *Cymry* i siaradwyr Cymraeg fel grŵp cymdeithasol lleiafrifedig. Yn ei atgofion am Gaerdydd, *Tyfu'n Gymro* (1972), disgrifia W. C. Elvet Thomas ei brofiad o gyrraedd yr ysgol yn Nhreganna yn 'Gymro bach uniaith, yng nghanol haid o Saeson'.[24] Mae enw fel *Cymry Caerdydd*, er enghraifft yn 'Clwb Rygbi Cymry Caerdydd', yn golygu siaradwyr Cymraeg Caerdydd. Nid yw'n gyfystyr â dweud fod hwn yn glwb rygbi ar gyfer yr *Welsh* yng Nghaerdydd. Mae'r *Cymry* felly yn cael eu cadarnhau yn grŵp cymdeithasol cydlynol, arwahanol. Ond nid yw'n dilorni mewn unrhyw ffordd hunaniaeth Gymreig poblogaeth ddi-Gymraeg Caerdydd, nac ychwaith yn awgrymu eu bod yn *English*.

Nid oes unrhyw air a gamddeellir yn fwy yng Nghymru heddiw na *Cymry*. Mae llawer o'r tyndra sy'n codi o'r myth fod siaradwyr Cymraeg yn dirmygu siaradwyr Saesneg fel pobl anghymreig yn deillio o gyfieithu *Cymry* yn llythrennol yn *Welsh*, a *Saeson* yn *English*. Ni ellir datrys hyn drwy fwrw allan yr ystyron o gysylltiad ieithyddol a fedd y gair *Cymry*. Mae gorfodi *Cymry* i olygu 'Welsh' yn weithred o drais symbolaidd. Mae'n ymyrraeth â rhychwant semantig y Gymraeg, ynghyd â bod yn ymosodiad ar hunanddisgrifiad o hunaniaeth ymysg siaradwyr Cymraeg.

Nid ydys wrth ddwedud hyn yn nacáu i'r *Welsh* di-Gymraeg arddel hunaniaeth Gymreig. Ond mewn gwlad ble y maent yn llai nag ugain y cant o'r boblogaeth, a nifer y cymunedau tiriogaethol Cymraeg yn lleihau, y mae gwanhau cydlynedd siaradwyr Cymraeg fel grŵp cymdeithasol yn debygol o brysuro eu cymhathiad gan y mwyafrif di-Gymraeg. Rhan o'r ymdrech i atal hynny yw glynu wrth ystyr cynefin y gair *Cymry*.

At hynny, bu *Cymry* yn enw mwy agored na *Welsh*, sydd yn y defnydd beunyddiol ohono o leiaf, yn neilltuol yn yr ugeinfed ganrif a'r unfed ganrif ar hugain, yn aml yn dynodi arwyddion caeëdig o genedligrwydd (preswylfa, man geni, tras), am yr union reswm fod iaith wedi ei disodli fel nod diffiniol cenedligrwydd. Mae *Cymry* ar y llaw arall yn rhyng-genedlaethol (siaredir Cymraeg o Scranton i Batagonia), yn amlethnig (bu'r Gymraeg yn iaith arferedig unigolion o gefndir anghymreig), yn gynhwysol (gellir dysgu Cymraeg), ac yn arwydd o natur agored y gymuned Gymraeg ei hiaith.

Nodiadau

[1] Diolch i Dafydd Glyn Jones a Gareth Davies am eu sylwadau ar y bennod hon.

[2] Ymysg y sefydliadau sy'n ymgorffori cenedlaetholdeb sifig Cymreig ar ei amryfal weddau, y cyfryngau torfol cenedlaethol ac, yn neilltuol, chwaraeon ar wastad cenedlaethol sydd fwyaf effeithiol yn hyrwyddo defnyddio *Cymry* fel pe bai'n gyfystyr â *Welsh*.

3   Nodyn gan y golygydd (Egerton Phillimore) ar yr enghreifftiau cynnar o'r enw *Cymry* yn dilyn erthygl W. Edwards, 'The Settlement of Brittany', *Y Cymmrodor* XI (1890-91), 61-101 [97-101].

4   R. Geraint Gruffydd, 'Canu Cadwallon ap Cadfan' yn Rachel Bromwich a R. Brinley Jones (goln.), *Astudiaethau ar yr Hengerdd* (Caerdydd, 1978), tt. 25-43 [t. 28].

5   Reinhart Koselleck, 'Sozialgeschichte und Begriffsgeschichte' yn W. Schieder a V. Sellin (goln.), *Sozialgeschichte in Deutschland* (Göttingen, 1986), cyfrol 1, tt. 89-109.

6   Mae hyn eisoes yn eglur yng ngwaith mawr J. E. Lloyd, *A History of Wales* (1911) ond, yn y cyfnod diweddar, yng ngwaith R. R. Davies y ceir yr ymgais amlycaf i leiafu rhan iaith yn hunanymwybyddiaeth grŵp y Cymry ac ailddiffinio ar sail hynny yr enw *Cymry* i fod yn rhywbeth amgen na dynodiad ieithyddol. Nid hanes y consept *Cymry* ond hanes rhywbeth mwy annelwig o lawer – hunaniaeth Gymreig – yw diddordeb Davies. Gweler, er enghraifft, R. R. Davies, 'The Peoples of Britain and Ireland, 1100-1400. IV: Language and Historical Mythology', *Transactions of the Royal Historical Society*, 6th ser., 7, (1997), 1-24. Ceir critique o'i waith yn R. G. Roberts, 'Le souci du passé et la résignation au présent chez R. R. Davies' yn H. Bouget, A. Chauou a C. Jeanneau (goln.), *Histoires des Bretagnes 4. Conservateurs de la mémoire* (Brest, 2013), tt. 285-98.

7   Dafydd Jenkins, *Cyfraith Hywel* (Llandysul, 1976), tt. 16-17.

8   Sgwrs gyda Dylan Foster Evans. Hefyd dyfynnir o waith Hywel Dafi yn Dylan Foster Evans, 'On the Lips of Strangers: The Welsh Language, the Middle Ages and Ethnic Diversity' yn Morgan Thomas Davies (gol.), *CSANA Yearbook 10: Proceedings of the Celtic Studies Association of North America Annual Meeting 2008* (New York, 2011), tt. 16-38 [t. 33].

9   Hugh Owen (gol.), *Additional Letters of the Morrises of Anglesey* (Llundain, 1947-49), t. 682.

10 R . T. Jenkins, 'William Wotton' yn *Y Bywgraffiadur Cymreig hyd 1940* (Llundain, 1953), t. 1026.

11 E. G. Millward (gol.), *Blodeugerdd Barddas o Gerddi Rhydd y Ddeunawfed Ganrif* (Llandybïe, 1991), t. 305.

12 R. Merfyn Jones, *The North Wales Quarrymen 1874-1922* (Cardiff, 1982), t. 78.

13 Lewis Edwards yn *Y Goleuad*, Gorffennaf 3, 1880. Dyfynnir yn T. Gwynn Jones, *Emrys ap Iwan: Dysgawdr, Llenor, Cenedlgarwr* (Caernarfon, 1912), t. 86.

14 T. J. Morgan, *Trwm ac Ysgafn* (Caerdydd, 1945), t. 20.

15 E. Tegla Davies, *Gyda'r Blynyddoedd* (Lerpwl, 1951), t. 124; *ibid.*, t.186; D. J. Williams, 'Gyda'r Cadfridog Charles de Gaulle', *Y Gaseg Ddu a Gweithiau Eraill* (Llandysul, 1970), t. 64; D. Gwenallt Jones, 'Rhydcymerau', *Eples* (Llandysul, 1951), t. 21.

16 Morgan Watkin, 'Polisi Ieithyddol i Gymru', *Y Geninen* XLI (1923), 18-19. Dyfynnir yn Heini Gruffudd, *Achub Cymru: Golwg ar gan mlynedd o ysgrifennu am Gymru* (Tal-y-bont, 1983), t. 60.

17 Ambrose Bebb, 'Achub Cymru – Achub y Gymraeg', *Y Geninen* XLII (1924), 169. Dyfynnir yn *Achub Cymru*, t. 48.

18 W. J. Gruffydd, 'Yr Iaith Gymraeg a'i Gelynion', *Y Llenor* II.1 (Gwanwyn 1923), 17.

19 W. J. Gruffydd, 'Nodiadau'r Golygydd', *Y Llenor* XXVI.1 a 2 (Gwanwyn-Haf 1947), 2.

20 Dyfynnir yn Iorwerth C. Peate, 'Rhai Sylwadau ar Hanes a Gwleidyddiaeth Plaid Cymru', *Taliesin* 21 (Rhagfyr, 1970), 102.

21 Tom Macdonald, *Y Tincer Tlawd* (Aberystwyth, 1971), t. 157.

22 J. Gwyn Griffiths, 'Rilke: *Einsamkeit* a Chenedl' yn J. E. Caerwyn Williams (gol.), *Ysgrifau Beirniadol XXV* (Dinbych, 1999), tt. 112-126 [t. 121].

23 Cyfieithiad o'r dyfyniad Saesneg a roir yn *ibid.*, t. 122.

24 W. C. Elvet Thomas, *Tyfu'n Gymro* (Llandysul, 1972), t. 100.

Gwarth y Gwrthod

Mae'r Awdurdodau Seisnig wedi gwrthod mynediad i ddwy ferch o Batagonia i Brydain, ac felly i Gymru, am yr eildro o fewn ychydig fisoedd.

Roedd Shirley Edwards a Johana Evelyn Calcabrini wedi trefnu i aros am gyfnod byr gyda pherthna[...] o ymarfer eu C[...] Asiantaeth Ffi[...] fodlon derbyn [...]

Achos Patagonia yn destun carchar?

Mae dyn o'r gogledd yn fodlon mynd i garchar dros hawl Archentwyr i ddod i Gymru ar wyliau.

Yn ôl Eilian Williams mae'n warthus bod Llywodraeth Prydain wedi atal Evelyn Calcabrini a Shirley Edwards rhag dod i Gymru fis Mai.

Mae'r ffermwr 55 oed o Nant Peris yn chwilio am bobol i fynd gydag ef i Lundain i dargedu'r gwleidydd sy'n gyfrifol am reoli ffiniau Prydain.

Gobaith Eilian Williams yw creu cadwyn ddynol i atal y Gweinidog Mewnfudo a Ffiniau Phil Woolas rhag mynd fewn i'w swyddfeydd yn Senedd San Steffan a'r Swyddfa Gartref, er mwyn iddo brofi'r hyn y profodd Evelyn Calcabrini a Shirley Edwards wrth gael eu dal ym maes awyr Heathrow yn Llundain a'u hanfon yn ôl i'r Ariannin.

"Y gobaith fydd creu rhwystr fel y cawson nhw rwystr i'n gwlad ni," meddai Eilian Williams am ei fwriad i gynnal protest tor-cyfraith di-drais. "Mae o'n werth mynd i garchar drosto."

Llwyddodd cyngerdd nos Sadwrn diwetha'

i godi £1,650 at y gronfa sydd wedi chwyddo i £2500 ers hynny. Y gobaith yw prynu tocynnau awyren i'r ddwy ferch fedru teithio i Gymru.

Yn **Golwg** wythnos yn ôl, roedd Erica Roberts, chwaer Shirley Edwards, yn sôn am ddymuniad ei chwaer i ddod i Gymru am gyfnod o seibiant wedi'r galar o golli ei rhieni'n sydyn o fewn misoedd i'w gilydd.

Ar noson y cyngerdd daeth perthynas gwaed i gyfarfod â hi am y tro cyntaf erioed – mae Meirion Jones Edwards o Llanuwchllyn yn gyfyrder i Meirl Edwards, tad Erica a Shirley.

Mae trefnydd yr ymgyrch, Eilian Williams wedi sgrifennu at y Prif Weinidog, Rhodri Morgan, yn gofyn iddo wahodd Evelyn Calcabrini a Shirley Edwards i Gymru fel ei westeion personol.

ASTUDIAETH ACHOS

Enw mwy cynhwysol na'r wladwriaeth
Cymry o Gymru ac o lefydd eraill

gan Richard Glyn Roberts

Yn Gymraeg, fel *disgynyddion* y Cymry a ymfudodd yno yn ystod y bedwaredd ganrif ar bymtheg y cyfeirir at drigolion presennol yr ardaloedd hynny ym Mhennsylvania neu Wisconsin sy'n ymwybodol o'u tras Cymreig neu sy'n arddel elfen Gymreig yng nghyfansoddiad eu hanes. Go brin y gwrthodid fisa i'r un ohonynt dreulio cwpl o wythnosau'n crwydro mynwentydd yr hen fro yn chwilio am feddau eu hynafiaid neu'n poeni staff y Llyfrgell Genedlaethol ynghylch hanes rhyw orhendaid o'r enw William Jones. Americanwyr ydynt, cynghreiriaid sy'n siarad Saesneg, ac am hynny mae croeso iddynt yn Heathrow ac yn y *wlad yma* yn gyffredinol.

Mae trigolion Cymraeg Patagonia'n wahanol. Am iddynt gadw eu Cymraeg neu am iddynt ymroi i'w meistroli o'r newydd fe'u gelwir gennym yn *Gymry*'r Wladfa. Maent yn perthyn i'r grŵp ieithyddol a thrwy eu bod yn preswylio y tu allan i'r cadarnleoedd tiriogaethol, maent yn cynrychioli agwedd neilltuol ar amrywiaeth liwgar y bywyd Cymraeg. Yn y cyswllt olaf hwn, nid ydynt yn annhebyg i Gymry Lerpwl neu Lundain ond yn wahanol i'r rheiny, sy'n gallu ymlwybro'n ddidramgwydd i ymweld â'u teuluoedd yn Llanberis neu Bencader, Archentwyr yw Cymry Patagonia, hynny yw (o safbwynt y wladwriaeth), gelynion yn y gorffennol agos ac estroniaid pur amheus heddiw.

Bu mewnfudo a gwarchod ffiniau'n gryn obsesiwn gan y wladwriaeth a'r cyfryngau Prydeinig yn ystod y blynyddoedd olaf hyn. Yn y wasg ac ar y teledu canolbwyntia'r ddadl ar barasitiaeth economaidd dybiedig mewnfudwyr a'r bygythiad o du rhai nad ydynt yn rhannu'r un 'gwerthoedd'. Yn y modd hwn y cyfiawnheir problemateiddio mewnfudwyr o grwpiau lleiafrifedig a difreintiedig y gwrthodir mynediad iddynt neu, pan na wneir hynny, y manteisir yn haerllug ar eu llafur rhad a'u cloi felly mewn perthynas ecsbloityddol. Mae senoffobia'r wladwriaeth tuag at y rhai mwyaf diamddiffyn yn mynd law yn llaw â gwrthwynebiad chwyrn i unrhyw awgrym y gellid cyfyngu ar ryddid cyfoethogion i fudo lle mynnent. Yn y cyd-destun hwn y mae deall sut y gellir ar y naill law anwybyddu cyfraniad ail gartrefi at y chwalfa ieithyddol yn y Fro Gymraeg ac ar y llall weld dwy ferch o Batagonia yn fygythiad i sefydlogrwydd y deyrnas.

Ar ddau achlysur gwahanol yn 2009 ataliwyd dwy ferch o Batagonia ym maes awyr Heathrow rhag aros ym Mhrydain. Bwriad y ddwy oedd treulio amser yng Nghymru yn gloywi eu Cymraeg. Mewn cyfres o erthyglau yn *Y Cymro* cafwyd cronicl o'r annhegwch a dicter yr ymateb iddo sy'n cyfleu hefyd yr ymdeimlad o sarhad ehangach ar y grŵp ieithyddol. Cynhaliwyd cyngerdd yng Nghapel Rehoboth, Nant Peris lle codwyd digon o arian i dalu am docyn awyren arall i'r ddwy.

Mae'n arfer gan heuwyr propaganda'r wladwriaeth gyferbynnu eangfrydedd agored Prydeindod a natur gaeëdig dybiedig y Cymry fel grŵp ieithyddol; ond lle gwelai'r Cymry yn Nant Peris ddwy Gymraes, neu ddwy ddarpar Gymraes, ni welai'r wladwriaeth ond dwy estrones i gau'r drws yn glep yn eu hwynebau.

*   *   *

Datblygiad cyfochrog i ymdrech y sefydliad i sefydlu cyfatebiaeth lwyr rhwng *Cymry* a *Welsh* yw gosod *dysgwyr* mewn categori ffurfiol ar wahân, yn drigolion tragwyddol rhyw *limbo* ar gyrion allanol y grŵp ieithyddol.

Ystryw yw hon sy'n ffordd anuniongyrchol o nacáu natur gynhwysol y grŵp ieithyddol Cymraeg a'i amddifadu felly o fecanwaith i ychwanegu at ei niferoedd. Dyfeisir categori 'agored' newydd (*dysgwyr*) sy'n cyfateb yn ymarferol i *Welsh* gan fod holl aelodau'r genedl ddychmygedig (mewn theori) yn awyddus i ddysgu ac arddel dogn symbolaidd o Gymraeg. Ac yn yr un modd, megis ar amrantiad, sefydlir y Cymry yn grŵp caeëdig, mewnblyg a diffinnir y rhai sydd wedi dod yn Gymry fel dysgwyr am byth. Oherwydd yn y Gymru ddatganoledig iaith sy'n cael ei dysgu'n dragwyddol yw'r Gymraeg, yn fwy felly nag iaith a siaredir; ac mae pecynnu'r Gymraeg yn nwydd ar gyfer *consumers* diletantaidd yn flaenoriaeth dros sicrhau tegwch i'w siaradwyr.

Ymroir yn gynyddol hefyd i Seisnigo sefydliadau a gwasanaethau Cymraeg – S4C a'r Eisteddfod yw'r enghreifftiau amlycaf – dan gochl apelio at yr endid newydd amwys yma, a chan fychanu drwy hynny siaradwyr Cymraeg, boed y rheiny'n rhai cynhenid neu'n rhai a ymroes i ddysgu'r iaith yn iawn ac ymdoddi felly i'r gymdeithas. Oherwydd oddi mewn i'r grŵp ieithyddol Cymraeg ni wahaniaethir rhwng y rhai a fagwyd yn Gymry a'r rhai a ddaeth yn Gymry wedyn. Nid dysgwyr yw Liz Saville Roberts, y cynghorydd sir dros ward Morfa Nefyn; Simon Rodway, darlithydd yn y Gymraeg ym Mhrifysgol Aberystwyth; Steve Eaves, y canwr. Cymry ydynt.

TIRIOGAETH

Y Fro Gymraeg Heddiw
Iwan Edgar

Dyfeisiwyd y term *Y Fro Gymraeg* yn 1964 gan Owain Owain, awdur y frawddeg enigmatig: 'Enillwn y Fro Gymraeg ac fe enillir Cymru, ac oni enillir y Fro Gymraeg, nid Cymru a enillir'.[1] Roedd yn rhan o'r bwrlwm cloriannu yn dilyn traddodi darlith Saunders Lewis, *Tynged yr Iaith*, yn 1962. Dichon bod y *Gaeltacht* yn Iwerddon yn un o'r ffactorau a ysbrydolodd feddwl am ran o'r wlad lle'r oedd yr iaith gynhenid yn dal yn gyfrwng cyfathrebu naturiol, o gymharu â'r gweddill lle'r oedd wedi peidio â bod yn fyw yn yr un modd.

Pragmatiaeth yn hytrach na delfrydiaeth oedd y tu cefn i'r syniad, gan gydnabod nad oedd yr hen unoliaeth rhwng terfynau gwlad ac iaith yn bodoli bellach yng Nghymru. I rai pery hyn ychydig yn anodd i'w dderbyn. Dichon bod seiliau'r cyndynrwydd hwnnw yn deillio o fod terfynau Cymru a'i hiaith wedi cyfateb yn bur agos dros y canrifoedd, gydag ychydig eithriadau ymylol fel De Penfro a Phenrhyn Gŵyr. Roedd rhywfaint o siaradwyr Cymraeg hyd yn oed yn byw am y ffin yn Lloegr.

Yn Iwerddon gynt yr oedd rhychwant daearyddol yr Wyddeleg hefyd wedi cyfateb i derfynau'r ynys ond erbyn dechrau'r ugeinfed ganrif yr oedd hynny ymhell o fod yn wir, gyda'r iaith wedi encilio i'r rhannau gorllewinol. Er bod dyhead gwladwriaeth newydd 1922 i adfer yr iaith dros yr holl diriogaeth, sylweddolwyd nad oedd hynny'n bosib ar amrantiad ac felly daeth yn allweddol bwysig diogelu a meithrin yr ardaloedd hynny lle'r oedd yr iaith yn ystyrlon fyw. Bwriedid i'r mannau hynny fod yn fagwrfa i'r iaith ac yn sylfaen i ysbrydoli gweddill y wlad fod yr iaith yn iaith go iawn i rai cymunedau. Yno nid oedd y ffynnon wedi sychu.

Y pryd hynny, tua 18% o boblogaeth gwladwriaeth rydd Iwerddon a siaradai'r iaith, a'r mwyafrif llethol o'r rheiny wedi eu crynhoi yn y cymunedau y daethpwyd i'w galw'n *Gaeltacht*. O'i diffinio'n ddaearyddol, gweithredwyd polisïau ieithyddol a chymdeithasol gwahanol yn y *Gaeltacht* gyda'r nod o warchod a hyrwyddo'r iaith. Bu sawl astudiaeth o hynt y polisïau a weithredwyd i'r perwyl hwnnw. Efallai y gellid dadlau pe na bai polisïau o'r fath wedi eu gweithredu y byddai'r Wyddeleg wedi gwanio mwy nag a wnaeth. Ond dros y blynyddoedd bu cwynion fod y polisïau'n methu taro eu nod a'u bod yn amherthnasol i'r iaith neu'n ei niweidio. Bellach y mae ychydig dros 40% o boblogaeth Iwerddon rydd yn honni eu bod yn medru'r iaith, ond cynyddol wannach yw'r iaith yn y *Gaeltacht*. Yn amlwg, gellir cwestiynu bywiogrwydd yr iaith ymhlith y rhai sy'n honni eu bod yn medru Gwyddeleg gan eu bod wedi eu dosbarthu'n wastad ar draws y wlad, heb ruddin siaradwyr iaith gyntaf i'w Gwyddeleg, a heb fod yn dod i gyffyrddiad mor aml â'i gilydd ar hap damweiniol. Siawns na byddai argraff felly i'w chael ddim ond o ymweld heddiw ag Iwerddon ac mai 'llwyddiant' ystadegol yn unig sydd yma.

Epiliwyd Cymdeithas yr Iaith yn 1963 yn ymateb i eiriau Saunders Lewis. Ac yn fuan yn y drafodaeth daeth *y Fro Gymraeg* yn derm. Nid *broydd* nac *ardaloedd* a ddewiswyd ond *bro*. Grym yr unigol oedd fod un talp unedig o dir dan sylw gyda therfynau lled eglur. Mae'n wir fod y gair *bro* yn hanesyddol cyn hynny wedi cyfateb i ardal lai, lle'r oedd closrwydd cymdogaeth yn peri undod organig. Yn sicr ymestyn ar undod bychanfyd o'r fath oedd bwriad y term.

Teg fyddai dweud fod ymgyrchwyr iaith y cyfnod (fel o hyd) yn awyddus, fel delfryd derfynol, i weld adfer yr iaith i'w therfynau hanesyddol dros Gymru oll. Ond, fel yn achos Iwerddon yn y 1920au, gwelai rhai fod ymarferoldeb y sefyllfa'n gofyn dilyn polisi o ganolbwyntio ar ddiogelu'r Fro Gymraeg. O fewn ychydig flynyddoedd, erbyn 1970, holltodd carfan oddi wrth Gymdeithas yr Iaith i ffurfio mudiad Adfer. Tybiai'r mudiad fod dilyn y trywydd o ymorol am y Fro Gymraeg yn flaenoriaeth amgenach o ran pwyslais nag a gafwyd gan y Gymdeithas. Un o'r rhai a grisialodd bwysigrwydd *cydymdreiddiad* tir ac iaith, ac a oedd yn drwm ei ddylanwad ar Adfer, oedd yr athronydd, J. R. Jones:

> Yn awr, fy amcan yn yr ysgrif hon yw seinio rhybudd, sef ei bod hi bellach yn gwbl bosibl i weddillion y Bobl Gymraeg *fynd yn ddi-droedle ar eu tir eu hunain.* Eithr sut hynny, meddwch, gan y byddent *ex hypothesi* yn dal i siarad eu priod iaith? Craffer ar yr ateb: ânt yn ddi-droedle drwy gael eu briwsioni a'u teneuo allan gymaint yn eu broydd ac i fethu cynnal o'u cwmpas y *trwch dyladwy* o gydymdreiddiad tir Cymru â'r iaith Gymraeg. A diwedd y teneuo fydd tranc.[2]

Llwyddodd Adfer i raddau am gyfnod i ddwyn pwyslais ar bwysigrwydd y Fro Gymraeg i barhad yr iaith, cyn i'r mudiad raddol edwino i'r cyrion a phylu. Ail-bobiad o'r un syniad sylfaenol fu'r hyn a gafwyd wrth ffurfio mudiad Cymuned yn 2001.

Mae'n wir dweud hefyd yng nghyfnod Adfer bod elfen o ramantu enciliaeth yn perthyn i'r syniad o Fro Gymraeg, a bod yn deillio o hynny deimlad ei bod yn rhyw wlad ddelfrydol, baradwysaidd, ddi-Saesneg a oedd un ai'n bodoli'n barod neu rywfodd i'w chreu, neu'n gyfuniad o'r ddau beth. Roedd hynny, mae'n debyg, yn rhan o'r ymchwydd ailgloriannu safonau a ddaeth i'r byd gorllewinol yn y 1960au a'r 70au. Ar rai gweddau yr oedd ymgais i wyrdroi pethau'n rhy sydyn. Rhywbeth y gellid breuddwydio amdano yn hytrach na'i wireddu mewn byr amser oedd troi pethau o fod yn swyddogol Saesneg i fod yn swyddogol Gymraeg mewn darn o ddaear oedd dros hanner arwynebedd Cymru. Ar wedd arall yr oedd y syniadaeth ag elfen oedd yn ysbrydoli ac yn rhoi cyfeiriad.[3]

Eto ni lwyddwyd i gael unrhyw bolisi cymdeithasol ieithyddol gwahanol i weithredu yn y rhan hon o Gymru. Gellir dweud i rai awdurdodau lleol o'i mewn arddel polisïau oedd yn fwy cynhwysol o'r Gymraeg. Ond, yn eithaf arwyddocaol efallai, erys o hyd gyndynrwydd i ddiffinio terfynau'r *Fro*, ac ni wnaed hynny erioed ar unrhyw lefel swyddogol. Efallai mai'r peth agosaf ag arlliw swyddogol iddo fu 'polisi' yn *Iaith Pawb* (2003) yn cyfeirio at ardaloedd â 70% neu fwy yn siarad Cymraeg ynddynt ac yn mynegi dymuniad i atal colli rhagor o'r ardaloedd hynny.[4] Ond braidd na ellid galw hwn yn 'bolisi', dim ond gobaith gyda gwawr o sylweddoliad mwy soffistigedig.

Cyffelybiad o fyd gwarchodaeth amgylcheddol fyddai'r sylweddoliad fod difetha neu ddirywio cynefin anifail neu blanhigyn cystal â difa'r rhywogaeth ei hun maes o law, ac nad oes dim yn wahanol i hyn yn achos iaith a diwylliant.[5] Nid nad yw hawl unigolion i gael gwasanaeth yn y Gymraeg yn rhan o'r broses atgyfnerthol i'r gymuned ieithyddol. Ond lefel elfennol gychwynnol yw hynny. Nid yw'n trafod iaith fel cyfrwng rhwng pobl mewn cynefin arbennig a pheth hanfodol gymdeithasol. Nid oedd deddfau iaith 1967 a 1993 ar unrhyw wedd yn cyffwrdd â chyd-destun cymdeithasol, daearyddol yr iaith, ond yn hytrach yn ymwneud yn unig â hawliau unigolion i'w defnyddio i gyfathrebu â'r wladwriaeth ar ei haml weddau. Nid yw

Mesur y Gymraeg (2011) chwaith yn uniongyrchol wedi aeddfedu digon mewn cymdeithaseg iaith i ymestyn ei ystyriaeth unwaith heibio'r un egwyddor o hawliau'r unigolyn.[6] Er hynny yn 2010 cydnabu dogfen ymgynghori ar strategaeth iaith arfaethedig Llywodraeth Cymru, *Iaith Fyw: Iaith Byw*, fod pethau mwy cymhleth yn anhepgor i bolisi iaith rheitiach.

Yno, mae adran sylweddol am yr hyn a elwir yn 'Ardaloedd Hybu'r Gymraeg':

> Bydd y rhain yn ardaloedd o arwyddocâd ieithyddol arbennig lle mai'r Gymraeg yw prif iaith bywyd beunyddiol, neu lle'r oedd yr iaith yn brif iaith tan yn gymharol ddiweddar, ond lle mae bellach, oherwydd ffactorau economaidd-gymdeithasol, dan fygythiad, o fewn teuluoedd ac yn y gymuned yn gyffredinol. Ein bwriad yw datblygu mentrau cynllunio ieithyddol dwys a phenodol a fydd yn ysgogi camau gweithredu strategol, gan wyrdroi newid ieithyddol. Drwy weithio mewn partneriaeth gydag awdurdodau lleol, sefydliadau trydydd sector ac asiantaethau lleol sy'n ymwneud ag adfywio cymunedol ac economaidd, byddwn yn ceisio sicrhau bod y Gymraeg yn cael ei phrif ffrydio fwyfwy yn eu gwaith ar draws pob sector.
>
> Bydd yr heriau penodol yn amrywio o ardal i ardal ond maent yn debygol o gynnwys materion fel tai fforddiadwy; diffyg cyfleoedd gwaith; nifer isel o rieni'n trosglwyddo'r Gymraeg i'w plant; statws isel yr iaith o fewn y gymuned; diffyg cyfleoedd i ddefnyddio'r iaith, a mewnfudo ac allfudo.[7]

Roedd y term 'Ardaloedd Hybu'r Gymraeg' wedi ei ollwng erbyn cyhoeddi'r strategaeth derfynol yn 2012, fodd bynnag, a'r ymrwymiad i'w sefydlu (bu cais ar gael un yn ardal Aman-Tawe) yn fater bellach o 'asesu a yw'r model hwn o weithredu yn un y dylid ei ymestyn i ardaloedd eraill.'[8] Tueddai ieithwedd y ddogfen derfynol i fod yn wannach yn ogystal. Roedd y llywodraeth wedi newid erbyn hynny wrth gwrs, gyda'r cyn-Weinidog â chyfrifoldeb dros y Gymraeg, Alun Ffred Jones (Plaid Cymru), wedi ildio ei le i Leighton Andrews (Llafur).

Eto, mae'n werth nodi, hyd yn oed yn y ddogfen ymgynghorol, fod amharodrwydd i drafod Y Fro Gymraeg fel un darn, a chyfeirir ati yn hytrach fel *ardaloedd* yn y lluosog. Dewisir hefyd y gair *ardal*, – yn ymwybodol neu'n isymwybodol – o bosib rhag defnyddio'r gair *bro* sy'n llwythog o sawr mudiad Adfer.

Ond pa enw bynnag a ddefnyddir, ymddengys hefyd bod cyndynrwydd o hyd i nodi'n union ble mae'r ardaloedd hyn. Mae mapiau iaith sy'n deillio o gyfrifiadau ar gael yn hwylus, eto nid oes arddel mewn terfynau cydnabyddedig ble'n union mae'r mannau hyn. Yn hytrach, mynegwyd yn annelwig yn yr ymgynghoriaeth:

> Mae'n bosib y bydd rhai *Ardaloedd Hybu'r Gymraeg* strategol yn croesi ffiniau awdurdodau lleol a bydd gofyn cydweithio a rhannu diben cyffredin.[9]

A bron fel petai'n ddigyswllt, ceir hyn ymhlith y 'Pwyntiau Allweddol Data':

> Bu gostyngiad yn nifer y cymunedau lle'r oedd dros 70% o'r boblogaeth yn medru'r Gymraeg i 54 yn 2001 o'u cymharu â 92 yn 1991. Dadleuwyd ers tro bod angen dwysedd o siaradwyr ar y lefel honno er mwyn i'r Gymraeg fod yn iaith bob dydd yn y cymunedau hynny.[10]

Roedd y rhain wedi lleihau erbyn Cyfrifiad 2011 yn 39 o gymunedau, a'r cwbl yn y gogledd-orllewin. Ymddengys i mi mai'r rhain yw'r ardaloedd Cymraeg craidd, ond bod y Fro Gymraeg (neu pa derm bynnag a ddewisir) ychydig yn helaethach, yn enwedig o feddwl mai darnau bratiog iawn yw'r ardaloedd hyn oll erbyn hyn. Ymddengys map Cyfrifiad 2011 yn fwy fyth fel Iwerddon – hynny yw, *Gaeltacht* a *Gaeltacht* wannach o lawer (*Breac Gaeltacht*) o'i chwmpas. Gan ddyfynnu John Aitchison a Harold Carter:

> Erbyn 1991 yr oedd dwy elfen yn amlwg. Byddai'n rhaid naill ai mabwysiadu cyfran mor isel â 50 y cant er mwyn cyfiawnhau ac adnabod ardal barhaol o siaradwyr Cymraeg yng ngogledd a gorllewin Cymru neu dderbyn bod darnio eisoes wedi digwydd yn y berfeddwlad draddodiadol, gan adael dim ond olion ynysedig o'r craidd traddodiadol Cymraeg ei iaith.[11]

O edrych ar fapiau'r ardaloedd 70% yn 2001 a 2011, dyma felly yr 'olion ynysedig' ond bod yr Ardaloedd Hybu'r Gymraeg yn helaethach ac yn cynnwys ardaloedd lle'r oedd yr iaith yn brif iaith tan yn ddiweddar iawn.

Felly, pa sail wyddonol sydd i'r ganran 70%? Mewn erthygl gan Hywel Jones ceir y dadansoddiad mathemategol perthnasol o'r ganran, sy'n haeddu cael ei ddwyn i ystyriaeth i roi'r drafodaeth hon yn ei ffrâm:

> Mae'n debyg bod 70 y cant wedi ei ddewis fel canran yn nharged *Iaith Pawb* oherwydd y gellir cyfrifo'n syml y tebygolrwydd o ddau siaradwr Cymraeg yn cwrdd ar hap fel $p = x^2$ - lle x yw'r gyfran o'r boblogaeth sy'n gallu siarad Cymraeg. (Mae'r model hwn yn gyffredin ym maes llenyddiaeth amrywiaeth biolegol {e.e. Maignan *et al.* 2003}). Yn ôl y model

hwn pan mae x = 0.7, y tebygrwydd y byddai dau sy'n siarad Cymraeg yn cwrdd ar hap yw 0.49. Gellir dadlau felly mewn cymuned lle mae 70 y cant yn gallu siarad Cymraeg y byddai siawns o bron i 1 mewn 2, neu'n well, i siaradwr Cymraeg gwrdd â siaradwr Cymraeg arall.[12]

Â ymlaen wedyn i drafod tebygolrwydd cyffyrddiad rhwng siaradwyr Cymraeg amrywiol (o ran oed) o ran Cyfrifiad 1991 a 2001. Er bod cynnydd yn niferoedd absoliwt y siaradwyr Cymraeg, yr oedd y dosbarthiad yn peri bod y tebygolrwydd i un ddod i gyffyrddiad ag un arall wedi lleihau, drwy fod y siaradwyr wedi eu gwasgaru'n fwy gwastad: llai ohonynt yn y mannau cryfaf a mwy yn y mannau gwanaf.

> Ymhlith yr oedran pwysicaf o bosibl o ran ffurfiant teuluoedd – ac yn y pen draw am drosglwyddiad rhwng cenhedlaeth, sef pobl 25 i 39 oed – er bod y ganran oedd yn gallu siarad Cymraeg wedi codi o 14.4 y cant yn 1991 i 15.3 y cant yn 2001, roedd y tebygolrwydd y byddai siaradwr Cymraeg yn cwrdd ag un arall ar hap wedi gostwng o 0.430 yn 1991 i 0.384.[13]

Yn ei gasgliad noda bwysigrwydd yr egwyddor sy'n perthyn i fathemateg cyffyrddiad tebygol siaradwyr â'i gilydd. Pwysleisia'r pwysigrwydd o 'normaleiddio' iaith, a bod:

> clymau cymdeithasol rhwng y rhai sy'n gallu siarad yr iaith yn bwysig i ddefnydd yr iaith – boed y rheini'n glymau o ran lleoliad neu rwydweithiau – gan eu bod yn darparu cyfleoedd i siarad yr iaith.[14]

Mae'n hollol amlwg bod rhwydweithiau'r rhai sydd â'u gwreiddiau ddyfnaf mewn ardal yn debygol o fod yn gadarnach na rhai newydd gyrraedd. Felly mae'r brodorion Cymraeg eu hiaith yn debygol o feddu ar rwydweithiau cryfach mewn ardaloedd lle maent hwy, a lle bu'r cenedlaethau o'u blaen, yn byw. Yn hynny o beth mae'r iaith yn wytnach na'r ffigyrau. Ond gellir ymestyn y rhesymeg fathemategol syml a geir yma. Gan gofio mai dim ond cyffyrddiad dau berson sydd dan ystyriaeth yma, mae sefyllfaoedd cymdeithasu o dri, pedwar, pump ac yn y blaen nid yn unig yn bosib ond yn dra arferol, a phe ceid cyfarfod cyhoeddus efallai y byddai cant yno, felly daw'n $p=x^3$, $p=x^4$, $p=x^5$ ... $p=x^{100}$, sef 0.343, 0.241, 0.16807 .... 0.00000000000000323447651. Oni bai fod y cyfarfod yn digwydd mewn rhwydwaith Cymraeg (gig gan fand Cymraeg, eisteddfod, capel, ac ati) yna mae hi bron yn fathemategol amhosib (ar hap mewn ardal lle mae 70% yn siarad Cymraeg) cael cyfarfod cyhoeddus heb i berson di-Gymraeg fod yno. A gall 100% bellach o'r rhai sy'n siarad Cymraeg siarad Saesneg.

Un ystyriaeth bellach y dylid ei dwyn i gof ydyw sut lefydd ydyw'r cymunedau 70%. Yn sicr bu, ac y mae, syniad cyffredinol mai iaith wledig ydyw'r Gymraeg. Bu gogwydd at synio felly wrth drafod cau ysgolion cynradd yn y wlad a'u pwysigrwydd i'r iaith. Ac y mae cymunedau gwledig ymhlith y rhai Cymreiciaf. Er hynny nid yw'n llawn mor hawdd diffinio 'gwledig' bob tro. Hawdd fyddai dweud bod Llanuwchllyn yn wledig, ond prin y byddem yn gyfforddus yn dweud mai lle gwledig yw Caernarfon. Mae rhai mannau sydd rywle yn y canol ac felly byddai modd dadlau yn amodol ar ddiffiniad o wledig a threfol. Ond yn ôl fy nghlorian i o edrych ar y cymunedau sydd dros 70% yn 2011, ymddengys fod tua hanner yn wledig a hanner yn drefol yng Ngwynedd. O ran poblogaeth golyga hynny fod dipyn mwy yn y trefol. Mae hyn efallai ychydig yn wahanol i rai o'r drychfeddyliau traddodiadol sy'n bodoli am gadarnleoedd y Gymraeg ond y mae'n bwynt gwerth ei nodi.

Sylwais ar y nodwedd hon mewn cyfnod blaenorol pan ddaeth trafodaeth am Y Fro Gymraeg yn y 1970au. Deuthum i drafodaeth ag ambell un a oedd yn rhestru nodweddion Cymraeg ei ardal a rheiny'n rhai eithaf helaeth, ond yn mynnu wedyn ar yr un pryd nad oedd, neu na fynnai fod, y gyfryw ardal yn Y Fro Gymraeg. Sut yn union oedd dehongli'r wedd ychydig yn gymhleth hon? Oedd, yr oedd adweithio i'r syniad o osod terfyn neu 'hollti Cymru' fel y clywid yn aml. Siawns bod hyn yn perthyn yn rhannol i'r meddylfryd 'Dwi cystal Cymro â neb', gan fynd o flaen gofid i ateb rhith 'gyhuddiad' am natur 'golledig' ardal. A bod yma gymysgfa o falchder a cheidwadaeth a pheth ofn wynebu realiti. Cefais brofiad arall o hynny yn ddiweddarach, ychydig flynyddoedd yn ôl, sy'n enghreifftio'r un meddylfryd yn yr un modd. Pechais yn erbyn cynghorydd o ochrau Abersoch, drwy i mi ddyfeisio berf newydd *Abersochio* mewn erthygl yn *Barn*. Yn syml, diben y ferf newydd honno oedd disgrifio lle wedi ei ddifetha'n ieithyddol drwy orddatblygu twristaidd a mewnfudo. Yr oeddwn, meddai, yn bwrw sen ar y rhai a gynhaliai'r Gymraeg yn y pentref. Er i mi geisio'i argyhoeddi bod eu gwrhydri hwy gymaint rhagorach drwy fod yr amgylchiadau yn dipyn anos yno, ni thyciai hynny o gwbl. Mae'n debyg fod yma ran o'r eglurhad pam fod ymwrthod rhag rhoi terfynau amlwg: gohirio wynebu caswir ac ofn tramgwyddo rhai y tu allan a chwalu math o ddedwyddwch ffug.

Cynsail gweithredol iawn dros y blynyddoedd fu'r syniad na allai rhai di-Gymraeg ddysgu Cymraeg. Dim ond un llwybr ieithyddol oedd yn bosib sef i rai Cymraeg eu hiaith ddysgu Saesneg. Rwy'n cofio'n iawn i mi feddwl hynny fel plentyn yn y 60au mewn ardal Gymraeg, yng nghyd-destun oedolion. Dichon fy mod yn adlewyrchu'r meddylfryd a oedd yn cael ei dderbyn yn lled-ddigwestiwn ar y pryd yn y gymdeithas yr oeddwn yn rhan ohoni.

Yn raddol o'r cyfnod hwnnw, daeth sylweddoliad mai cyfyngiad diwylliannol y rhai Saesneg eu hiaith oedd hynny ac nid nodwedd gynhenid anorchfygol. A bellach cydnabyddir mewn egwyddor y gall unrhyw un ddysgu iaith. Eto dros y blynyddoedd, drwy fod y Gymraeg yn ddi-statws a heb ei normaleiddio fel iaith gan y wladwriaeth, y mae'n cael ei rhwymo fel rhywbeth a berthyn i grŵp 'ethnig' penodol. Dilyniant rhesymegol hynny ydyw fod hyrwyddo'r iaith yn gyfwerth â hyrwyddo hawliau'r grŵp hwnnw ar draul eraill. Cafwyd nifer o enghreifftiau o'r ystyriaeth hon dros y blynyddoedd. Daeth Deddf Cysylltiadau Hiliol (a'r Comisiwn er Cydraddoldeb) i wrando cŵyn rhai a dybiai fod gosod amod y dylai person fedru siarad Cymraeg i lanw swydd yn hiliol.[15] Diystyrid fod y rhai sy'n siarad Cymraeg fel iaith gyntaf wedi gorfod derbyn y pwysau cyfreithiol a chymdeithasol i ddysgu Saesneg i gael bron unrhyw swydd boed yn y sector gyhoeddus neu breifat. Ym Mhrydain (o du'r wladwriaeth a thrwch y boblogaeth yn ddiofyn mae'n debyg) mynnid a mynnir gweld o hyd fod medru Saesneg yn normalrwydd a medru unrhyw iaith arall yn atodol.

Mae realiti'r cysyniad hwn wedi chwarae rhan yn hanes diweddar yr iaith. Roedd hyn yn ffactor canolog yn 2001 pan ffurfiwyd Cymuned. Heb or-fanylu, defnyddiodd y Blaid Lafur sylwadau a oedd yn amddiffyn y Gymraeg fel trwydded i gyhuddo cefnogwyr yr iaith, a Phlaid Cymru yn eu plith, o weithredu'n hiliol. Er bod y gwrthddadleuwyr yn gweld y cyhuddiad yn un eironig a gwyrdroëdig o gofio hanes y modd y bu'r Gymraeg a'i siaradwyr yn cael eu trin, yr oedd yma gyfle i wleidyddion craff fanteisio ar fod yr iaith heb ei normaleiddio. Roedd ymateb ymwadol Plaid Cymru yn dangos fod yr agenda yn nwylo'r Blaid Lafur a bod Plaid

Cymru, yn gywir efallai, yn amau y byddai ymladd yn erbyn cynseiliau cyfeiliornus y syniad yn wleidyddol yn rhy beryglus. Boed hynny fel y bo, mae'r tueddfryd gwrth-Gymraeg sydd i'w weld yma yn ffactor sy'n dylanwadu ar gyflwyno polisïau gweithredadwy a fyddai'n dderbyniol yn y Fro, ac yn un glwyd lesteiriol arall y gellid ei chodi ar draws unrhyw bolisi cefnogol i'r iaith. Hyd yma nid oes unrhyw awdurdod lleol wedi gosod amod medru Cymraeg wrth roi hawl cynllunio i godi tŷ neu wrth osod tŷ cyngor. Bellach aeth tai cyngor yn eiddo i gyrff newydd lled-annibynnol, ac nid ymddengys fod polisïau'r cyrff hynny'n ddim amgenach. Defnyddiwyd amod 'person lleol' ('Amod 106') fel modd a fyddai mewn sawl achos yn cyfateb i hynny, ond yn aml iawn, drwy fod cymaint dirywiad yn yr iaith mewn cymaint o fannau, daeth y diffiniad polisi o 'berson lleol' yn gynyddol lai cyfatebol i siaradwr Cymraeg. Mae'n sicr fod adlodd y camddefnydd o hiliaeth yng nghraidd hyn. Yn y cyd-destun hwn felly mae hyrwyddo'r iaith yn llai gonest ac yn llai effeithiol.

Nid oes raid ond mynd i un o'r gwledydd sydd yng nghalon Ewrop i weld beth a wneir yno o ran cadw integriti tiriogaeth iaith: Gwlad Belg. Mae'r polisïau haearnaidd sydd ar waith yno rhwng tiriogaeth y Ffrangeg a'r Fflemeg yn dangos pa mor ddi-sail ydyw'r ffug-gyhuddiadau o hiliaeth a ddefnyddiwyd i danseilio'r Gymraeg yn ei chadarnleoedd. Yng Ngwlad Belg nid oes parodrwydd i unrhyw iaith ildio modfedd i'r llall tra bo pob iaith yn feistres yn ei thiriogaeth ei hun. Ni chynigir unrhyw wasanaeth cyhoeddus Ffrangeg yn y parth Fflemeg na Fflemeg yn y parth Ffrangeg. Nid oes goddef unrhyw gyfaddawd dwyieithog ond yn y prin fannau ffiniol (gan gynnwys dinas Brwsel ei hun). Breuddwydio fyddai meddwl y gellid, yn y tymor byr, orseddu hawliau'r Gymraeg i'r statws sydd gan yr ieithoedd hyn yn eu tiriogaethau, serch hynny y mae'n adlewyrchu pwysigrwydd anhepgor tiriogaeth i barhad iaith, a'r ffaith nad yw'n dderbyniol i estron fynd i diriogaeth i drefedigaethu ond i gymathu.

O dderbyn cyfyngiadau'r amgylchiadau presennol ar y Fro Gymraeg, pa bolisïau y gellid yn ymarferol ystyried eu ceisio a'u gweithredu i'w hamddiffyn? Dichon y byddai ymestyn y diriogaeth yn perthyn ar hyn o bryd i fyd delfrydol breuddwydio damcanol gan fod yn rhaid gwarchod yr hyn sydd weddill ac atal dirywiad yn ei gwead. O ran cymhariaeth gellid dwyn ystyriaeth o'r hyn a wnaed, neu na lwyddwyd i'w wneud, yn y *Gaeltacht*, gan synio y byddai hyrwyddo'r iaith mewn rhannau y tu allan i'r Fro o raid yn codi proffil yr iaith ac yn atgyfnerthu peth ar yr iaith o fewn y Fro ei hun. Mewn gwirionedd mae cynnydd yn rhywle'n help, cyhyd â bod cynnydd mewn mannau lle mae seiliau cymdeithasol yr iaith yn llai cyflawn yn peidio â thaflu llwch i lygaid a deor ffug-obeithion camarweiniol.

Mae hyrwyddo economi yn ystrydebol o amlwg yn rhywbeth a allai atgyfnerthu'r Gymraeg mewn cymdeithas. Ond heb ymorol bod hyrwyddo'n digwydd (yn ariannol neu mewn unrhyw fodd arall) gyda'r iaith yn ffactor creiddiol, gallai hynny nid yn unig fod yn wastraffus ond yn niweidiol yn ogystal, drwy dynnu rhai di-Gymraeg i'r Fro a'u cynnal yno, a gwanio sefyllfa'r iaith ynghynt yn y broses.

Yn araf a mewn darnau treuliadwy y gall cymdeithas led fechan ymdopi ag unrhyw ddatblygiad. Erfyn arall canolog yw rheolaeth ar gynllunio. Hawdd dweud hynny, ond pwy sy'n penderfynu pa mor gadarnhaol i'r iaith yw datblygiad? A siawns fod nifer o ddatblygiadau yn y tir canol llwyd, gyda nodweddion llesol ac aflesol yn gymysg? Mae'r egwyddor na ddylai datblygiad fod yn negyddol wedi ei hen arddel. Fodd bynnag, heb weithredu rheitiach na thalu gwrogaeth symbolaidd i hynny, a heb broses ddadansoddi ystyrlon, yna cam-gysuro a wneir o ran nawdd i'r Gymraeg.

Mae'r cloriannu hwn wedi mynd cyn belled yng Ngwynedd ag yn unman arall. Eto gwan a naïf ydyw'r polisïau'n aml ac, mewn gwirionedd, camarweiniol yn aml yw eu galw'n bolisïau. Dyheadau ydynt. Dyheadau y telir gwrogaeth iddynt ar ddechrau dogfennau a'u gadael ar hynny. Nid oes unrhyw wir ddadansoddiad cymdeithasegol ieithyddol yn cael ei wneud. Efallai fod hynny'n gofyn gormod gan gyngor lleol, ond o'r herwydd mae'r polisïau'n hanfodol ffals. Enghreifftir hyn gan y ddogfen *Cynllun Datblygu Lleol ar y Cyd Gwynedd a Mon* [sic] (drafft ar gyfer trafodaeth, Tachwedd 2011). Un o brif ystyriaethau'r ddogfen yw lle i ganiatáu codi tai newydd gyda sylwadau ar 'Brif Fanteision' a 'Phrif Anfanteision' pob dewis.[16] Gwneir hyn er mwyn cael ymateb. Ond, er bod rhestr o faterion amgylcheddol, economaidd, amaethyddol ac yn y blaen o dan y penawdau, nid oes sôn am y Gymraeg. Siawns nad yw pob opsiwn yn hollol gyfartal ei effaith ar yr iaith. Petai rhywun yn daer yn dymuno dewis yr opsiwn gorau i'r Gymraeg does dim arweiniad a dengys hynny na roddwyd unrhyw ystyriaeth o ddifrif i'r iaith wrth lunio'r ddogfen. Coel blys neu waeth yw'r gosodiadau pwysig dros yr iaith. Yn fwy na hynny nid oes unrhyw gwestiynu ar nifer y tai a ganiateir a phwy sydd i fyw ynddynt ayyb. Pe byddai unrhyw gynllunio ystyrlon o ran yr iaith rhaid fyddai cael atebion i'r cwestiynau hyn. Ond nid oes yr un arwydd fod awduron y ddogfen wedi breuddwydio am y fath gloriannu.

Bu'r profiad o wrthwynebu ehangu Marina Pwllheli yn 2006 eto'n gadarnhad o ofnau o'r un anian. Mynegwyd pob bwriad cadarnhaol dros y Gymraeg. Honnwyd y byddai'r marina'n hwb i'r iaith, heb ddim mwy na dyhead arwynebol y byddai hynny'n wir. Awgrymai dadansoddiad o weithlu'r marina fel arall. Roedd 2 o'r 13 busnes yno yn nwylo perchnogion Cymraeg eu hiaith a 54 o'r 95 a weithiai yno yn medru Cymraeg (mewn tref lle'r oedd bron 80% yn siarad yr

iaith). Oni bo ffactor anhysbys arall yn y fantol, nid oedd lle
i gredu y byddai marina mwy yn ddim amgen na mwy o'r un
peth. Nid oes gofyn bod yn graff i sylweddoli peryglon y
datblygiad gwreiddiol heb sôn am un mwy. Llwyddwyd i
argyhoeddi digon o gynghorwyr y pryd hynny fod y
datblygiad yn berygl o gael drwg effaith ar y Gymraeg.

Eto y llynedd bron ar yr un safle pasiwyd i werthu darn o
dir yn ddigymell gan Gyngor Gwynedd i gwmni o Loegr. Y
gobaith, mae'n debyg, oedd y byddai hynny'n creu bwrlwm
economaidd. Dichon y gwna. Ond o ran y Gymraeg ni
wyddys pa les a wna. Efallai na wna ddim drwg. Wedi holi'r
Cyngor a fu cloriannu o ran yr iaith cyn ystyried gwerthu,
cafwyd yr ateb na bu a bod ceisio creu bwrlwm economaidd
yn lles i'r economi'n lleol ac o'r herwydd yn lles i'r iaith.
Byddai'r broses gynllunio yn cael trafod yr iaith maes o law.
Ond gyda'r Cyngor wedi ysgogi'r datblygiad yn y lle cyntaf
prin mewn gwirionedd y bydd y broses gynllunio'n atal y
datblygiad pa effaith bynnag a gaiff ar y Gymraeg.[17]

Heibio gollwng gafael ar dir masnachol, mae gwerthu a
chodi tai yn y Fro wedi bod yn creu problemau dyrys ers yr
ymchwydd yn nifer y tai haf yn y 1960au a'r mewnlifiad o
hynny hyd heddiw. Codwyd cymaint o dai diangen o ran
gofynion y brodorion Cymraeg o'r 1960 ymlaen nes peri
difrod diwylliannol na ellir o bosib fyth mo'i ddadwneud. Ar
un wedd mae parhad yr iaith yn gadarnach o fod cymaint o'r
tai haf yn aros yn dai haf yn hytrach na dod yn dai parhaol i
Saeson.

Soniwyd am gyfyngu gwerthiant i rai 'lleol' drwy
gyflwyno deddf eiddo ond prin y gellid cael cefnogaeth i
weithredu hynny. Byddai'r fath bolisi'n wleidyddol hollol
anhreuliadwy gan y gallai gwerth eiddo yn y Fro ostwng
wrth i'r nifer o brynwyr posib grebachu ac edwino. Un modd
posib o leddfu'r sefyllfa fyddai sicrhau cyfalaf benthyg i
siaradwyr Cymraeg i brynu tai drwy gynlluniau

rhanberchnogi. Fel arall bydd parhau i godi tai newydd i drigolion lleol 'Amod 106' yn peri fod gormodedd o stoc dai mewn ardal, y tu hwnt i unrhyw angen lleol, fel y bo canran siaradwyr Cymraeg y gymuned yn aros yn fychan neu'n lleihau. Ac, fel y dywedwyd eisoes, nid yw 'person lleol' yn aml yn gyfwerth â siaradwr Cymraeg. Byddai'n rhaid goresgyn gwaddol y ffug ddadl hiliol a dichon nad oes cadernid gwleidyddol digonol i hynny ar hyn o bryd, ond, o edrych ar bolisïau Gwlad Belg, y mae cynsail posibl.

A ellid cyfyngu tai cymdeithasol i rai sy'n siarad Cymraeg? Byddai hyn hefyd yn bosib gydag ewyllys wleidyddol, a byddai cadw a hyrwyddo grwpiau o dai lle bo'r iaith yn gyfrwng naturiol yn gyfraniad at wead defnydd cymdeithasol yr iaith. Byddai problemau ymarferol o sut i drafod rhai digartref a di-Gymraeg a, heb y weledigaeth o hyrwyddo'r iaith, gallai hynny arwain eto fyth at yr un hen gors *hiliol* ag y soniwyd amdani eisoes, oni bo'r ddadl wleidyddol ffuantus honno wedi ei hennill.

Mae'r economi yn sail i bob cymdeithas yn ddiwahân, wrth gwrs, ond clywir dweud hefyd yn aml fod y Cymry (hynny yw, siaradwyr Cymraeg yn benodol) yn ddifenter o ran busnes a masnach a'i bod yn bwysig fod 'y Cymry yn mentro'. Mae'n sicr fod gwerth i fusnesion a masnach fod yn nwylo rhai Cymraeg eu hiaith yn y Fro Gymraeg. Mae hynny'n normaleiddio'r iaith, yn dangos ei bod yn gallu perthyn i rai â pheth grym ariannol ac yn atgyfnerthu hyder cymunedol yn y Gymraeg. Dichon fod sail i'r honiad nad yw 'y Cymry yn mentro' ond dichon hefyd fod y cyfryw ddiffyg yn nodweddu cymdeithas wledig neu ôl-ddiwydiannol ddifreintiedig. Efallai mai pur debyg fyddai'r sefyllfa yn achos unrhyw grŵp iaith mewn amgylchiadau o'r fath. Mae'n fwy amlwg drwy fod y rhai sy'n mewnfudo i'r Fro Gymraeg ac yn 'mentro' yn dueddol o fod yn Saeson, yn fwy addysgedig, yn fwy ariannog, yn fwy hyderus ac o ddosbarth cymdeithasol arbennig. O edrych ar rannau gwledig twristaidd o Loegr, oni welir yr un duedd gyda Saeson brodorol yn cael eu tanseilio gan rai o'r un anianawd cymdeithasol â'r mewnfudwyr hynny a welir yn symud i rannau 'hardd' o Gymru?

Ond o edrych ar gyfansoddiad gwariant yn y Fro Gymraeg, ac yn gyffredinol drwy'r byd gorllewinol, y mae'r gwario yn llai a llai lleol. Cwmnïau mawrion, ac yn aml rai traws-wladol sy'n derbyn mwy o arian pawb yn gynyddol. Telir am wasanaethau ariannol ac yswiriant, tanwydd a thrydan, ceir a nwyddau tŷ, offer a dillad a'r rhan fwyaf o fwyd i fusnesion fel hyn. Mae'r ganran helaethaf o incwm pawb sy'n gwario yn mynd i'r cyfeiriad hwn. Canran fechan sy'n weddill lle gall busnesau llai a lleol sefyll, a bydd y rheiny'n debygol o fod yn derbyn a phrosesu cynnyrch y cwmnïau mawr yn aml iawn. Felly, mewn difrif, lled fychan o ddarn o'r deisen sydd ar ôl i 'fenter' leol, Gymreig. Gorau po fwyaf o fusnesau lleol sydd ym mherchnogaeth Cymry, ac y mae'n bwysig hyrwyddo proffil hyn yn gyson, ond cambwyslais a gobeithio gormod yw ymgolli i ddyrchafu mentergarwch yn brif achubiaeth i'r Gymraeg.

Dylid sylweddoli mai'r maes y dylai bod gan yr iaith hawl moesol i gael cyfran deilwng ohono, ac sydd ymhell uwchlaw pob cyflogaeth arall o ran maint a gwerth, ydyw'r gyflogaeth gyhoeddus. Y prif gyflogwr, a chan hynny y prif ddylanwadwr ym myd gwaith, ydyw'r wladwriaeth ei hun, a oedd yn cyflogi ddiwedd 2011 tua 333,000 o bobl yng Nghymru.[18] Mae defnyddio cyflogaeth 'wladol' i hyrwyddo'r iaith yn allweddol. Nid yw polisi cyhoeddus wedi aeddfedu eto i lawn sylweddoli pwysigrwydd hyn. Byddai'n wleidyddol deg dadlau y dylai canran gyfatebol i ganran y boblogaeth a all siarad Cymraeg gael ei dyrannu i swyddi sector gyhoeddus cyfrwng Cymraeg. Hynny yw, os oes 19% o'r boblogaeth yn siarad Cymraeg yna bod 19% o swyddi cyhoeddus yn gweinyddu'n Gymraeg. Mewn gwirionedd mae cynefinoedd gwaith Saesneg yn cael eu cynnal drwy Gymru gan y wladwriaeth. Hawl gwag yw'r hawl i ddefnyddio'r Gymraeg mewn sefyllfa waith lle nad yw'n bosib cyfathrebu yn yr iaith honno gyda phawb, tra bod pawb yn medru Saesneg drwy orfodaeth gymdeithasol ac yn cael eu gorfodi i ddefnyddio Saesneg i gyflawni'r gwaith.

Golyga hyn tua 63,000 o swyddi gweinyddu Cymraeg. Ar hyn o bryd ni fyddwn yn amcanu y byddai'r nifer o swyddi yng Nghymru mewn gweithloeoedd lle gweinyddir yn fewnol yn Gymraeg yn cyrraedd yn agos at 10,000, a llawer o'r rheiny mewn meysydd sy'n ymwneud â'r iaith ei hun. Nid oes ystadegau penodol am hyn. Yn wir, mae'n arwyddocaol nad yw'r fath wybodaeth ar gael gan nad yw'r ystyriaeth wedi cyrraedd unrhyw broffil polisi. Y nifer fwyaf yma fyddai Cyngor Gwynedd gyda 6,600 o swyddi yn 2012 a thros 90% yn medru Cymraeg. Mae'n debyg bod rhai darnau o gynghorau eraill gyda pheth gweinyddu mewnol Cymraeg. Honnwyd fod bwriad i hyn ddigwydd yn adrannau datganoledig y Cynulliad yn Aberystwyth a Chyffordd Llandudno. Ceir cyrff sy'n delio â'r Gymraeg yn uniongyrchol fel y Cyngor Llyfrau Cymraeg, S4C a'r Llyfrgell Genedlaethol, ac ychydig gannoedd yno yn gweinyddu'n Gymraeg. Cyflogir hyd at 350 yn y Llyfrgell Genedlaethol, a dywedwyd wrthyf fod y rheiny'n gweinyddu'n Gymraeg. Yn S4C, cyflogid 133 o staff ar ddechrau 2012, a 71% ohonynt yn medru Cymraeg – gweinyddwyd yn y ddwy iaith, ond yn bennaf yn y Gymraeg.[19]

Dylid dal ei bod yn ddyletswydd gymdeithasol i'r wladwriaeth ymorol bod y swyddi hyn yn bod. Byddai gwerth economaidd sylweddol i'r rhain ac yn ymhlyg yn hynny byddai'r iaith o werth yn ariannol. O gymryd fod cyfartaledd cyflog gweithwyr llawn-amser Cymru yn 2011 rywle rhwng £23,500 a £27,000 yna golyga hyn wariant gyda'r Gymraeg yn ffactor ganolog o tua £1.48 i £1.7 biliwn.[20] Mae hyn yn rhoi gwariannau eraill fel grantiau i gyrff diwylliannol ac ati mewn persbectif, ac mewn ffordd yn dangos faint o nawdd mae'r Saesneg yn ei gael yng Nghymru fel iaith normalrwydd.

Mae'n allt serth i'w cherdded i orseddu'r cysyniad hwn. Efallai'n wir fod yr ysbryd cefnogol i'r iaith yn rhy wan. Ond oni bo ymgyrraedd i'r cyfeiriad yma, taliadau cau ceg fydd cynhaliaeth yr iaith, gan ddefnyddio taliadau o'r fath fel swcwr digonol i gadw'r ddysgl yn wastad a llygad-dynnu tra bo'r llong yn suddo. Yn ymarferol cymerai beth amser i wireddu polisi o'r fath a rhaid fyddai bod yn realistig a'i gyflwyno dros gyfnod mewn ystod o feysydd e.e. iechyd, yr heddlu, llywodraeth leol, canolfannau gwaith, gweinyddu amaeth, cadwraeth ac ati. Gallai rhai o'r swyddi fod yn y mannau lle mae ymchwydd addysg Gymraeg yn y de-ddwyrain, gan beri bod i'r fath addysg nod mwy ystyrlon ond byddai hyn yn medru effeithio ar hyd at 30% o'r swyddi yn y Fro, ac yn rhoi gwerth economaidd go-iawn a statws gwirioneddol i'r iaith.[21]

A dyma gyffwrdd yr un ystyriaeth eto y bu cymaint ochrgamu o'i chwmpas: ble mae'r Fro? Rhaid gwybod i weithredu polisi. At y diben yma gellid efallai gychwyn wrth ddweud Môn a Gwynedd, ac, er gwaetha'r gostyngiad erbyn Cyfrifiad 2011, rhannau helaeth o Geredigion a Sir Gaerfyrddin hefyd.[22] A ddylid diwygio terfynau rhai o'r siroedd hyn i gynnwys rhannau Cymraeg Penfro, Morgannwg, Powys, Dinbych a Chonwy, neu dderbyn bod yn haws cadw at unedau cydnabyddedig? Hwyrach y byddai'n haws gweithredu polisïau Cymraeg yn Sir Gaerfyrddin pe bai tref Llanelli yn rhan o'r un cyngor ag Abertawe. Ond pryd tybed y daw'r ewyllys gwleidyddol i wneud hyn, neu hyd yn oed ystyried gwneud hyn?

Ceisio creu peuoedd Cymraeg a wneid felly. Dylid cadw unrhyw beth sy'n weithredol yn Gymraeg heb orfod mynd yn ddwyieithog. Prin iawn bellach ydyw fawr ddim sydd ond yn Gymraeg: ambell gyngor cymuned. Yn weledol gellid gwneud rhai manion bethau, fel arddel enwau llefydd a strydoedd yn Gymraeg yn unig, a rhwystro arddangos unrhyw arwyddion masnachol preifat heb eu bod yn Gymraeg (neu'n ddwyieithog gyda'r Gymraeg yn gyntaf). Mae'n debyg yr âi mynnu arwyddion ffyrdd Cymraeg yn unig i gors diogelwch, er bod hyn yn digwydd yn y *Gaeltacht*.

Mae cyfraniad y Mentrau Iaith yn rhywbeth y byddai'n rhaid ei ddatblygu gyda thargedau amlycach a darpariaeth fwy cyflawn ar draws ardaloedd, gan geisio rhwystro pob cymdeithas a mudiad nad oes a wnelont yn uniongyrchol â'r iaith rhag troi'n brofiadau drwy Saesneg, boed bêl-droed neu glwb garddio, chwarae cardiau neu fynd i dafarnau.

Yr hen ddadl wrthwynebus i gydnabod bod y Fro Gymraeg yn bod ac y dylid ei thrin yn wahanol oedd fod y Gymraeg yn cael ei chadw mewn 'reservation' ac nad oedd hynny'n llesol. Tueddai'r ddadl honno ddod â thruth lledwacsaw i'w chanlyn, sef ei bod yn bwysig nad yw'r iaith yn cael ei chyfyngu a'i bod i'w rhannu â phawb gan fod yn niwlog iawn ar sut yr oedd hynny i ddigwydd ac anwybyddu hanfodion cymdeithaseg iaith.

Rhaid gweld bod rhai mannau'n strategol bwysicach, nes y byddai'n rheitiach canolbwyntio adnoddau mewn ambell leoliad. Dinas Bangor yw un o'r mannau amlycaf i geisio rhwystro dirywiad cynyddol gan ei bod ar goridor yr A55 yn nwyrain ardal Gymraeg bwysicaf y gogledd. Dylid sicrhau bod y Gymraeg yn dod yn rhan hanfodol o'r gwasanaeth iechyd a'r brifysgol yn y ddinas, sefydliadau sydd ar hyn o bryd yn fewnol yn gwbl Saesneg. Dylid hefyd ystyried adleoli sefydliadau o Gaerdydd i Wynedd. S4C fyddai'r amlycaf un y dylid ei adleoli.

Rhaid wynebu mai sefyllfa iaith enciliol sydd i'r Gymraeg, heb yr angorion cyfreithiol a chymdeithasol sy'n cadarnhau ieithoedd gwladwriaethol a sefydlwyd fel rhai 'normal'. Bellach collodd rym yr angen anorfod amdani drwy nad oes neb di-Saesneg o blith ei siaradwyr, ac eithrio rhai plant mân a fyddai'n anorfod yn y broses o ddysgu Saesneg. Diflannodd yr angen am ofyn a fedrid siarad Saesneg. Y grym gorau sydd weddill ydyw'r nifer sy'n ei harddel fel dewis iaith am bod eu dwyieithrwydd yn anghydradd ac yn gwyro tuag ag at y Gymraeg fel prif iaith mynegiant, nid o ran egwyddor ond o ran damwain hanesyddol. Mae'r rheiny'n byw mewn ardaloedd lle maent yn ganran uwch o'r boblogaeth yn siarad yr iaith ac y mae hyn yn hunanatgyfnerthol: felly dyma'r Fro Gymraeg (neu ei gweddillion).

Fodd bynnag po fwyaf y dirywia'r Gymraeg yn y Fro, anoddaf ydyw cyfiawnhau polisïau cadarn dros yr iaith o'i mewn, gan y byddai canran gynyddol o'r boblogaeth yn methu â chyfranogi o'r peuoedd a fyddai ym meddiant y Gymraeg, a chan fod 100% o'r boblogaeth yn medru iaith gyffredin a fyddai'n gyfrwng cyfathrebu diymwad rhwng pawb. Cleddyf deufiniog yw'r dwyieithrwydd hwn: ar yr wyneb y mae'n dileu unrhyw rwystr i siaradwyr Cymraeg rhag cael unrhyw anfantais drwy fod eu gallu i siarad Saesneg yn peri nad ydynt yn cael eu hamddifadu o ddim yn y byd mawr sy'n agored drwy'r iaith honno, ac, er bod hynny'n cadarnhau nad yw'r Gymraeg yn llyffethair iddynt mwyach (fel y credai cenedlaethau'r gorffennol), y mae'n golygu nad yw'r Gymraeg go iawn chwaith yn hanfodol iddynt o ran gwir gyfathrebu. Yn ddamcanol gall pawb sy'n ddwyieithog mewn cyd-destun Cymraeg ddewis cyfathrebu yn Saesneg.

Dilyn proses o ddirywio a lled adfer fel yr Wyddeleg a wna'r Gymraeg. Mae llawer a ddigwyddodd i'r iaith honno'n ddrych o'r hyn ddigwyddodd wedyn i'r Gymraeg. Pan oedd yr Wyddeleg wedi edwino i 18% o'r boblogaeth (erbyn dechrau'r ugeinfed ganrif) y daeth yr ystyriaeth ymarferol ei bod yn flaenoriaeth amddiffyn ei chadarnleoedd: rhyw ganran debyg i ganran y siaradwyr Cymraeg yn y 1970au pryd y daeth synio ymhlith rhai am bwysigrwydd y Fro Gymraeg yn yr un modd. Erbyn hyn mae 40% o boblogaeth Iwerddon rydd yn honni medru siarad Gwyddeleg. Nid yw'n amhosib y digwydd hynny yn achos y Gymraeg hefyd, y mae egin cynnydd o'r fath yn y mannau Seisnig yn dilyn yr un patrwm. O'r herwydd gallai ddatblygu'n iaith y telir gwrogaeth symbolaidd iddi fel nodwedd yn perthyn i hunaniaeth genedlaethol hanesyddol, ond yn ddiangen fel cyfrwng cyfathrebu go iawn i drwch ei siaradwyr, ac heb rym iaith arferedig na gwir ruddin.

Nifer siaradwyr iaith ac amlder y defnydd ohoni ydyw'r ffactorau craidd: gall y nifer beri bod amlder defnydd, a gall amlder defnydd beri bod nifer fwy o siaradwyr. Ond mae diogelwch parhad unrhyw iaith yn bosib pan fo nifer y siaradwyr yn fychan ond bod amlder defnydd yn uchel hefyd. Pan fo siaradwyr iaith yn gymuned wedi ei hynysu a heb fedru iaith arall chwaith, yna gall ei pharhad fod yn ddiogel tra pery'r amgylchiadau hynny. Ystyriaeth diriogaethol syml yw hon.

A dyna ddychwelyd at greu neu warchod *peuoedd.* O ran hynny dim ond y gair hynafllyd am wlad wedi ei gymhwyso neu ei ailgylchu ar gyfer cyd-destun cymdeithasol ydyw *pau.* Mae peuoedd yn gynefinoedd gwaith, yn sefydliadau addysgol, ond yn hanfodol yn ddarn o dir, yn droedle neu'n ofod sy'n peri cyffyrddiadau naturiol rhwng siaradwyr. Gweddillion y Fro Gymraeg ydyw'r tir hwnnw. Er cymaint y cyndynrwydd gwleidyddol i wynebu lleoli'n union y Fro ar fap, ac er ei gwanned, pe'i collid anodd gweld y byddai'r Gymraeg heb diriogaeth i gartrefu ynddi yn iaith ystyrlon fyw.

Nodiadau

1   Yn *Tafod y Ddraig*, 4 Ionawr 1964 y ceir y map cyntaf o'r Fro Gymraeg ynghyd â'r term. Yn *Y Cymro*, 12 Tachwedd 1964 y cafwyd y dyfyniad.

2   J. R. Jones, 'Troedle', *Gwaedd yng Nghymru* (Lerpwl a Phontypridd, 1970), t. 63. J. R. Jones biau'r italeiddio.

3   Mae crisialu'r gobeithion a'r delfrydau hyn yn rhai o ganeuon poblogaidd y cyfnod, e.e. 'Y Dref Wen' (Tecwyn Ifan), 'Yn y Fro' (Edward H. Dafis). Emyr Llewelyn oedd un o brif ysbrydolwyr y mudiad ac, o gamu genhedlaeth o'i flaen i'w dad, T. Llew Jones, a'i awdl 'Caerllion-ar-Wysg' (Eisteddfod Genedlaethol Glyn Ebwy 1958), gellir gweld egin y syniadaeth.

4   Llywodraeth Cynulliad Cymru, *Iaith Pawb, Cynllun Gweithredu Cenedlaethol ar gyfer Cymru Ddwyieithog* (Caerdydd, 2003): '2.16 Nod y mesurau a amlinellir yn y cynllun gweithredu hwn yw cyflawni'r targedau allweddol canlynol: Erbyn 2011 [...] bod y lleihad yn nifer y cymunedau lle mae'r Gymraeg yn cael ei siarad gan dros 70% o'r boblogaeth yn cael ei atal.'

5   Gweler Louis-Jean Calvet, *Pour une écologie des langues du monde* (Paris, 1999). Mae'r gymhareb yn cael ei hymestyn ymhellach i drafod y berthynas rhwng ieithoedd a'i gilydd hefyd. Gweler t. 35: 'Mae'r ieithoedd sy'n bresennol mewn ecosystem ieithyddol yn ymgysylltu mewn ffordd sy'n pennu *niche ecolegol* ar gyfer pob un ohonynt: Ffurfir *niche* iaith gan y berthynas rhyngddi ac ieithoedd eraill, gan ei lleoliad yn yr ecosystem, hynny yw gan ei swyddogaethau, a chan ei pherthynas gyda'i chynefin, yn sylfaenol gyda daearyddiaeth sy'n chwarae rhan benderfynol mewn ymlediad ieithoedd.'

6   Swydd a grëwyd yn unol â darpariaethau Mesur y Gymraeg (2011) yw Comisiynydd y Gymraeg ac nid ydyw pwerau cyfyng y Comisiynydd yn ymestyn y tu hwnt i hawl haniaethol unigolion digyswllt i ddefnyddio'r iaith yn annibynnol ar unrhyw gyd-destun cymdeithasol. Gweler y rhestr o bwerau'r Comisiynydd ar http://comisiynyddygymraeg.org

7   Llywodraeth Cynulliad Cymru, *Iaith fyw: Iaith byw, Strategaeth ar gyfer y Gymraeg: Llywodraeth Cynulliad Cymru Dogfen Ymgynghori* (WAG 10-10631, 13 Rhagfyr 2010), t. 7. Gweler http://wales.gov.uk/docs/drah/consultation/20101213alivinglan-guagecym.pdf

8   Llywodraeth Cymru, *Iaith fyw: iaith byw, Strategaeth y Gymraeg 2012-17* (2012), t. 34. Gweler http://wales.gov.uk/docs/dcells/publications/122902wls201217cy.pdf

9   Llywodraeth Cynulliad Cymru, *Iaith fyw: Iaith byw, Strategaeth ar gyfer y Gymraeg: Llywodraeth Cynulliad Cymru Dogfen Ymgynghori*, t. 8.

10 *Ibid.*, t. 40.

11 John W. Aitchison a Harold Carter, 'Yr Iaith Gymraeg 1921-1991: Perspectif Geo-ieithyddol' yn Geraint H. Jenkins a Mari A. Williams (goln.), *'Eu Hiaith a Gadwant'?: Y Gymraeg yn yr Ugeinfed Ganrif* (Caerdydd, 2000), t. 104.

12 Hywel Jones, 'Goblygiadau Newid ym Mhroffeil Oedran Siaradwyr Cymraeg', *Gwerddon* 2 (Hydref 2007), 24. Gweler http://www.gwerddon.org/en/media/main/gwerddon/rhifynnau/erthyglau/rhifyn2_e1.pdf

13 *Ibid.*, 26.

14 *Ibid.*, 33.

15 Cyngor Gwynedd v. Jones a Doyle, 1986 oedd yr enghraifft fwyaf nodedig a gymylodd y drafodaeth ac a ddyfarnodd fod y rhai a siaradai Gymraeg yn grŵp ethnig. Er i'r penderfyniad gael ei wyrdroi ar apêl, dengys i rai synio am y Gymraeg fel nodwedd ethnig yn hytrach na sgìl.

16 *Cynllun Datblygu Lleol ar y Cyd Gwynedd a Mon* [sic] (drafft ar gyfer trafodaeth, Tachwedd 2011), tt. 7-20.

17 Ar y gwaethaf a oes yma elfennau tybed a welir yn y *Cwlt Cargo*, y ffenomen ryfedd honno a welwyd mewn ynysoedd pellenig yn y cyfnod diweddar wrth i ddiwylliant cyntefig gael ei lygad-dynnu a'i gyfareddu gan gyfoeth y byd modern? Hynny wedyn yn peri bod gweld cyfoeth a llewyrch i gael briwsion prin ohono yn troi'n nod ac yn fath o addoliad a arweiniai at geiso creu amodau i'w gymell a'i hyrwyddo'n ddigwestiwn. Gweler Holger Jebens (gol.), *Cargo, Cult, and Culture Critique* (Honolulu, 2004).

18 Llywodraeth Cymru, 'Dadansoddiad Rhanbarthol o Gyflogaeth Sector Cyhoeddus, 2011', http://wales.gov.uk/topics/statistics/headlines/economy2012/120301/?skip=1&lang=cy

19 Cais am wybodaeth a atebwyd ar 29 Chwefror 2012.

20 Llywodraeth Cymru, 'Arolwg Blynyddol o Oriau ac Enillion, 2011', http://wales.gov.uk/topics/statistics/headlines/economy2012/120110/?skip=1&lang=cy . Roedd yr enillion wythnosol gros cymedrig i weithwyr llawn-amser ym mis Ebrill, 2011 yn £519.40, a'r canolrif enillion wythnosol gros yn £454.40.

21 Mewn 'bwletin ystadegol' SB27/2009 (http://wales.gov.uk/ docs/statistics/2009/090429sb272009en.pdf) nodir fod tua chwarter y sawl sy'n gweithio yng Nghymru'n gweithio i'r sector gyhoeddus, ond mewn ambell sir mae'n uwch, er enghraifft yn 2007: Gwynedd 32.8 %, Môn 30.8%, Ceredigion 31.9%, Sir Gaerfyrddin 33.3%.

22 Diddorol yw nodi bod y cwymp cymharol fwy yn nifer y siaradwyr Cymraeg yng Ngheredigion a Sir Gaerfyrddin wedi ei hen ragdybio. Mae un bennod o lyfr Clive Betts, *Culture in Crisis* (Denbigh, 1976): 'Dyfed and Gwynedd, Which is Heading for a Fall?', tt. 144-158, yn proffwydo hyn yn glir. Ystyria'r bwlch mwy yn Sir Gaerfyrddin rhwng y rhai a siaradai'r iaith yn unig o gymharu â'r rhai a oedd hefyd yn gymwys i'w hysgrifennu a'i darllen fel arwydd o ddiffyg gwerth yn y Gymraeg ac o ymagweddiad a fyddai maes o law yn prysuro ei chwymp o gymharu â mannau eraill. Ond hefyd noda'n gyffredinol gydag enghreifftiau y cyndynrwydd i ddefnyddio'r Gymraeg ar lefel swyddogol yn Nyfed chwedl nag yng Ngwynedd, diffyg ymroddiad o ran polisi dysgu Cymraeg yn yr ysgolion yn Sir Gaerfyrddin a rôl negyddol wrth-Gymreig y Blaid Lafur dros y blynyddoedd yn Sir Gaerfyrddin.

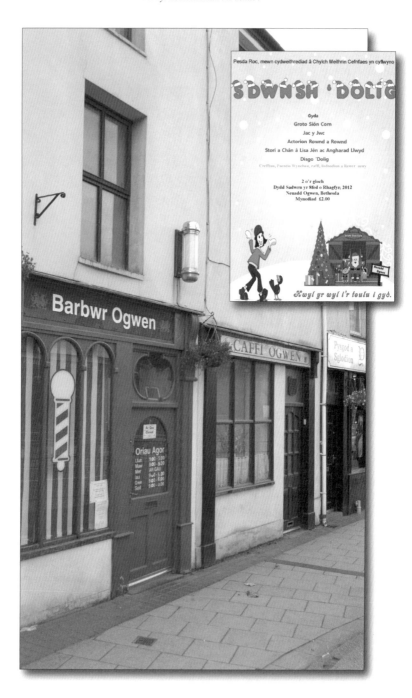

ASTUDIAETH ACHOS

Pam fod Bethesda mor Gymraeg?
Cynllunio ieithyddol a dyfodol y Fro Gymraeg
gan Simon Brooks

Gan mai 'mae'r hwch wedi mynd trwy'r siop' oedd neges amlwg llawer gormod o ganlyniadau cymunedol Cyfrifiad 2011, ni roddwyd sylw yn syth i newyddion mwyaf cadarnhaol y Sensws, sef bod y Gymraeg wedi dal ei thir yn rhyfeddol o dda yn nifer o drefi, pentrefi ôl-ddiwydiannol ac ardaloedd cymudo Gwynedd a Môn. Efallai mai ym Methesda y cafwyd y canlyniad gorau, yr unig dref mewn ardal Gymraeg ble cododd canran siaradwyr yr iaith.

Sut hynny? Rhesymau rhanbarthol sy'n bennaf gyfrifol. Nid yw'r Arfon drefol wedi profi cymaint o fewnfudo ag ardaloedd mwy gwledig. Er gwaethaf y methiant i gyflwyno addysg Gymraeg gyflawn yn ysgolion uwchradd y sir, mae addysg Gwynedd yn ddigon Cymreigaidd i gael plant mewnfudwyr i ddysgu Cymraeg. Mae traddodiad ardal y chwareli o ymlyniad cymunedol wrth y Gymraeg yn gynhorthwy dihafal. Ond hyd yn oed yng nghyd-destun cadernid Gwynedd, mae llewyrch ym Methesda.

Y rheswm pwysicaf yw fod sylfaen economaidd i'r iaith yn lleol. Mae'r dref o fewn ychydig filltiroedd i Fangor a'r A55 a gall ei thrigolion weithio ar hyd arfordir y gogledd rhwng Caernarfon a Chyffordd Llandudno yn rhwydd. Mae'r Gymraeg yn amod hanfodol ar gyfer swyddi'r cyngor (nid yw'r fantais hon gan Langefni). Nid yw'r economi leol yn orddibynnol ar dwristiaeth, sy'n esbonio pam fod anian Gymreiciach i stryd fawr Bethesda na Llanberis erbyn hyn. Ceir cyflogaeth dda mewn diwydiannau traddodiadol – yn Chwarel y Penrhyn, sy'n cyflogi rhyw 200 o ddynion o hyd, mewn clwstwr o gwmnïau bach brodorol sy'n ffynnu yn y cylch, ac yn y diwydiant adeiladu yn benodol. 'Mi weli di siacedi llechi a thopiau C. L. Jones ar Stryd Fawr Bethesda ar nos Wener', meddai Meirion Llywelyn Davies o Lanllechid, sy'n Gyfarwyddwr Datblygu Menter Iaith Conwy yr ochr draw i'r Carneddi, ac yn un o'r arbenigwyr pennaf ar gynllunio ieithyddol cymunedol yng Nghymru.

Mae ym Methesda felly farchnad lafur Gymraeg, ble mae'r iaith yn ased economaidd i'w siaradwyr. Fel yn ardal Caernarfon, ceidw hyn bobl leol yn y dalgylch yn ogystal â denu mewnfudwyr Cymraeg i fyw yno, a'r ddwy dref ymhlith y cymunedau prin hynny ble mae dros 75% o'r boblogaeth yn siarad Cymraeg.

Un o brif amcanion y fenter gymdeithasol leol, Tabernacl Cyf., yw datblygu hyn, drwy gyfrwng ei bwyllgor iaith dan arweiniad un o hoelion wyth y gymuned leol, Ieuan Wyn. Pan agorwyd canolfan iechyd newydd yn y dyffryn, llythyrwyd Bwrdd Iechyd Betsi Cadwaladr er mwyn sicrhau fod y staff yn medru Cymraeg. Gwnaed yr un peth pan agorodd cangen o Tesco ei drysau yn y dref, yn rhannol gan yr ofnid y gallai llawer o fyfyrwyr di-Gymraeg Bangor gael eu cyflogi yno. Ni fu'r ymgyrchu hwn yn llwyddiannus bob tro (dim ond dau o'r pum meddyg sy'n medru'r iaith), ac eto Cymraeg yw iaith y rhan fwyaf o ddigon o'r staff gweinyddol a'r rhai wrth y cownter.

Ers cyn datganoli bu ymgyrchwyr iaith yn pwyso am symud rhai o'r swyddi a leolir gan S4C a chyrff Cymraeg yng Nghaerdydd i rannau eraill o'r wlad er mwyn dal y ddysgl economaidd yn wastad. Cred Meirion Llywelyn y dylid ystyried ble orau i leoli swyddi oddi mewn i'r Fro Gymraeg hefyd. Prin yw'r enillion ychwanegol a ddaw o freinio parciau diwydiannol dienaid â mentrau Cymraeg pan y gallant gyfrannu at adfywio canol trefi. Y prif berygl i'r iaith yn Nyffryn Ogwen yw'r stadau tai newydd a arfaethir yng Nghynllun Datblygu Lleol Gwynedd. Cafwyd rhagfynegiad o'r hyn sydd i ddod yn y cais diweddar i godi 69 o dai ger Maes Coetmor yn y dref, datblygiad a allai ddenu poblogaeth ddi-Gymraeg newydd o gyffiniau Bangor. Ac eto pe ceid mwy o gyflogaeth

Gymraeg, ni fyddai datblygiadau o'r fath yn gymaint o broblem. 'Sa'r pwyllgor iaith 'di licio denu mwy o swyddi Cymraeg i Fethesda. O ran lluosi ieithyddol, mae'n well ichi fod ym Methesda nag ym Mharc Menai', meddai.

Ynghyd â'r ymdrechion hyn i gynnal bywyd economaidd y dyffryn, bu'r normaleiddio cymdeithasol ar yr iaith hefyd yn fantais bendant. Mae Pesda Roc, a'r Sîn Roc Gymraeg yn gyffredinol, yn fyrlymus ym Methesda ers degawdau, gan hyrwyddo gweithgarwch Cymraeg ymhlith ieuenctid. Crëwyd brand plant, 'Sdwnsh' (fel y dywediad wrth gyfarch babi, 'iawn Sdwnsh?'), i fynd â'r genhadaeth at griw iau. Daeth 300 i'r Ffair Dolig a drefnwyd yn 2012 i lenwi'r bwlch wedi i daith Dolig Sioe Cyw S4C ddod i ben. 'Roedd pobol o Sir Fôn yn dod draw am 'u bod nhw isio rhywbeth yn Gymraeg', meddai Meirion Llywelyn.

Ymgais i greu 'cymdeithas Gymraeg gyfrannog' yw cynnal digwyddiadau yn y Gymraeg yn unig, sy'n cymell mewnfudwyr i ddysgu'r iaith. Mae gan Fethesda record dda o gymathu mewnfudwyr fel Neil Williams, prif leisydd y band enwog o'r dref, Maffia Mr Huws, ac mae cymathu rhagor yn flaenoriaeth. 'Ond cyn i'r pwyllgor iaith gael ei sefydlu ddwy flynedd yn ôl', meddai Meirion Llywelyn, 'doedd 'na ddim dosbarthiadau Cymraeg i oedolion ym Methesda.'

Erbyn hyn mae dosbarthiadau Wlpan yn cael eu cynnal ddwywaith yr wythnos, a sesiynau siarad cyson i ddysgwyr a mewnfudwyr, a 'phobl yn dod trwodd, a rhai yn siarad Cymraeg efo'u plant.' Enillwyd grant o £5,000 er mwyn datblygu gemau buarth Cymraeg mewn ysgolion cynradd lleol. A dyfarnwyd £700,000 i Tabernacl Cyf. adnewyddu Neuadd Ogwen, a fydd yn gwasanaethu pob rhan o'r gymuned ac yn hybu'r Gymraeg.

Bydd iaith yn fwyaf tebygol o ffynnu pan gwyd yr ymdrechion i'w chynnal yn naturiol o'r gymdogaeth, fel coed o bridd. Ond geilw hefyd am strategaethau ym meysydd cynllunio a thai, cynnal cyflogaeth a chymathu mewnfudwyr yn ogystal â darparu profiadau diwylliannol. Er na ellir dweud fod y Gymraeg yn 'ddiogel' yn Nyffryn Ogwen, mae'n fwy diogel yno na mewn sawl man arall. 'Tai, gwaith, iaith' – ni waeth faint o gynadleddau a drefnir gan Lywodraeth Cymru i drafod dyfodol y Gymraeg, go brin y bydd unrhyw wirionedd polisïol newydd yn curo'r hen slogan rhagorol hwn.

DOSBARTH

Datblygiad Economaidd Anwastad a'r Rhaniad Diwylliannol o Lafur

Delyth Morris

Yn 1999, aeth Michael Hechter i'r afael am yr eildro â rhai o'r dadleuon o'i waith gwreiddiol ar *Internal Colonialism: The Celtic Fringe in British National Development* i weld a oeddynt yn parhau i fod yn ddilys dair blynedd ar hugain ar ôl iddynt ymddangos gyntaf.[1] Pan ddaeth y llyfr allan yn 1975, creodd gryn stŵr a diddordeb ymhlith academyddion a gwleidyddion, gyda charfanau eithaf tebyg yn canmol ac yn beirniadu'r gwaith. Efallai mai'r syniad a gynhyrfodd y dyfroedd fwyaf oedd haeriad Hechter fod Cymru, yr Alban ac Iwerddon yn drefedigaethau mewnol i'r wladwriaeth Brydeinig. Roedd rhai sylwedyddion Seisnig yn methu credu awgrym Hechter bod Saeson yn gweithredu'n 'hiliol' yn erbyn poblogaethau'r gwledydd Celtaidd, gan nodi fod Prydain wedi cael un Prif Weinidog o Gymru a phedwar Sgotyn yn ystod yr ugeinfed ganrif! Ar y llaw arall, yr oedd Plaid Cymru wrth eu bodd â syniadau Hechter, a oedd fel petaent yn ategu llawer o'u cwynion yn erbyn y wladwriaeth Brydeinig.

Aeth Hechter ati'r eildro i edrych ar ddwy agwedd o'i waith gwreiddiol. Roedd y ddadl gyntaf yn ymwneud â'r cysyniad o drefedigaethu mewnol, ble'r oedd Hechter yn dadlau fod diffyg sofraniaeth trefedigaethau mewnol yn creu datblygiad economaidd dibynnol, gan fod y polisïau gwleidyddol ynglŷn â dyfodol yr ardaloedd dan sylw'n cael eu llunio mewn arena wleidyddol y tu allan iddynt. Yn achos Cymru a'r Alban, nododd Hechter fod y diffyg sofraniaeth hwn wedi arwain at farweidd-dra economaidd. Yna ailedrychodd ar ei ddadl ynghylch unigolion, ble'r oedd yn haeru y byddai hunaniaeth ethnig glir yn parhau ymhlith aelodau o grwpiau a oedd yn dioddef o raniad diwylliannol o lafur, waeth pa mor ddatblygedig oedd yr economi. Neu a'i roi fel arall, credai Hechter y byddai hunaniaeth ethnig pobl yn fwy blaenllaw na'u hymwybyddiaeth o ddosbarth cymdeithasol.

I Farcswyr, yr oedd hyn yn creu problem. Roedd Karl Marx ei hun wedi dweud y byddai dosbarthiadau cymdeithasol yn dod yn fwy unedig wrth i gyfalafiaeth ddatblygu, oherwydd y byddai ymddieithrwch cynyddol y gweithwyr yn golygu y byddent yn dod yn fwy ymwybodol o'u cyflwr truenus. Yn ei dro, byddai hynny'n creu cadernid dosbarth cymdeithasol, a fyddai'n caniatáu i ddosbarth y gweithwyr weithredu fel un corff, a dymchwel y drefn anghyfartal ac annheg oedd yn bodoli. Ynghlwm â hyn, yr oedd Marx yn gwrthod y syniad fod twf diwydiannu a thechnoleg yn arwain at ffyniant economaidd cyffredinol – yn hytrach, dadleuai mai'r dosbarth a oedd mewn grym oedd yn cael y budd mwyaf o unrhyw dwf economaidd. Credai hefyd fod datblygiad anwastad yn anochel o dan drefn a oedd mor greiddiol simsan â chyfalafiaeth. Ond gwyddom na wnaeth y dosbarth gweithiol ym Mhrydain uno a chreu'r chwyldro angenrheidiol, a byth ers hynny mae deallusion wedi ceisio cynnig gwahanol theorïau i egluro pam, gan gynnwys ystyried pa ffactorau sy'n achosi i ddosbarthiadau cymdeithasol ffracsiynu, ac o dan ba amgylchiadau.

Sonia Hechter yn ei lyfr am y datblygiad economaidd anwastad a gafwyd ym Mhrydain, ac y mae'n nodi fod i'r anghyfartaledd hwn agweddau daearyddol ac ethnig. Y datblygiad economaidd anwastad a'r rhaniad diwylliannol o lafur yn yr 'ymylon Celtaidd' yw prif ddiddordeb Hechter, a deil fod parhad cenedlaetholdeb Gwyddelig, Albanaidd a Chymreig yn dystiolaeth i'r arwahanrwydd ethnig sy'n bodoli yn y gwledydd hyn.

Yn y bennod hon, defnyddir rhai o syniadau Hechter i astudio Gwynedd fel enghraifft o ardal ar yr 'ymylon Celtaidd' sydd wedi profi datblygiad economaidd anwastad dros y ganrif ddiwethaf.[2] Dadleuir yma fod rhaniad diwylliannol o lafur yn dal i fodoli a bod hynny'n ei dro'n effeithio ar ymwybyddiaeth ethnig aelodau'r gymuned leol ar draul eu hymwybyddiaeth o ddosbarth cymdeithasol. Yn hytrach nag edrych ar batrymau pleidleisio fel mesur o ymwybyddiaeth ethnig, mesurir hyn drwy edrych ar rwydweithiau cymdeithasol gwahanol grwpiau ethnig/iaith, gan edrych yn benodol ar rôl iaith mewn creu haeniadau dosbarth cymdeithasol.

Y cefndir theoretig

Er mwyn ceisio egluro'r patrymau a ganfyddir, yn gyntaf y mae angen gosod y gwaith o fewn cyd-destun theori gymdeithasegol briodol. I'r diben hwn, defnyddir theori datblygiad cyfalafol byd-eang Immanuel Wallerstein, sy'n dal na ellir trafod datblygiad cyfalafol oddi mewn i genedl-wladwriaeth, neu ranbarth o'r genedl-wladwriaeth honno, heb yn gyntaf ddynodi safle'r genedl-wladwriaeth o fewn yr economi gyfalafol fyd-eang.[3] Mae hyn yn golygu ein bod yn gosod datblygiad economaidd Gwynedd o fewn cyd-destun yr economi Brydeinig, ac wedyn yn gosod honno yn ei thro oddi mewn i'w sefyllfa neilltuol yn yr economi gyfalafol fyd-eang.

Mae'r persbectif 'systemau byd' yn caniatáu

dadansoddiad o'r modd y mae datblygiad cyfalafol yn
arwain at gyflenwi buddiannau anwastad i wahanol
gymdeithasau o fewn yr economi fyd. Yn ei waith arloesol ar
yr economi gyfalafol fyd-eang yn 1979, awgrymodd
Wallerstein y deipoleg ganlynol: yn gyntaf y mae'r
gwladwriaethau craidd, sy'n bennaf gyfrifol am gyflenwi
cyfalaf, yn aml drwy gwmnïau rhyngwladol; yna'n ail y mae
ardaloedd ymylol, sy'n bennaf gyfrifol am gyflenwi'r craidd
gyda deunyddiau crai a llafur rhad; ac yn drydydd ceir
gwladwriaethau hanner-ymylol, sy'n ecsbloetio deunyddiau
crai a llafur rhad yr ardaloedd ymylol, tra bo hwy eu hunain
ar yr un pryd yn cael eu hecsbloetio gan y gwladwriaethau
craidd. Yn y system fyd-eang, y mae datblygiad a than-
ddatblygiad yn bodoli ochr yn ochr â'i gilydd. Dengys
Wallerstein fod deinamig mewnol cymdeithas
danddatblygedig yn cael ei ffurfio'n bennaf gan ei safle yn yr
economi gyfalafol ryngwladol, a bod cymdeithasau
tanddatblygedig yn gymdeithasau 'dibynnol'. Dirywiodd
Prydain o fod yn wladwriaeth graidd yn niwedd y
bedwaredd ganrif ar bymtheg i fod yn wladwriaeth hanner-
ymylol erbyn heddiw. O ganlyniad i'r argyfwng hwn,
gorfodwyd mentrau cyfalafol i ailstrwythuro er mwyn ceisio
cynnal eu graddfa elw, a pharhau'n gystadleuol yn y
farchnad fyd-eang. Mae'r ailstrwythuro dwys a welwyd yn
economi Gwynedd dros y ganrif ddiwethaf i'w briodoli i'r
argyfwng sy'n wynebu cyfalaf ym Mhrydain.

Erbyn hyn, y mae gweld cwmnïau rhyngwladol yn symud
eu gweithgareddau i wledydd dwyrain Ewrop neu dde Asia
yn beth eithaf cyffredin, fel yr amlinellodd TUC Cymru
mewn memorandwm i'r Pwyllgor Materion Cymreig yn
Ionawr 2007.[4] Mae'r rhaniad llafur rhyngwladol a
ddatblygodd ers y 1970au wedi amlygu manteision amlwg
gwledydd annatblygedig fel 'byddin lafur wrth gefn', yn
cynnig gweithlu hyblyg a rhad i gwmnïau rhyngwladol.[5] O

fewn economïau cyfalafol, gwelir bod rhanbarthau gwladwriaethau hefyd yn wynebu patrymau tebyg o adleoli er mwyn sicrhau ffynonellau o lafur rhad, ond dywed John Urry fod ymateb gwleidyddol yn ffurfio i wrthwynebu hyn o fewn marchnadoedd llafur lleol: '...mudiadau cymdeithasol lleol yn seiliedig ar warchod yr ardal leol ... yn wyneb cyfalaf a'r wladwriaeth'.[6] Un o ganlyniadau mudiadau o'r fath, yn ôl Urry, yw eu bod yn ffracsiynu dosbarthiadau cymdeithasol, oherwydd bod pwysigrwydd nodweddion eraill, nad ydynt yn rhai dosbarth, yn dod i'r blaen. Nid yw'n dilyn y bydd y ffracsiynau dosbarth hyn yn ffurfio un mudiad amgen – yn aml gwelir y gwahanol ffracsiynau dosbarth yn cynghreirio gyda dosbarth cymdeithasol arall, neu ffracsiwn o ddosbarth cymdeithasol arall.

Mae Erik Olin Wright wedi datblygu theori Marx ar ddosbarth cymdeithasol, ac y mae ei gysyniad o 'leoliadau dosbarth gwrthwynebol' yn ddefnyddiol yn y cyd-destun presennol.[7] Dywed Wright fod rhai dosbarthiadau wedi eu lleoli rywle rhwng dosbarthiadau'r bwrgeisiaid, y mân fwrgeisiaid, a'r dosbarth gweithiol a ddynodwyd gan Marx. Mae rheolwyr, cyflogwyr bach, a gweithwyr hanner-ymreolus (fel meddygon, cyfreithwyr, darlithwyr) mewn safle gwrthwynebol – hynny yw, nid ydynt yn ffitio'n dwt i gategorïau dosbarth Marx. Mae rheolwyr, er enghraifft, yn ecsbloetio gweithwyr (trwy eu rheoli'n uniongyrchol) ond y maent ar yr un pryd yn cael eu rheoli gan rywun uwch eu pennau (eu cyflogwyr). O fewn dosbarth y rheolwyr, ceir hierarchaeth, gydag uwch reolwyr banciau a chwmnïau rhyngwladol yn derbyn cyflogau a bonysau sy'n eu gosod yn y dosbarth bwrgeisiol bron, tra'r un pryd ceir rheolwyr eich siop Spar leol, sy'n debycach o ran ffordd o fyw i'r gweithwyr yn eu siop. Pwysleisiodd y theoretydd Nicos Poulantzas bwysigrwydd ystyried meini prawf ideolegol a gwleidyddol, yn ogystal â rhai economaidd, wrth ddadansoddi dosbarth cymdeithasol.[8] Yn yr un modd, yng ngwaith Pierre Bourdieu trafodir 'cyfalaf diwylliannol' ochr yn ochr â 'chyfalaf economaidd' wrth ddehongli strwythur cymdeithas.[9]

Unwaith y cydnabyddir bod mwy i strwythur dosbarth na'r ddau neu dri dosbarth cymdeithasol a nodwyd gan Marx, yna y mae angen ystyried y syniad o gynghreirio dosbarth. Dywed Wright y gall cynghreiriau gael eu ffurfio rhwng dosbarthiadau, ffracsiynau o ddosbarthiadau, ac yn bennaf, gyda safleoedd dosbarth gwrthwynebol. Meddai Wright:

> Mae hi wastad yn broblem a fydd gweithwyr yn ymffurfio'n ddosbarth neu'n ymgynnull fel grŵp ar ryw ffurf arall yn seiliedig ar grefydd, ethnigrwydd, rhanbarth, iaith, cenedligrwydd, crefft, ac ati. Gall fod y strwythur dosbarth yn diffinio natur y tirwedd lle mae ymdrechion at ffurfio dosbarth yn digwydd, ond nid yw ar ei ben ei hun yn penderfynu canlyniadau'r digwyddiadau hynny.[10]

Ailstrwythuro economaidd yng Ngwynedd

Cyn y 1950au, yr oedd economi Gwynedd wedi ei chanoli'n bennaf ar y diwydiant llechi, amaethyddiaeth a'r sector gwasanaethau. Ar ei frig, yr oedd y diwydiant llechi'n cyflogi 17,000 o ddynion mewn diwydiant a oedd wedi ei ddatblygu gan gyfalaf lleol. Erbyn y 1990au fodd bynnag, yr oedd y diwydiant llechi wedi diflannu i bob pwrpas. Dirywiodd amaethyddiaeth hefyd yn ddramatig yn ei phwysigrwydd mewn degawdau diweddar. Rhwng 1951 ac 1971 er enghraifft, bu dirywiad o 67% yn y gweithlu amaethyddol, o ganlyniad i fecaneiddio a newid o ffermio âr i fagu anifeiliaid a ffermio llaeth. Erbyn 2001 dim ond 5% o'r gweithlu oedd yn cael eu cyflogi mewn amaethyddiaeth. Ar y llaw arall, cynyddodd y sector gwasanaethau yn sylweddol; erbyn 2001 yr oedd oddeutu 70% o'r gweithlu yn cael eu cyflogi yn y sector hon, gydag iechyd ac addysg ar frig y rhestr.

Ychydig o waith cynhyrchu a welwyd yn economi Gwynedd tan y 1950au, pryd y dechreuodd rhaglen 'datblygu rhanbarthol' y wladwriaeth annog cwmnïau i symud i'r ardal. Roedd y rhaglen hon yn cynnig buddiannau a grantiau i gwmnïau sector breifat symud i leoliadau penodol ym Mhrydain a oedd wedi eu dynodi'n 'ardaloedd datblygu', ac yr oedd Gwynedd yn un o'r rhain. Canghennau o gwmnïau a symudodd i'r ardal yn bennaf yn sgil y cynlluniau hyn, sef cwmnïau a oedd â phencadlysoedd yn yr ardaloedd craidd (yn Lloegr gan mwyaf), a'r dueddoedd i ddod â rheolwyr ac uwch bersonél gyda hwy, gan gyflogi llafur yn lleol. Dyma'r broses a alwodd Hechter yn 'rhaniad diwylliannol o lafur', a dwysawyd y patrwm hwn wrth i nifer o gynlluniau cyfalaf mawr fel adeiladu gorsafoedd niwclear Trawsfynydd a Wylfa, ehangu'r Brifysgol ym Mangor, a chynlluniau hydro-electrig fynd rhagddynt. Tra bo'r cynlluniau olaf hyn angen gweithlu adeiladu mawr yn ystod y cyfnod cychwynnol, unwaith yr oeddynt wedi eu sefydlu, yna gweithlu bychan, sgil uchel oedd ei angen arnynt.

Dim ond rhannol lwyddiannus fu cynlluniau datblygu rhanbarthol yng Ngwynedd, o ystyried maint y buddsoddiad, gydag ychydig o fudd parhaol yn deillio i bobl leol o'r holl filiynau a wariwyd.[11] Yn ôl un astudiaeth a wnaethpwyd gan economegwyr o Brifysgol Bangor, yr oedd tystiolaeth fod y math o dwf economaidd a gafwyd yn dilyn y cynlluniau datblygu rhanbarthol hyn wedi creu economi haenedig, gydag ambell i grŵp o weithwyr yn ennill ar draul gweithwyr eraill.[12] Ymddengys mai'r rhai oedd yn cael y budd mwyaf o'r datblygiad economaidd oedd cyfranddalwyr estron a mewnfudwyr. Yn anochel, daw symudiad cyfalaf â symudiad pobl yn ei sgil, a rhwng 1960 ac 1980, cafwyd mewnfudiad anferth o bobl i Wynedd, yn bennaf o'r tu allan i Gymru. Dangosodd astudiaeth a wnaethpwyd i Gyngor Ynys Môn ar y pryd fod dwy ran o dair o'r mewnfudwyr a ddaeth i Fôn rhwng 1971 ac 1977 wedi dod o'r tu allan i Gymru, a dim ond 18% o'r mewnfudwyr hyn oedd yn medru siarad Cymraeg.[13] Ond pan gafwyd dirwasgiad economaidd yng nghanol y 1970au, symudodd y cwmnïau a oedd wedi dod i'r ardal o dan y cynlluniau datblygu rhanbarthol yn ôl i'r ardaloedd craidd. Cododd diweithdra yn enbyd, ond nid ataliodd hynny'r fewnfudiaeth o bobl, a oedd yn parhau i gynyddu. Rhwng 1971 ac 1991, symudodd bron i 24,000 o bobl i Wynedd.[14] Hefyd daeth problem arall i'r amlwg yn ystod y cyfnod hwn, sef ymyleiddio cynyddol. Y tu allan i'r 'ardaloedd twf' a oedd wedi eu dynodi yn y cynlluniau datblygu rhanbarthol (trefi ac ardaloedd trefol), yr oedd cefn gwlad ehangach yn dioddef wrth i bobl ifanc symud i'r ardaloedd trefol i fyw a gweithio. Yn sgil hynny, gwelwyd ysgolion a siopau'n cau, ac nid oedd cludiant cyhoeddus yn gynaliadwy i bentrefi ac ardaloedd cefn gwlad. Erbyn diwedd y 1980au, felly, yr oedd rhai nodweddion amlwg i'w gweld yn economi Gwynedd – sef perchnogaeth allanol o lawer o'r sector breifat, colli swyddi dynion wrth i'r sector diwydiannau cynradd grebachu, datblygiad economaidd anwastad, a rhaniad diwylliannol o lafur.

Y rhaniad diwylliannol o lafur

Yn anochel byddai'r newidiadau economaidd hyn yn effeithio'n ddwys ar y gymdeithas leol. Fel y nododd Poulantzas, y mae dosbarthiadau cymdeithasol yn cael eu ffurfio gan ffactorau gwleidyddol ac ideolegol, yn ogystal â rhai economaidd, ac yng Ngwynedd gwelwyd y rhaniad diwylliannol o lafur yn ffactor gwleidyddol/ideolegol a effeithiodd ar ffurf dosbarth cymdeithasol.

Mewn dadansoddiad o ddata Cyfrifiad 1981, cyflwynodd Glyn Williams ddarlun dadlennol o siaradwyr Cymraeg a phobl a anwyd y tu allan i Gymru yn ôl grŵp sosio-economaidd, a oedd yn dangos fod y rhai a anwyd y tu allan i Gymru yn cael eu gorgynrychioli yn y grwpiau sosio-economaidd uchaf yng Ngwynedd.[15] Yn dilyn hynny, dangosais innau ddarlun tebyg gan ddefnyddio data o Gyfrifiad 1991.[16] Y gwahaniaeth mwyaf rhwng ffigyrau 1981 a 1991 oedd presenoldeb uwch o bobl a anwyd tu allan i Gymru yng ngweithlu Gwynedd erbyn 1991. Yn 2001, gwelwyd y patrwm cyffredinol hwn yn parhau, gyda siaradwyr Cymraeg (a ffurfiai 69% o'r boblogaeth yn ôl cyfrifiad y flwyddyn honno) yn parhau i gael eu tangynrychioli yn y dosbarthiadau uwch:

Siaradwyr Cymraeg yn ôl grwpiau dosbarth cymdeithasol, Gwynedd 2001[17]

Dosbarth cymdeithasol	Siarad Cymraeg	Gor/tan gynrychiolaeth siaradwyr Cymraeg
1. Rheolwyr ac uwch swyddogion	54%	- 15%
2. Proffesiynol (uwch)	68%	- 1%
3. Proffesiynol (is) a thechnegol	67%	- 2%
4. Gweinyddu a Chlercyddol	77%	+8%
5. Crefftau Sgil	75%	+6%
6. Gwasanaethau Personol	75%	+6%
7. Manwerthu a Gwasanaeth Cwsmer	67%	+2%
8. Proses, gweithredwyr peiriannau	77%	+8%
9. Swyddi Elfennol	71%	+2%

Mae dadansoddiad o ddiwydiannau ble y cyflogir siaradwyr Cymraeg yn dangos bod gorgynrychiolaeth o siaradwyr Cymraeg mewn amaethyddiaeth a'r sector gyhoeddus, a'u bod yn cael eu tangynrychioli yn y sector breifat, gan gynnwys twristiaeth, gweithgynhyrchu, gweithgareddau busnes, cyfanwerthu a manwerthu. Awgryma'r ffigyrau hyn y bydd cynlluniau Llywodraeth y Glymblaid yn San Steffan i dorri ar wariant cyhoeddus yn cael effaith fwy dwys ar siaradwyr Cymraeg na'r di-Gymraeg yng Ngwynedd:

Diwydiant y Gyflogaeth yng Ngwynedd, 2001[18]

Diwydiant y Gyflogaeth	Siarad Cymraeg	Gor/tan gynrychiolaeth siaradwyr Cymraeg
Gwestai ac arlwyo	56%	-13%
Ystadau rhentu a gweithgareddau busnes	64%	-5%
Gweithgynhyrchu	67%	-2%
Cyfanwerthu, manwerthu, trin ceir	67%	-2%
Diwydiannau amrywiol eraill	70%	+1%
Trafnidiaeth, storio, cyfathrebu	71%	+2%
Iechyd a gwaith cymdeithasol	71%	+2%
Adeiladu	74%	+5%
Addysg	75%	+6%
Pysgota	76%	+7%
Gweinyddiaeth gyhoeddus ac amddiffyn	78%	+9%
Cyflenwi trydan, nwy, dŵr	79%	+10%
Cyfryngu ariannol	79%	+10%
Amaethyddiaeth, hela, coedwigaeth	83%	+14%
Mwyngloddio, chwarela	86%	+17%

Effaith ar y Gymraeg

Mae'r broses o ailstrwythuro economaidd wedi effeithio'n fawr ar yr iaith Gymraeg ers nifer o ddegawdau bellach. Effaith cymharol fychan a gafodd yr adleoli diwydiannol a fu yn sgil y ddau Ryfel Byd, gan fod cymaint o'r diwydiannau allanol hyn wedi dychwelwyd i'w hardaloedd gwreiddiol ar ôl y rhyfel. Ond ar ddiwedd y 1950au, ac yn fwy felly yn y 1960au a'r 1970au, gwelwyd newidiadau economaidd pur wahanol, a chafwyd symudiadau poblogaeth sylweddol i mewn ac allan o'r sir. Yn y man, gwelwyd y fewnfudiaeth anferth o bobl ddi-Gymraeg i'r broydd Cymraeg yn dechrau effeithio ar y broses o gynhyrchu ac atgynhyrchu'r iaith Gymraeg, yn y teulu ac yn y gymuned.[19] I ddechrau, yr oedd rhyng-briodi rhwng siaradwyr Cymraeg a'r rheiny nad oeddynt yn siarad Cymraeg yn golygu fod y Gymraeg yn llawer llai tebygol o gael ei throsglwyddo o fewn y teulu; e.e. yng Ngwynedd gwelwyd nad oedd 54.3% o gyplau ble mai'r tad yn unig oedd yn siarad Cymraeg yn trosglwyddo'r iaith i'r plant, ac yr oedd yr un peth yn wir am 36.8% o gyplau ble mai'r fam yn unig oedd yn siarad Cymraeg.[20] Yn ail, golygai'r fewnfudiaeth fawr o bobl ddi-Gymraeg i gymunedau a oedd wedi arfer bod yn rhai Cymraeg eu hiaith yn bennaf nad oedd y gymuned bellach yn gyfrwng atgynhyrchu iaith mor effeithiol, gan fod sail sefydliadol yr iaith yn cael ei thanseilio. Arweiniodd pryderon ynghylch anallu'r gymuned i ymdopi â'r fewnfudiaeth hon at gryn drafod a dadlau gwleidyddol, gan gynnwys sefydlu'r mudiad Cymuned yn 2001 a brwydro'n erbyn y fewnfudiaeth a ystyrid yn fygythiad i barhad y cymunedau Cymraeg.

Effaith ar le

Cafwyd tystiolaeth hefyd yng Ngwynedd o'r 'datblygiad anwastad' a grybwyllwyd gan Hechter, wrth i'r cynlluniau datblygu rhanbarthol arwain at greu 'pegynau twf' a oedd yn derbyn buddsoddiad, tra bo ardaloedd eraill yn dod yn fwyfwy ymylol o ran gwasanaethau ac adnoddau. Yn nodweddiadol, prif drefi a phentrefi mawrion y sir oedd yn derbyn buddsoddiad, gan adael cymunedau cefn gwlad yn amddifad. Er mwyn gweld a oedd dimensiwn 'ethnig' i'r rhaniad amddifadedd/ffyniant, defnyddiwyd data cyfrifiad i edrych ar ddangosyddion fel tai heb gyfleusterau sylfaenol, diweithdra, tai bychain, gorlenwi tai, tai mawr, nifer o geir, ac yn y blaen, a'u cysylltu â grwpiau cymdeithasol fel siaradwyr Cymraeg a mewnfudwyr, mewn proses a elwir yn ddadansoddiad ffactor.

Dangosodd y canlyniadau raniad amlwg rhwng siaradwyr Cymraeg a mewnfudwyr. Yn yr ardaloedd mwyaf difreintiedig yng Ngwynedd, yr oedd 79% ar gyfartaledd o'r boblogaeth yn siarad Cymraeg; ar y llaw arall, dim ond 50% o boblogaeth yr ardaloedd mwyaf ffyniannus oedd yn siarad Cymraeg – a hynny mewn sir gyda chyfartaledd cyffredinol o 69% o siaradwyr Cymraeg.[21] Yn ogystal â dosbarthiad anghyfartal o adnoddau yn ddaearyddol o fewn y sir, felly, yr oedd yn ymddangos fod anghyfartaledd yn bodoli rhwng y siaradwyr Cymraeg a'r mewnfudwyr di-Gymraeg; fel y nododd Glyn Williams, 'mae lle a phobl yn cael eu gwthio i'r cyrion'.[22]

Dosbarth y rheolwyr yng Ngwynedd

O gofio dadl Hechter y byddai hunaniaeth ethnig glir yn parhau ymhlith aelodau grwpiau a oedd yn dioddef o raniad diwylliannol o lafur, ni waeth pa mor ddatblygedig oedd yr economi, gellid disgwyl o'r datblygiadau economaidd a chymdeithasol a drafodwyd uchod y byddai tystiolaeth i'w chael yng Ngwynedd o raniadau cymdeithasol ar hyd llinellau 'ethnig'. Edrychwyd yn fanwl ar y strwythur dosbarth cymdeithasol yng Ngwynedd i geisio canfod unrhyw dystiolaeth o hynny, gan ddefnyddio gwaith John Urry ac Erik Olin Wright fel sail gysyniadol yr ymchwil. Roedd Urry wedi nodi fod cymunedau yn aml yn ymateb yn wleidyddol i ymgais i'w defnyddio fel ffynhonnell o lafur rhad, gan ffurfio mudiadau pwyso lleol a oedd â'u bryd ar ddiogelu'r gymuned yn erbyn ymyrraeth y wladwriaeth. Nododd hefyd y gallai dosbarthiadau cymdeithasol ffracsiynu dan y fath bwysau, wrth i ystyriaethau 'lleol' ac eraill ddod yn bwysicach na chadernid dosbarth cymdeithasol. Ymhelaethodd Olin Wright ar y syniad hwn o ffracsiynu dosbarth, gan nodi fod ffracsiynau o wahanol ddosbarthiadau yn medru uno â'i gilydd yn wyneb bygythiadau allanol, a'i bod yn bosibl i'r casgliadau newydd hyn ffurfio ar sail crefydd, ethnigrwydd, rhanbarth, neu iaith, ymhlith ffactorau eraill.

Roedd dosbarth y rheolwyr yng Ngwynedd wedi tyfu'n gyflymach nag unrhyw ddosbarth cymdeithasol arall yn ystod yr ugeinfed ganrif, o tua 0.5% o'r gweithlu yn 1911 i oddeutu 19% erbyn 1991, cyn gostwng rywfaint i oddeutu 16% erbyn 2001.[23] Roeddynt hefyd o ddiddordeb arbennig oherwydd eu bod mewn 'sefyllfa ddosbarth wrthwynebol', a olygai fod y dosbarth yn fwy tebygol o ffracsiynu neu haenu ar hyd llinellau economaidd neu ddiwylliannol/ideolegol. Cofier bod Marx wedi dadlau bod undod dosbarthiadau cymdeithasol yn hanfodol i gymdeithas allu symud ymlaen a chynyddu, ac o'r herwydd gellid disgwyl i'r rheolwyr gynghreirio â'i gilydd, o ystyried eu bod yn rhannu'r un buddiannau economaidd cyffredin. Ond dywedodd Poulantzas fod angen ystyried yn ogystal ffactorau ideolegol a gwleidyddol, sy'n golygu y gallai'r newidiadau cymdeithasol enfawr a gafwyd yng Ngwynedd dros y 40 mlynedd diwethaf arwain at greu cynghreiriau tra gwahanol i'r hyn a ragwelwyd gan Marx. Penderfynwyd canolbwyntio felly ar y dosbarth canol o reolwyr yng Ngwynedd i roi prawf ar haeriad Hechter y byddai'r rhaniad diwylliannol o lafur yn arwain at greu ymwybyddiaeth ethnig ar draul ymwybyddiaeth ddosbarth mewn ardaloedd ymylol o Brydain, fel Gwynedd.[24]

Fel y nodwyd, yr oedd dosbarth y rheolwyr wedi tyfu'n gyson dros y ganrif flaenorol ac yr oedd hefyd yn grŵp amrywiol o safbwynt rhai nodweddion. Un o'r nodweddion hynny oedd carfan sylweddol o reolwyr a elwir yn droell-ddringwyr (*spiralist*), gyda'r rhain, gan mwyaf, yn fewnfudwyr di-Gymraeg yn y sectorau preifat a chyhoeddus. Mae troell-ddringwyr yn cyfuno symudoledd daearyddol a gyrfaol – hynny yw, symudant i ardal am gyfnod cyfyngedig yn unig, ar eu ffordd i fyny'r ysgol yrfaol, cyn symud ymlaen i swydd well mewn ardal arall. Nid oedd arhosiad cymharol fyr y rhai a berthynai i'r grŵp hwn yng Ngwynedd yn anogaeth iddynt geisio integreiddio i'r gymuned leol, yn enwedig gan y byddai hyn wedi golygu dysgu'r iaith Gymraeg. Grŵp arall a oedd yn dechrau ymddangos yn y strwythur dosbarth lleol yng Ngwynedd oedd carfan o reolwyr a elwir yn fwrdeisiaid (*burghers*), sef grŵp bychan ond arwyddocaol o reolwyr Cymraeg eu hiaith, a oedd wedi'u lleoli'n bennaf yn y sector gyhoeddus. Pan sefydlwyd Cyngor Gwynedd yn 1974, mabwysiadodd bolisi dwyieithog yn ei weinyddiaeth, a chreodd hyn alw am bobl gymwys a allai siarad Cymraeg i lenwi'r swyddi allweddol. Yn groes i'r troell-ddringwyr, yr oedd y bwrdeisiaid hyn yn gweld eu cynnydd gyrfaol yn digwydd yn eu hardal leol, ac nid oeddynt â'u bryd ar symud i rannau eraill o'r wlad. Roedd amrywiaeth fewnol y grŵp yn awgrymu rhai haenau a chynghreiriau dosbarth posibl petai'r dosbarth yn ffracsiynu – gallai un llinell o haenu ddigwydd rhwng y sector breifat a'r sector gyhoeddus, yn enwedig gan fod buddiannau'r ddwy sector yn aml yn groes i'w gilydd. Llinell haenu arall bosibl fyddai ar hyd llinellau hierarchaidd o fewn dosbarth y rheolwyr ei hun, oherwydd fel y nododd Wright, y mae uwch reolwyr bron yn aelodau o'r dosbarth bwrgeisiol, gyda'u cyflogau uchel, cyfranddaliadau, bonysau, ac ati.[25] Ar y llaw arall, y mae rheolwyr iau yn nes at safle'r dosbarth gweithiol, nid yn unig oherwydd eu hincwm is ond oherwydd y rheolaeth gyfyng sydd ganddynt dros y broses gynhyrchu a thros eu patrwm gwaith eu hunain.

Llinell haenu bosibl arall oedd rhwng y gwahanol fathau o reolwyr, sef y troell-ddringwyr ar y naill law a'r bwrdeisiaid ar y llall, ac yn yr achos hwn hefyd yr oedd iaith yn ffactor ychwanegol. Fel y nodwyd eisoes, yr oedd y troell-ddringwyr yng Ngwynedd yn tueddu i fod yn fewnfudwyr di-Gymraeg tra bo'r mwyafrif helaeth o'r bwrdeisiaid yn siaradwyr Cymraeg lleol. Roedd sawl senario'n bosibl. A fyddai rheolwyr iau Cymraeg eu hiaith yn cynghreirio gyda'r dosbarth gweithiol Cymraeg? A fyddai rheolwyr canolig ac uwch Cymraeg eu hiaith hefyd yn cynghreirio gyda'r dosbarth gweithiol Cymraeg, ynteu a fyddai eu diddordebau economaidd cyffredin â rheolwyr canolig ac uwch di-Gymraeg yn ffurfio cwlwm cryfach nag iaith? Ar y llaw arall, a fyddai rheolwyr iau Cymraeg eu hiaith yn cynghreirio gyda rheolwyr iau di-Gymraeg oedd mewn sefyllfa waith debyg iawn iddynt hwy eu hunain? Roedd y posibiliadau'n niferus.

I ganfod atebion i rai o'r cwestiynau hyn, lluniwyd sampl cynrychioliadol o reolwyr yng Ngwynedd, wedi'i haenu ar sail sector, safle hierarchaidd, ac iaith. Tynnwyd y sampl sector breifat o blith cyfanswm o 260 o gwmnïau a oedd yn cyflogi 10 neu ragor o bobl, a thynnwyd y sampl sector gyhoeddus o blith 11 o sefydliadau sector gyhoeddus mawr yng Ngwynedd. Cyfwelwyd 130 o reolwyr i gyd, gyda phob cyfweliad yn parhau am oddeutu awr a hanner, gan ddefnyddio holiadur hanner-strwythuredig i gasglu'r wybodaeth angenrheidiol.

Y canfyddiad cyntaf oedd fod grŵp y rheolwyr yn eithaf amrywiol – nododd ychydig dros hanner y sampl (56%) eu bod yn uwch reolwyr, 35% yn rheolwyr canol a dim ond 9% oedd yn rheolwyr iau. Serch hynny, gwelwyd mai dim ond 1 o bob 3 o'r rheolwyr oedd â hawl i benodi staff eraill hyd at lefel rheolwyr, sy'n awgrymu fod eu statws gwirioneddol dipyn yn is nag yr oedd eu hunan-ddiffiniad yn ei awgrymu. Roedd yr awdurdod cyfyngedig oedd ganddynt yn awgrymu fod y grym gwirioneddol yn gorwedd rhywle arall tu allan i'r sir, sy'n arwydd o natur ddibynnol yr economi leol.

Roedd y grŵp hefyd yn gymharol ddibrofiad, gyda bron i hanner wedi bod yn rheolwyr am lai na 5 mlynedd. Nododd chwarter y sampl eu bod wedi bod yng Ngwynedd am lai na 5 mlynedd, tra bo 21% pellach wedi bod yn yr ardal am rhwng 5 a 10 mlynedd. Roedd oddeutu tri-chwarter y sampl yn droell-ddringwyr, ac o blith y rhain, gellid dynodi traean yn rhai 'gweithredol' (gyda dim ond 15% ohonynt yn siarad Cymraeg) a'r gweddill yn 'anweithredol', neu wedi cyrraedd pen eu gyrfa (gyda 50% ohonynt yn siarad Cymraeg). Ar y llaw arall, yr oedd 90% o'r grŵp rheolwyr bwrdeisiol yn siarad Cymraeg – canlyniad heb fod yn annisgwyl o ystyried pwysigrwydd eu sgiliau dwyieithog yn y farchnad lafur leol.

Bu'r mater o ddynodi rhai swyddi yn rhai 'Cymraeg hanfodol' yn destun gwleidyddol dadleuol ers nifer o flynyddoedd. Er enghraifft, yn 1986, cafwyd achos 'Cyngor Sir Gwynedd v Jones', pryd yr honnodd dwy wraig uniaith Saesneg fod y Cyngor yn gweithredu'n 'hiliol' tuag atynt oherwydd y rheol 'Cymraeg hanfodol' ar gyfer rhai swyddi llywodraeth leol. Ni chefnogodd y Tribiwnlys Apêl Cyflogaeth eu cwyn, ond yr oedd yn dangos y teimladau chwyrn ymhlith y garfan uniaith Saesneg yng Ngwynedd tuag at bolisi iaith y Cyngor. Dadleuodd Glyn Williams fod y Gymraeg yn cael ei defnyddio i gulhau'r farchnad lafur yn yr un ffordd ag y mae proffesiynoli yn cau rhannau penodol o'r farchnad lafur i bobl nad ydynt â'r cymwysterau priodol.[26] Mae'n nodedig mai yn y sector gyhoeddus yn unig, sydd o dan reolaeth wleidyddol leol, y ceir y math yma o 'reol iaith', ac nad oes rheol debyg yn y sector breifat. Ni chynhwyswyd y sector breifat dan ddarpariaethau Deddf yr Iaith 1993, ac nid yw chwaith wedi ei chynnwys ym Mesur y Gymraeg 2011.

Nid oedd gan 31% o'r sampl unrhyw wybodaeth o'r Gymraeg o gwbl, ac er eu bod yn dweud fod hynny'n 'broblem', nid oedd yr un ohonynt wedi mynd ati i ddysgu Cymraeg o ddifrif. Yn hytrach, ystyrient mai problem i siaradwyr Cymraeg oedd hon, am eu bod yn mynnu siarad Cymraeg er eu bod yn gallu siarad Saesneg. Dyma ddetholiad o'r math o ymateb a gafwyd. Meddai un uwch-reolwr yn y sector breifat:

> I feel like an outsider … in all the other countries I've lived in, the ethnic groups want to integrate … here they don't even try.

Ac meddai uwch reolwr gwaith diwydiannol mawr:

> I won't allow Welsh on the site because of safety reasons – they can gossip in Welsh if they like, but I won't allow technical discussion in Welsh. It's too dangerous.

Roedd eraill yn teimlo'n fileinig tuag at y defnydd o'r Gymraeg, fel un uwch reolwr sector gyhoeddus:

> Welsh is a dead language – the purists try to stop English encroachement. That's not doing the area any good at all. If I had kids, I'd never come here because of the language policy in the schools.

Gwelwyd bod yr iaith Gymraeg yn fater emosiynol i'r rheolwyr Cymraeg a di-Gymraeg fel ei gilydd. Meddai un rheolwr Cymraeg ei iaith:

> Mae lot gormod o Saeson yn gweithio yma, a nhw sy'n cael y jobs gorau i gyd. Welwch chi ddim llawer o Gymry yn y top yma.

Ac meddai rheolwr iau yn y diwydiant llechi:

> Tydi'r bos ddim yn medru siarad efo'r hogia ar y job, a fi sy'n gorfod gwneud y gwaith mwyaf oherwydd hyn. Eto, fo sy'n cael y cyflog mawr...

Roedd teimlad cryf ymhlith nifer o'r rheolwyr Cymraeg fod Saeson yn cael y swyddi gorau i gyd, ac yr oedd cryn anniddigrwydd ynglŷn â hynny. Roedd eu canfyddiad yn adlewyrchu'r 'rhaniad diwylliannol o lafur' a drafodwyd uchod. Ymhlith y rheolwyr di-Gymraeg gwelwyd cymysgedd o anwybodaeth, difaterwch a gelyniaeth tuag at y Gymraeg, gyda nifer ohonynt yn ei gweld yn fwrn.

Holwyd y rheolwyr ynglŷn â'u teuluoedd, eu cyfeillion, a'u patrymau cymdeithasu er mwyn canfod natur a chryfder eu rhwydweithiau cymdeithasol. Roedd 84% o'r rheolwyr yn briod a 61% gyda phlant yn byw gartref, ac yr oedd gan 62% o'r sampl deulu estynedig yn byw yn yr ardal. Dipyn o syndod efallai oedd canfod fod traean o'r mewnfudwyr hefyd gyda theulu estynedig yn byw yn yr ardal, ac o ganlyniad, gwelwyd fod rhwydweithiau carennydd y mewnfudwyr yn fwy eang na'r disgwyl.

Dywedodd Olin Wright fod edrych ar batrymau cyfeillgarwch yn ffordd dda o asesu ymwybyddiaeth ddosbarth.[27] Nododd 53% o'r sampl fod y rhan fwyaf o'u cyfeillion yn rheolwyr eraill, ond cyfeillion dosbarth gweithiol yn bennaf oedd gan y gweddill. Mae hyn yn awgrymu fod y dosbarth yn haenu, gyda hanner ohono'n gweithredu fel dosbarth cymdeithasol, tra bod yr hanner arall yn gweithredu yn ôl rhesymeg wahanol. Holwyd y rheolwyr hefyd ynghylch iaith eu cyfeillion, a dywedodd 52% fod y rhan fwyaf ohonynt yn siarad Cymraeg, tra bod y 48% arall gyda chyfeillion uniaith Saesneg. Mae'r rhaniad hwn yn awgrymu'r posibilrwydd o ffracsiynau ar sail iaith, ond wrth gwrs yr oedd ffactorau eraill angen eu hystyried yn ogystal, megis safle hierarchaidd y rheolwyr, y sector gwaith, cefndir teuluol, cymwysterau addysgol, ac ati. Oherwydd cymhlethdod ac amrywiaeth y data, yr oedd angen cynnal dadansoddiad ystadegol pellach ar y data, sef 'dadansoddiad clwstwr', i geisio sefydlu pa rai oedd y ffactorau mwyaf arwyddocaol.

Mae 'dadansoddiad clwstwr' yn dechneg ystadegol sy'n gosod amrediad o achosion mewn nifer gyfyngedig o glystyrau, fel bod yr achosion sydd yn y clystyrau mor unffurf â phosib, tra bo'r clystyrau eu hunain mor anghydryw â phosib. Gwelwyd bod yr 130 o reolwyr yn rhannu i bedwar clwstwr, gyda chyfuniad o gysylltiadau cymdeithasol o fewn ac ar draws dosbarth cymdeithasol, a chysylltiadau cymdeithasol o fewn ac ar draws sector. Fodd bynnag, y nodwedd amlycaf o ddigon yn y dadansoddiad oedd y llinell glir o ffracsiynu oedd yn digwydd ar draws llinellau iaith. Roedd y mwyafrif helaeth o aelodau'r clystyrau'n gwneud eu holl gysylltiadau cymdeithasol o fewn eu grwpiau iaith eu hunain, sef 89% o'r rheolwyr Cymraeg eu hiaith ac 84% o'r di-Gymraeg. Ymhellach, yr oedd y dadansoddiad clwstwr yn dangos fod y rheolwyr Cymraeg eu hiaith yn fwy tebygol o wneud eu cysylltiadau cymdeithasol gyda'r dosbarth gweithiol (hynny yw, nid oeddynt yn gweithredu fel dosbarth cymdeithasol), tra bo rheolwyr uniaith Saesneg yn fwy tebygol o gyfeillachu â rheolwyr eraill (ac felly'n gweithredu fel dosbarth cymdeithasol). Felly gwelwyd bod ffracsiynu dosbarth yn digwydd ar sail iaith, a phrin oedd dylanwad y sector gwaith, safle hierarchaidd na phatrymau teuluol ar y patrymau a welwyd.

Casgliadau

Nododd Hechter fod datblygiad economaidd anwastad a'r rhaniad diwylliannol o lafur sy'n dod yn ei sgil yn effeithio ar ymwybyddiaeth ethnig aelodau'r gymuned leol ar draul eu hymwybyddiaeth o ddosbarth cymdeithasol, ac ymddengys bod yr ymchwil a gynhaliwyd yng Ngwynedd yn cadarnhau ei haeriad. Edrychwyd ar natur benodol y strwythur dosbarth cymdeithasol mewn economi ymylol, gan ystyried pa ran os o gwbl oedd gan iaith mewn creu ffracsiynau dosbarth. Ymddengys fod y rhaniad diwylliannol a ddisgrifiwyd gan Hechter yn parhau ddeng mlynedd ar hugain yn ddiweddarach, gyda thangynrychiolaeth o siaradwyr Cymraeg Gwynedd yn parhau yn y tri dosbarth cymdeithasol uchaf. Gwelwyd ymhellach sut y canolir siaradwyr Cymraeg Gwynedd yn y sectorau hynny sydd fwyaf mewn perygl o ddioddef o ganlyniad i doriadau yn y sector gyhoeddus wrth i bolisïau ariannol y Glymblaid yn San Steffan gael eu gweithredu'n llawn. Dangoswyd bod ffurfiau'r grwpiau cymdeithasol a welwyd yn y strwythur cymdeithasol lleol yn ganlyniad gwleidyddol ac ideolegol i'r pwysau allanol ar yr economi leol. Yn groes i'r hyn a haerwyd gan ambell i wleidydd dros y blynyddoedd, gellir dadlau fod y 'cadernid ethnig' a amlygwyd yn yr ymchwil hwn yn ymateb rhesymegol i ddosbarthiad anwastad o adnoddau economaidd a pharhad y rhaniad diwylliannol o lafur.

Nodiadau

1   Michael Hechter, *Internal Colonialism: The Celtic Fringe in British National Development* (London, 1999).

2   Hyd at 1996, mae Gwynedd yn cyfeirio at yr hen Wynedd fel y'i diffiniwyd yn Neddf Llywodraeth Leol 1972, sef Arfon, Dwyfor a Meirionnydd ynghyd ag Ynys Môn ac Aberconwy. Wedi hynny, mae Gwynedd yn cyfeirio at y Wynedd bresennol, a ffurfiwyd gan Ddeddf Llywodraeth Leol (Cymru) 1994, sef ardaloedd Arfon, Dwyfor a Meirionnydd yn unig.

3   Immanuel Wallerstein, *The Capitalist World Economy* (Cambridge, 1979); *idem, Historical Capitalism* (London, 1983).

4   'Memorandum submitted by Wales TUC', Ionawr 2007, http://www.publications.parliament.uk/pa/cm200809/cmselect/c mwelaf/184/184we03.htm

5   Peter Cooke, 'Global Restructuring, Industrial Change and Local Adjustment' yn Peter Cooke (gol.), *Global Restructuring Local Response* (London, 1986), tt. 1-24.

6   John Urry, 'Localities, Regions and Social Class', *International Journal of Urban and Social Research* 5 (1981), 455-474.

7   Erik Olin Wright, *Classes* (London, 1985).

8   Nicos Poulantzas, *Classes in Contemporary Capitalism* (London, 1975).

9   Gweler, er enghraifft, Pierre Bourdieu, *Raisons pratiques: Sur la théorie de l'action* (Paris, 1994), a gyfieithwyd i'r Saesneg fel *Practical Reason* (Stanford, 1998).

10 Erik Olin Wright, *Classes*, t. 123.

11 Gweler John Lovering, *Gwynedd: Sir mewn Argyfwng* (dim dyddiad), am drafodaeth fanwl o ddatblygiadau economaidd a diwydiannol yng Ngwynedd yn ystod cyfnod cynnar cynlluniau datblygu rhanbarthol. Gweler hefyd Glyn Williams a Delyth Morris, *Language Planning and Language Use: Welsh in a Global Age* (Cardiff, 2000) am drafodaeth ar ddatblygu rhanbarthol a'i effaith gymdeithasol.

12 Peter Sadler, Brian Archer a Christine Owen, *Regional Income Multipliers: The Anglesey Study* (Bangor, 1973), t. 78.

13 Cyngor Bwrdeistref Ynys Môn, *Anglesey Population Survey* (Llangefni, 1977).

14 Delyth Morris, 'Patrymau Iaith a Chyflogaeth yng Ngwynedd 1891-1991', *Byd: Bwletin Dyniaethau, Cyngor Gwynedd*, 1993, 6-8 [8].

15 Glyn Williams, 'Economic Restructuring in Gwynedd' yn Peter Cooke (gol.), *Global Restructuring Local Response* (ESRC, 1986), tt. 247-256 [t. 252].

16 Delyth Morris, 'Language and Class Fractioning in a Peripheral Economy', *Journal of Multilingual and Multicultural Development* 16:5 (1995), 373-388 [378].

17 Tabl T39 Cyfrifiad 2001. Noder mai galwedigaeth pobl 16-74 oed a oedd mewn cyflogaeth yr wythnos cyn y cyfrifiad yw sail y tabl hwn yn hytrach na NS-SEC.

18 Tabl T39 Cyfrifiad 2001. Eto, pobl 16-74 oed a oedd mewn cyflogaeth yr wythnos cyn y cyfrifiad.

19 Mae cynhyrchu iaith yn cyfeirio at ei throsglwyddiad o fewn y teulu o'r naill genhedlaeth i'r llall, tra bo atgynhyrchiad iaith yn cyfeirio at ddysgu'r iaith gan bobl nad yw eu rhieni'n siarad yr iaith, er enghraifft, drwy'r system addysg.

20 Swyddfa Ystadegau Gwladol, Tabl C0584.

21 Delyth Morris, *Ailstrwythuro Economaidd a Ffracsiynu Dosbarth yng Ngwynedd* (Traethawd PhD heb ei gyhoeddi, Prifysgol Cymru Bangor, 1990), tt. 319-320.

22 Glyn Williams, 'Economic Restructuring in Gwynedd', t. 184.

23 Tabl KS14a, Ystadegau Gwladol, Dosbarthiad Economaidd-gymdeithasol, Cyngor Gwynedd: Ystadegau Allweddol.

24 Defnyddir y gallu i siarad Cymraeg fel dangosydd o ymwybyddiaeth ethnig yn yr achos hwn.

25 Erik Olin Wright, *Classes*, t. 125.

26 Glyn Williams, 'Economic Restructuring in Gwynedd'.

27 Erik Olin Wright, *Classes*, t. 230.

Dosbarth

ASTUDIAETH ACHOS

Nigger Boi Cymro
Iaith a gwaith yn y Gymru Gymraeg

gan Richard Glyn Roberts

> Hei Nigger Boi, John Boi, Cymro, tyrd yma
> 'dan ni angen rhywun i roi sglein ar ein 'sgidia'
> 'dan ni angen rhywun i lanhau y toiledau
> Hei Nigger Boi, Taffi, dos ar dy liniau.

Mae cân Steve Eaves yn mynegi'n groyw eironig ddwy o nodweddion amlycaf adain fwyaf radical y mudiad iaith: cefnogaeth ddiamwys i frwydrau cyfatebol yn erbyn gormes a thraha ar wastad rhyngwladol ac ymwybyddiaeth gref o gydymddibyniaeth gorthrwm diwylliannol ac economaidd.

Bu'r sylweddoliad fod gorthrwm ieithyddol ynghlwm wrth orthrwm economaidd yn rhan o genadwri ymgyrchwyr iaith ers dyddiau Michael D. Jones. Yn yr un modd, i Gymry dosbarth gweithiol yn yr ardaloedd Cymraeg mae'r rhaniad diwylliannol o lafur mor wreiddiedig mewn realiti feunyddiol, wedi ei naturioli i'r fath raddau, a'r ymdeimlad ohono mor fyw nes y gallai'r ymdrech i arddangos hynny'n ffurfiol ymddangos i lawer yn ymarferiad braidd yn seithug mewn datgan gwirioneddau amlwg. Bwriwn olwg argraffiadol, megis o'r tu mewn, dros y realiti gwrthrychol yma.

Yn wahanol i'r busnesau bychan a chanolig eu maint – sy'n aml yn gysylltiedig â thwristiaeth – a sefydlir gan Saeson cefnog yn yr ardaloedd Cymraeg, ac nad ydynt odid fyth yn cydnabod bodolaeth y Gymraeg yn weladwy, mae archfarchnadoedd at ei gilydd yn dra pharod i ddwyieithiogi ac yn aml yn gwneud hynny'n ddigymell. Meistri llafur traddodiadol yw'r rhai cyntaf yn dirmygu diwylliant y brodorion ac yn manteisio ar eu llafur rhad mewn modd agored ac ansoffistigedig. Mae'r cwmnïau rhyngwladol mawr yn gweld ymhellach. Mae cyfran dda o gwsmeriaid y siopau hyn yn siaradwyr Cymraeg a daeth y rheiny i ddisgwyl gweld *CROESO I'CH ARCHFARCHNAD LEOL, DIOLCH AM SIOPA GYDA NI* a chyffelyb fân arwyddion fod Walmart neu Tesco yn cydnabod eu bodolaeth. O du'r archfarchnadoedd, mae'r arwyddion hyn yn achub y blaen ar gwynion a chyhoeddusrwydd gwael achlysurol ar lefel leol ac yn bwysicach na dim yn gweithredu fel ateb, megis ymlaen llaw, i unrhyw honiad eu bod yn dirmygu'r boblogaeth gynhenid neu'n manteisio arni. Yn amlach na pheidio siaradwyr Cymraeg fydd yn eistedd wrth y tiliau ac yn llenwi'r silffoedd yn y siopau hyn. Ond gofynnwch am gael siarad efo'r rheolwr ac mae hi'n stori wahanol.

I'r gwrthwyneb, yn achos cwmnïau deunyddiau adeiladu a chyflenwyr amaethyddol sydd ym mherchnogaeth Cymry neu sydd â hanes hir o fasnachu yn y Fro Gymraeg, adlewyrchir natur ieithyddol y gymdeithas yn llwyrach ar bob cam yn hierarchaeth y gweithle, a cheir Cymry yn y brif swyddfa ynghyd ag ar lawr y warws.

Yn y sector gyhoeddus, lle mae ystadegau'n rhwyddach i'w cael, gwelir rhaniad cyfatebol rhwng y sefydliadau hynny nad ydynt yn ddarostyngedig i fesur o atebolrwydd lleol ar y naill law ac, ar y llall, sefydliadau sy'n atebol i'r boblogaeth leol drwy'r gyfundrefn ddemocrataidd. Yng nghynllun iaith Prifysgol Bangor, er enghraifft, nodir fod 45% o staff y sefydliad yn 2010/2011 yn siaradwyr Cymraeg rhugl a hynny pan oedd, yn ôl cyfrifiad 2011, 65.4% o boblogaeth Gwynedd yn siarad Cymraeg yn rhugl. Ceir amcan o ddosraniad y 45% ar draws y gweithle drwy gyfarch glanhawyr a phorthorion y Coleg ar y Bryn, sydd ymron yn ddieithriad yn siaradwyr Cymraeg. Yn yr un cyfnod roedd dros 90% o weithlu Cyngor Gwynedd yn medru'r Gymraeg.

Ond amser a ddengys i ba raddau y pery gweithlu Gwynedd yn weithlu Cymraeg yn wyneb ad-drefnu llywodraeth leol a'r pwyslais cynyddol ar gydweithio â sefydliadau cyhoeddus eraill llai goleuedig, rhai ohonynt, fel y Bwrdd Iechyd Lleol, yn *über*-drefedigaethol. Yn ei awydd i annog sefydlu a helaethu datblygiadau twristaidd mae Cyngor Gwynedd eisoes yn gyfrannog yn nhrefn ecsbloityddol y diwydiant ymwelwyr.

*   *   *

Dywed Siôn (nid dyna'i wir enw), a arferai weithio mewn iard gychod, iddo unwaith weld poster ar wal caban *gin palace* neilltuol grand ac arno'r geiriau cofiadwy: *Work is for people who never learnt to sail*. Ar y pryd roedd Siôn yn gwneud rhyw waith cynnal efo sylwedd neilltuol a ddefnyddiai'n rheolaidd wrth ei waith. Roedd nodyn ar ochr y potyn yn rhybuddio y gallai'r cynnwys achosi canser. Nid fod y ffaith olaf hon o dragwyddol bwys gan nad yw Siôn yn perthyn i'r garfan honno *who learnt to sail*.

Gormes sy'n perthyn i'r gorffennol diwydiannol diweddar yw silicosis ac aeth y llwch bellach yn rhan o fytholeg barchus sosialwyr cafiâr y pleidiau gwleidyddol. Ni chododd eto yn y pleidiau hyn ladmerydd dros y Cymry hynny sydd, am isafswm cyflog, yn treulio'u dyddiau mewn cymylau o lwch yn sandio ochrau *fibreglass* cychod pleser sy'n costio mwy na'r tŷ rhes cyffredin yn eu pentref genedigol na allant fforddio'i brynu.

DWYIEITHRWYDD

Dwyieithrwydd a'r Drefn Symbolaidd
Simon Brooks

Mae'r daith hon i grombil y berthynas rhwng gwladychiaeth a dwyieithrwydd yn cychwyn mewn dau gaffi yn Arfon. Daeth glaw mawr pan oeddwn tu allan i'r caffi cyntaf, piciais i mewn a gofyn am baned o de. 'Large or small', meddai'r ddynes tu ôl i'r cownter. 'Mawr' meddwn i. 'I'm English' meddai'r ddynes. 'I'r dim', meddwn i, 'ond fe liciwn i gael cwpaned o de.' 'You deal with him', meddai'r ddynes wrth ei chydweithiwr, a cherdded i ffwrdd.

Digwyddodd yr un peth ychydig wythnosau wedyn gyda gweinyddes caffi mewn dyffryn cyfagos. 'Alla i weld y fwydlen, os gwelwch yn dda?', gofynnais gan feddwl archebu cinio. 'Sorry', atebodd. Dyma roi cynnig arall arni, 'fe hoffwn i weld y fwydlen, os gwelwch yn dda'. 'I'm English', dywedodd yn swta. Y tro yma, doedd gen i mo'r nerth i ddyfalbarhau, a throis i'r Saesneg.

Dyma ddau episod hynod ddadlennol, sy'n dal drych at y berthynas rhwng iaith, ethnigrwydd a grym cymdeithasol mewn cymunedau Cymraeg eu hiaith yng Nghymru heddiw. Gallem fod wedi cydnabod arferion ieithyddol ein gilydd; y naill yn parchu dewis iaith y llall heb gyfaddawdu dim ar ei ddewis iaith ei hun. Wedi'r cwbl, nodweddwyd y ddwy sgwrs gan eu natur gymharol syml yn defnyddio'r math o eirfa y gellid yn deg ei disgwyl mewn caffi, ac felly ei dysgu. Pe bai dwyieithrwydd yn ffenomen ieithyddol gytbwys yng Nghymru, byddai sgyrsiau rhwng unigolion o wahanol gefndiroedd ieithyddol yn ddwyieithog – y ddwy ochr yn llefaru yn eu hiaith eu hunain, ond gan gydnabod ymholiadau yn iaith y llall. Dyna oedd sail f'ymddygiad ieithyddol innau: cydnabod Saesneg y ddwy weinyddes, ond ateb yn Gymraeg.

Nid felly'r gweithwyr caffi di-Gymraeg. Roeddynt am ddehongli sefyllfa ddwyieithog nid yn unig fel hawl i lefaru yn eu hiaith eu hunain yn ddidramgwydd, ond i fynnu fy mod i'n traethu yn eu hiaith hefyd. Symleiddio garw fyddai taeru mai am eu bod yn ddi-Gymraeg y digwyddodd hyn. Roedd y ddwy, i'r graddau eu bod yn ddi-Gymraeg o gwbl (gwyddai'r wraig gyntaf ystyr y gair 'te' er nogio wedyn), yn ddi-Gymraeg o ddewis. Gellid ymholi ynglŷn â faint o ryddid sydd ynghlwm wrth y dewis hwnnw, a barnu fod disgwyliadau cymdeithasol ar waith. Ac eto, ni all y sawl sy'n derbyn y ddadl o blaid yr hawl i ddewis symud i Gymru (dewis bod yn symudol, dewis pwrcasu tai mewn ardaloedd Cymraeg) wadu nad math ar ddewis hefyd yw peidio dysgu iaith, gan orfodi canlyniadau hynny ar y gymuned leol.

At hyn, roedd y ddwy weithwraig yn anghwrtais ac yn lled fygythiol. F'unieithrwydd Cymraeg, yn hytrach nag unieithrwydd di-Saesneg mewn rhyw iaith arall, a'u gwylltiai; gwrthwynebiad sy'n adlewyrchu natur wladychol y berthynas rhwng Cymraeg a Saesneg, yn enwedig yn yr ardaloedd Cymraeg: 'ni ellir cymharu dwyieithrwydd gwladychol ag unrhyw ddeuoliaeth ieithyddol gyffredin', chwedl y meddyliwr gwrthdrefedigaethol, Albert Memmi.[1] Yn y caffi cyntaf, trodd y weinyddes ei chefn arnaf, yn llythrennol felly, a'm sarhau o flaen cwsmeriaid eraill, rhywbeth na ddigwyddai ped aethai Almaenwr neu Ffrancwr uniaith yno.

Yn y ddwy sgwrs, soniodd y gweithwyr yn ddigymell eu bod yn 'English'. Ateb hynod. Ni cheir wrth ymorol am gyrri Rogan Josh y cyfarchiad, 'Rwy'n Fengali', neu wrth erchi pizza, 'Rwy'n Eidalwr'. Amcan yr 'I'm English' yw datgan nad yw Saeson yn siarad Cymraeg, sy'n creu disgwrs cwbl wahanol i'r un y dylai mewnfudwyr ddysgu iaith y wlad y maen nhw'n symud iddi (yn ymhlyg yn hyn mae'r awgrym *nad* yw Cymru'n wlad, a bod peidio siarad Saesneg yn fath o ragfarn hiliol neu ethnig). Mae'n ddatganiad noeth o rym cymdeithasol, sy'n pwysleisio goruchafiaeth Saeson a gwerth diwylliannol Saesneg dros Gymry a gwerth diwylliannol Cymraeg.

Digywilydd yw'r safbwynt hwnnw, ond mae'n ddadlennol iawn er hynny, yn enwedig o ystyried pwy sy'n pennu'r canllawiau ieithyddol disgwyliedig mewn caffis yng ngwledydd Prydain fel arfer. Yn Llundain, fel yn y Fro Gymraeg, mae canran uchel iawn o weithwyr y diwydiant arlwyo'n fewnfudwyr. Ond ni fyddai'n dderbyniol i weinyddes o Bwyles nid yn unig siarad Pwyleg â'r cwsmeriaid ond mynnu yn ogystal eu bod yn siarad Pwyleg â hi.

Dengys helbul y ddau gaffi yn Arfon fod y Gymru Gymraeg yn gaeth i drefedigaethedd ieithyddol o hyd. Arwydd o oresgyniad yw'r peidio siarad Cymraeg yma, fel y dengys gwrthodiad rhai di-Gymraeg i arfer geiriau symbolaidd hyd yn oed – 'diolch', 'croeso', 'bore da'. Awgrym pellach mai disgwyliadau cymdeithasol, yn hytrach nag anwybodaeth o iaith fel y cyfryw, sy'n llywio tynged y Gymraeg. Pa weithiwr siop mewn ardal Gymraeg na ŵyr ystyr y gair 'diolch', ac eto arferai perchennog siop yng ngogledd Ceredigion ddweud 'thank you' wrth fy merch deirblwydd er gwybod ei bod yn uniaith Gymraeg. Ni ddysga'r rhan fwyaf o'r siopwyr hyn y rhifolion Cymraeg mwyaf elfennol, er y byddent yn meistroli eu un, dau, tri mewn iaith dramor cyn camu ar awyren am wyliau. Cofiaf yn arbennig ateb anfarwol tafarnwr yng Ngheredigion i'm cais am ddau beint o Guinness. 'You what?', meddai. 'Dau

Guinness, plîs?', gofynnais gan symleiddio'r gofyniad eto fyth. 'Sorry mate, we don't sell diet Guinness.'

Twyll dwyieithrwydd

Dengys y datgymalu ar y Fro Gymraeg a amlygir gan ganlyniadau Cyfrifiad 2011 fod ein cymdeithas honedig ddwyieithog yn un ansefydlog ac ansad, ac yn un sy'n Seisnigo hefyd; fel petai'n fynegbost ar y lôn fawr rhwng cymdeithas uniaith Gymraeg ac uniaith Saesneg. Ac nid ymddengys y bydd rhagor o ddwyieithrwydd, o leiaf fel y'i arferir ar hyn o bryd, yn gwneud fawr ddim i atal y shifft iaith hwn, am nad oes rhaid, na disgwyl, i fewnfudwyr mewn cymdeithas ddwyieithog ymgyfarwyddo â'r Gymraeg. Arfer cymdeithasol yw dwyieithrwydd yng Nghymru sy'n ddarostyngedig i'r dyb fod gan yr iaith fain yr hawl i bresenoldeb ymhob man ac ar bob adeg – braint nad ymestynnir i'r Gymraeg, y mae'r defnydd ohoni'n ddibynnol ar 'resymoldeb', a chymesuredd â'r rhesymoldeb hwnnw.[2]

Nid cyflwr ieithyddol niwtral yw dwyieithrwydd yng Nghymru felly, ond ffordd o ymestyn gafael diwylliannol y mwyafrif Saesneg. Mae'n ffenomen sy'n dilysu hawl Saesneg i'w lordio hi ar bob dim. Hwyrach yr ymddengys hyn yn baradocsaidd gan inni arfer synio am ddwyieithrwydd fel ymestyniad ar diriogaeth yr iaith leiafrifol, gan anghofio fod dwyieithrwydd hefyd yn golygu dwyn y Saesneg i beuoedd Cymraeg gan danseilio awtonomi'r gymdeithas leiafrifol, a'i gwneud yn haws i'w llyncu gan y mwyafrif.

Ewch i ran o Gymru ble mae cymuned fwyafrifol Gymraeg yn ymyl cymuned a Seisnigwyd yn sgil mewnfudo trwm, a cherddwch y filltir neu ddwy sy'n eu cysylltu. Megis mewn labordy, gwelir grym ieithyddol ac ideoleg dwyieithrwydd ar waith.

Yng nghanol Porthmadog, ble mae dros 80% o'r trigolion yn siarad Cymraeg gan nad yw'r tai mor ddengar â hynny i gyfoethogion o Loegr a'r brodorion o'r herwydd heb eu disodli, ceir tirlun ieithyddol dwyieithog. Arwyddion siop uniaith Gymraeg, dwyieithog a Saesneg. Ond ar gyrion y dref, ym mhentrefi cyfagos Borth-y-gest a Morfa Bychan, a llond y lle o dai drud glan môr mewnfudwyr, mae tirwedd llai dwyieithog o lawer. Ar hysbysfwrdd Borth-y-gest, fe hysbysa cymdeithas y pentrefwyr y cwbl bron o'i gweithgarwch yn uniaith Saesneg, a cheir tuedd i hynny o ddwyieithrwydd yn y cylch fod yn nodwedd ar fusnesau sy'n hen sefydledig, neu ym mherchnogaeth Cymry. Gellid ailadrodd yr arbrawf hwn mewn sawl man arall, trwy gymharu'r defnydd o ddwyieithrwydd yn Llanrwst a Llandudno, dyweder, neu ym Methesda a Bangor, neu yn Nhal-y-bont a'r Borth. Yn y gymuned Gymreiciaf mae'r mwyaf o ddwyieithrwydd.

Cam gwag fyddai tybio fod hyn oherwydd bod mwy o angen cyfieithu ar Gymry na Saeson, a bod y cwbl yn weithred altrwistaidd er lles brodorion.[3] I'r gwrthwyneb yn hollol. Adlewyrcha tirlun dwyieithog ardaloedd Cymraeg fod siaradwyr Saesneg yn fwy ymwthgar fel grŵp ieithyddol yno nag yw siaradwyr Cymraeg mewn llefydd Saesneg. Mae dwyieithrwydd yn bod mewn cymdogaethau Cymraeg er mwyn galluogi'r di-Gymraeg i fyw heb drafferthu dysgu Cymraeg. Mae hynny yn ei dro yn cadarnhau'r argyhoeddiad na ddylent. Ond unwaith y mae'r di-Gymraeg yn y mwyafrif, gollyngir dwyieithrwydd yn dawel bach gan fod cyfieithu'n fwrn. Dyma dwyll sylfaenol dwyieithrwydd.

Mae 'dwy elfen' ymhob gwlad, meddai Michael D. Jones wrth esbonio yn 1860 ei weledigaeth am wladfa Gymreig ym Mhatagonia, 'elfen ffurfiol ac elfen ymdoddol'.[4] Problem dwyieithrwydd yw iddo droi'r Cymry, a ddylai yng Nghymru fod yn 'elfen ffurfiol' sef cynheiliaid y diwylliant hegemonaidd y cymhethir grwpiau eraill iddo, yn 'elfen ymdoddol', sef y grŵp a gymhethir. Pan ddigwydd hyn i frodorion o dan bwysau mewnfudo, mae'n ddisgrifiad clasurol o wladychiaeth.

Mae'n rhaid problemateiddio dwyieithrwydd felly, a chwilio am fodelau ieithyddol amgen. Mae i unieithrwydd Cymraeg ei apêl (pam dylai unieithrwydd Cymraeg gael ei ystyried yn fwy adweithiol nag unieithrwydd Saesneg?) ond mae sefyllfa drefedigaethol ac ôl-drefedigaethol Cymru'n gymhleth, ac nid yw Saesneg yn iaith wladychol ymhob cwr o'r wlad.

Go brin fod pob math o ddwyieithrwydd yn ddinistriol chwaith. Gall ieithoedd lleiafrifol oroesi am gyfnodau hir mewn sefyllfaoedd diglosig pan fo'r iaith a'r diwylliant mwyafrifol yn bresennol mewn rhai meysydd, ond yn absennol mewn peuoedd eraill.[5] Pwyslais gwahanol yw hwn, fodd bynnag, i'r dehongliad Cymreig simplistaidd o ddwyieithrwydd, sydd wedi magu stêm ers datganoli yn enwedig, gyda'i awydd i weld pob cilcyn o ddaear yng Nghymru, a llawer o weithgareddau dynodedig Cymraeg hefyd, o'r Eisteddfod Genedlaethol i raglenni chwaraeon a darpariaeth ddigidol S4C, yn hygyrch i'r di-Gymraeg.

Mwy addas mewn cymunedau a sefydliadau Cymraeg na dwyieithrwydd naïf o'r fath yw syniad *priod iaith*, sy'n disgrifio'r berthynas rhwng iaith frodorol a'r diriogaeth, ac felly politi, a gysylltir â hi'n hanesyddol.[6] Tra bod dwyieithrwydd yn codi'r Saesneg yn norm di-ofyn-amdano, ac yn ychwanegu'r Gymraeg ati pan fo hynny'n 'rhesymol', byddai dynodi'r Gymraeg yn briod iaith Cymru yn caniatáu sefydlu honno'n iaith normadol ddiofyn, o leiaf mewn cymunedau Cymraeg eu hiaith. Gellid ychwanegu Saesneg ati ar dro, ond ei heithrio yn ôl y galw hefyd.

Mae'n werth nodi fod gan y consept o briod iaith wreiddiau mewn athroniaeth wleidyddol Gymraeg.

Cyfrannodd yn niwedd y 1960au a'r 1970au at ddealltwriaeth aeddfed (sydd ar drai erbyn hyn ysywaeth) o rôl dwyieithrwydd yn y prosesau cymdeithasegol sy'n gyrru shifft iaith i'r Saesneg. O ganlyniad, esgorodd ar sawl prosiect gwerth chweil megis y papurau bro uniaith Gymraeg.

Mae 'priod iaith' yn derm o bwys gan yr athronydd, J. R. Jones, y bu ei waith mor ddylanwadol yn y cyfnod hwnnw. Wrth gynnig mai 'cymundod *trichlwm*' (tiriogaeth, iaith a gwladwriaeth) yw cenedl a 'chymundod *deuglwm* yw Pobl', sef grŵp ag iddo ddichonolrwydd cenedligrwydd ond sydd eto heb ei wladwriaeth ei hun, dywed mai craidd ffurfiant Pobl 'yw'r briodas gydymdreiddiol rhwng un briod iaith ac un priod dir'.[7] (Cwyd hefyd y posibiliad i rai cenhedloedd feddu'n gynhwynol ar *briod ieithoedd*, ond ni chred fod hyn yn wir am Gymru.)[8]

Heb y syniad hwn o briod iaith ni fuasai modd i J. R. Jones ddadlau o blaid 'cydymdreiddiad tir ac iaith'; nid dadl gyda llaw dros ieuad metaffisegol iaith wrth 'dafell o groen naturiol y ddaear', megis 'rhyw drawsffurfiad dewinol ar gyfansoddiad y tir: syniad disynnwyr fyddai hwnnw', ond yn hytrach bodolaeth y Gymraeg 'yn oddrychol, *yn eneidiau dynion* ac, felly, yn wrthrychol, *yng nghymdeithas dyn*', ac yn nodwedd ffurfiannol ar y gymuned Gymreig sy'n trigiannu tir Cymru.[9]

Nid yw'r mewnlifiad mawr o bobl ddi-Gymraeg, Saeson yn bennaf, i gefn gwlad ers y 1960au yn newid dim ar y sefyllfa hon, nac ychwaith yn rhoi i'r Saesneg yr un hawliau a statws moesol â'r Gymraeg, sy'n parhau'n briod iaith yr ardaloedd hyn.

Y Gymraeg yw priod iaith Ceredigion, er bod o drwch blewyn fwyafrif ei thrigolion yn ddi-Gymraeg, gan mai hi yw iaith hanesyddol, arferedig mwyafrif helaeth ei thrigolion cynhenid. Iaith leiafrifol yw'r Saesneg hithau mewn rhannau o ddinasoedd a threfi mawrion Lloegr, fel y dengys canran y plant mewn rhai ysgolion cynradd yno nad yw'r Saesneg yn famiaith iddynt. Ac eto, ni newidia hyn ddim ar swyddogaeth y Saesneg yn briod iaith y dinasoedd hyn, ac yn unig iaith addysg a gweinyddiaeth gyhoeddus Lloegr.

Er mai'r Gymraeg yw priod iaith Ceredigion, a Saesneg yw priod iaith Llundain, dim ond yng Ngheredigion mae shifft iaith ymddangosiadol ddiymdroi o'r briod iaith i iaith fewnfudol yn mynd rhagddo. Sut hynny? Y ffactor pwysicaf yw'r iaith a arferir rhwng grwpiau ethnig. Yn Llundain, Saesneg yw honno'n ddieithriad, ond yng Nghymru aeth yn arfer mai'r iaith fewnfudol a lenwai'r rôl hon, gan gyfyngu defnydd llafar o'r Gymraeg i sefyllfaoedd ble nad yw siaradwyr Saesneg yn bresennol.

Ymetyb J. R. Jones i gyfyng-gyngor pa iaith i'w defnyddio â'r di-Gymraeg yn ei lyfryn dylanwadol, *A Raid i'r Iaith ein Gwahanu?* (1967), wrth ddal fod rhaid i'r Gymraeg fod yn gyfrwng y 'pontio' rhwng siaradwyr Cymraeg a'r di-Gymraeg yng Nghymru. Dadleua, yn gwbl gywir, na ellir gwir ddwyieithrwydd os yw wedi'i fewnoli fel cysyniad oddi mewn i'r grŵp Cymraeg yn unig.

> rhaid i ddeialog fod *mewn* iaith, ac i ddeialog fod yn gyfathrebiad gwirioneddol rhwng dwy iaith, rhaid i'r cyfathrebwyr, o'r naill ochr a'r llall, fod yn *ddwy*ieithog. Lle bo'r Gymraeg a'r di-Gymraeg yn y cwestiwn, felly, ni eill bod deialog 'rhwng' y ddwy iaith.[10]

'Uno Cymru drwy'r iaith Saesneg' a wna dwyieithrwydd unochrog sy'n caniatáu i'r di-Gymraeg aros yn ddi-Gymraeg, 'drwy godi, *dros* yr hollt yn iaith y genedl, math o bont Seisnig – pont y medrai'r Cymry di-Gymraeg ei deall – rhyngddynt hwy a gweddillion y Gymru Gymraeg.'[11] Er mwyn osgoi hyn, rhaid adfer y di-Gymraeg i'r ymwybyddiaeth mai'r iaith yw craidd cenedligrwydd y Cymry, er iddynt ei cholli eu hunain, ac wrth wneud hynny gymell 'uniad *drwy'r Gymraeg*'.[12]

Serch hynny os dyma'r ateb i'r broblem iaith ar y lefel 'ffurfiannol', nid yw'n lleihau dim ar broblem cyfathrebu mewn bywyd beunyddiol, gan mai

> ar y gwastad *gweithrediadol* – sef yn nhrwch a helyntion y byw bob dydd – y mae'r gwahaniaeth iaith yn hollti'r Cymry. Ac y mae codi pont dros yr hollt ar y gwastad hwn, gan hynny, yn dasg amhosibl. Mi gaech ymddangos fel pe codech y bont, wrth gwrs, ond chyrhaeddai hi mo'i gwir amcan. Oblegid, fel y dywedais, byddai raid iddi fod yn 'bont Seisnig' – byddai raid i'r 'ddeialog' fod yn Saesneg, ac wedi ei llwytho felly o'r cychwyn yn erbyn y gobaith o adfer blaenoriaeth i'r Gymraeg.[13]

Dyma grynhoi prif broblem ieithyddol yr ardaloedd Cymraeg heddiw, a'r gwirionedd y taflwyd goleuni mor llachar arno yn y ddau gaffi yr ymwelwyd â hwy yn Arfon. Nid argyfwng y cyfrwng ysgrifenedig yw methiant penna'r prosiect dwyieithog (er iddo roi statws i'r Saesneg na ddylai'i fwynhau) ond diffyg ar ein lleferydd: dicotomi a grynhoir yn sylw enwog Ned Thomas bod mwy a mwy o arwyddion Cymraeg yn arwain bellach i lai a llai o lefydd Cymraeg.[14] Yn yr iaith *lafar* a arferir rhwng y grŵp Cymraeg a'r grŵp Saesneg yn y cyfathrebiadau bychain, anffurfiol sy'n nodweddu bywyd beunyddiol mae diffygion y dwyieithrwydd-sy'n-troi'n-Saesneg yn fwyaf arwyddocaol. Y methiant i orseddu'r Gymraeg yn gyfrwng cyfathrebu *rhwng* grwpiau iaith, yn hytrach nag oddi mewn i'r grŵp Cymraeg yn unig, sydd wedi creu'r cyd-destun ideolegol ar gyfer enciliad enbyd y Fro Gymraeg o dan bwysau mewnfudo.

Yn Lloegr, siaredir Saesneg â phobl ddŵad, ni waeth a fedrant Saesneg ai peidio. Hyd yn oed mewn cenhedloedd diwladwriaeth fel Fflandrys, Québec a Chatalwnia, disgwylir i newydd-ddyfodiaid arfer y briod iaith. Dywed cyfarwyddiadau swyddogol Llywodraeth Québec wrth fewnfudwyr di-Ffrangeg, Saesneg eu hiaith: 'Mae dewis Québec yn golygu bod arnoch eisiau byw mewn cymdeithas ffrancoffon. Ffrangeg yw'r iaith gyhoeddus gyffredin...'.[15] Hyn, sef sefydlu'r Gymraeg yn iaith gyhoeddus gyffredin, nid dwyieithrwydd sy'n cadw mewnfudwyr yn ddi-Gymraeg, ddylai lywio polisi iaith cymunedau Cymraeg.

Os pery Saesneg yn iaith brodorion â mewnfudwyr, a ellir dweud fod cymunedau Cymraeg yn bodoli o gwbl? Iaith waelodol y broydd hyn, ar lefel theoretig o leiaf, fydd Saesneg serch y ceir mewn rhai mannau ddwysedd digonol o siaradwyr Cymraeg i gadw'r Gymraeg yn *lingua franca* rhwng Cymry â'i gilydd. Nid digon hynny i achub y Gymraeg yn yr hirdymor fodd bynnag, gan y newidir y canrannau gyda'r don nesaf o fewnfudo, fel y dengys hanes sir fel Ceredigion mor glir.

Nid oes dewis felly ond cyfathrebu â'r di-Gymraeg yn y rhannau Cymraeg o Gymru mewn Cymraeg, nid yn unig yn eu gŵydd, ond wrth eu hannerch. Yn ei ymdriniaeth ag iaith 'y byw bob dydd' mae J. R. Jones yn rhy betrus ei gyngor, gan ei fod yn defnyddio amhosibilrwydd tybiedig byw bywyd yn Gymraeg ar y lefel weithrediadol mewn cymdeithas ddwyieithog er mwyn dangos, yn gwbl gywir, bwysigrwydd Cymraeg ar y lefel ffurfiannol. Roedd yn ysgrifennu yn y 1960au cyn i'r mewnlifiad Seisnig gyrraedd y fath ryferthwy fel bod cwestiwn iaith cysylltiadau rhyng-ethnig oddi mewn i'r Fro Gymraeg yn dod yn fater o dragwyddol bwys.[16]

Gellir siarad Cymraeg â'r di-Gymraeg yng Nghymru. Dylai hyn fod yn norm cymdeithasol mewn cymunedau Cymraeg. Gellir siarad Cymraeg mewn bywyd bob dydd –

wrth siopa, archebu pryd mewn bwyty, ac wrth godi paned mewn caffi.

Nid ymarferoldeb sy'n rhwystro hyn, ond tabŵ. Tabŵ cymdeithasol yw peidio siarad Saesneg yng Nghymru. Beth sy'n achosi'r fath dabŵ? Beth sy'n peri i'r Cymry, a chenedlaetholwyr ac ymgyrchwyr iaith yn eu plith, siarad Saesneg â'r di-Gymraeg, yn enwedig o gofio fod ideoleg swyddogol y wladwriaeth Brydeinig yn pwysleisio dyletswydd mewnfudwyr i ddysgu iaith y wlad maen nhw'n symud iddi?

Nid oes unrhyw orfodaeth gyfreithiol na chytundebol ar y Cymry i siarad Saesneg, na mewn sawl ymgom syml, pe dywedem galon y gwir, fawr o reidrwydd cyfathrebol ychwaith gan y gellid bob tro ddefnyddio ystumiau, lluniau, geiriau sy'n gyffredin i'r ddwy iaith a rhifolion ysgrifenedig i gyfleu'r rhan fwyaf o gyfarwyddiadau elfennol, megis yn y ddau gaffi yn Arfon. Rhaid felly, os nad offerynoldeb yn unig sy'n gyfrifol, mai rhyw ataliad seicolegol, rhyw achos cywilydd, rhyw *drais symbolaidd* sy'n annog presenoldeb y Saesneg.

Trais symbolaidd

Er mwyn gosod hyn oll mewn cyd-destun theoretig cadarn, trown yn awr at waith Pierre Bourdieu. Cymdeithasegydd Ffrengig oedd Bourdieu a ysgrifennodd yn helaeth am y berthynas rhwng iaith a grym cymdeithasol. Sylfaen ei ddamcaniaethau am iaith yw fod gwahanol ieithoedd, tafodieithoedd, acenion, cyweiriau a ffyrdd o siarad yn cystadlu â'i gilydd mewn *marchnad ieithyddol*. Yn debyg i nwydd mewn marchnad economaidd, mae i bob iaith ei chyfalaf (neu'i gwerth) ei hun, ac mewn sefyllfa ddwyieithog, lle ceir gornest rhwng siaradwyr ieithoedd am oruchafiaeth ar sail eu cyfalaf, mae pob cyfathrebiad cymdeithasol yn creu *elw*, ac yn ymhlyg yn hynny golled, i siaradwyr y naill iaith a'r llall. Yn y ddau gaffi yn Arfon, bu derbyn y dylid siarad Saesneg â'r weinyddes yn creu elw i siaradwyr Saesneg ar draul siaradwyr Cymraeg. Rhagdybia unigolion werth tebygol eu cyfalaf ieithyddol mewn unrhyw gyfathrebiad cyn iddynt lefaru, ac mae hyn yn effeithio ar eu hymddygiad ieithyddol. Felly ychydig o Gymry sy'n cychwyn sgwrs yn Gymraeg â dieithriaid mewn ardaloedd lled ddi-Gymraeg gan fod mwy o debygolrwydd i'r Saesneg na'r Gymraeg feddu ar y cyfalaf ieithyddol angenrheidiol ar gyfer y sgwrs.

Serch hynny, mae'n bwysig nodi nad yw Bourdieu yn synio am y frwydr hon rhwng mathau o gyfalaf ieithyddol fel brwydr rhwng ieithoedd fel haniaethau. Yn hytrach ymgorffora'r defnydd o iaith dyndra a gwrthdaro ehangach yn y gymdeithas. Dywed Bourdieu yn ei glasur, *Language and Symbolic Power* (1992), sy'n gasgliad o wahanol ysgrifau o'r 1980au:

> Ni phenderfynir y cysylltiadau pŵer ieithyddol yn llwyr gan y grymoedd ieithyddol cyfredol yn unig: yn rhinwedd yr ieithoedd a siaredir, y siaradwyr sy'n eu harfer a'r grwpiau a ddiffinnir gan y ffaith eu bod yn meddu ar yr hyfedredd cyfatebol, mae'r holl strwythur cymdeithasol yn bresennol ym mhob rhyngweithiad [*interaction*] (a thrwy hynny yn y disgwrs a leferir).[17]

Mae'r pwynt hwn yn neilltuol bwysig mewn sefyllfaoedd fel yr un sy'n bodoli mewn cymunedau Cymraeg heddiw. Mae'r diraddio ar y Gymraeg yn y frwydr ieithyddol yn y Fro Gymraeg yn adlewyrchu diraddiad y bobl sy'n ei siarad. Tynn Bourdieu sylw at wladychu Ffrengig yng ngogledd Affrica, ble y bu'n gweithio'n helaeth gan gyhoeddi sawl astudiaeth anthropolegol a chymdeithasegol.[18] Mae'r enghraifft yn un ddiddorol yn y cyd-destun Cymreig gan fod y gwladychfeydd yng ngogledd Affrica nid yn unig wedi'u corffori oddi mewn i'r Ffrainc fetropolitan fel trefedigaeth 'fewnol' (dadleua rhai mai trefedigaeth 'fewnol' yw Cymru), ond hefyd wedi profi mewnfudo sylweddol o'r Ffrainc fetropolitan honno. Cyn i ryfel annibyniaeth Algeria ddod i ben yn 1962 (mae'n awgrymog fod y rhyfel gwrth-drefedigaethol hwnnw'n cyrraedd ei uchafbwynt yn ystod blwyddyn traddodi *Tynged yr Iaith*), roedd ymhell dros filiwn o ddinasyddion Ffrainc, y *Pieds-Noirs*, wedi setlo yn Algeria yn unig. Nid oes fawr o amheuaeth pa iaith a ddefnyddid mewn sgwrs rhwng Ffrancwr uniaith ac Algeriad mewn caffi yn Algiers.

Meddai Bourdieu:

> mae ffurf neilltuol yr hyn sy'n digwydd rhwng dau berson – rhwng cyflogwr a chyflogai neu, mewn sefyllfa wladychol, rhwng siaradwr Ffrangeg a siaradwr Arabeg neu eto, mewn sefyllfa ôl-wladychol, rhwng dau aelod o'r genedl a wladychwyd gynt, y naill yn siaradwr Ffrangeg a'r llall yn siaradwr Arabeg – yn codi o'r berthynas wrthrychol rhwng yr ieithoedd [...], hynny yw, rhwng y grwpiau sy'n siarad yr ieithoedd hynny.[19]

Gwir y gair. Ond pam y mae hyn yn wir? Pam y byddai Algeriad yn siarad Ffrangeg â Ffrancwr yn Algeria? Dyma'r broblem a wynebodd Bourdieu wrth geisio esbonio dominyddiaeth ieithyddol fel gwedd ar ormes drefedigaethol. Pam na wrthryfelid, a siarad Arabeg?

Mae ateb Bourdieu nid yn unig yn athrylithgar ond hefyd yn ingol o berthnasol i benderfyniad y Cymry i ddefnyddio Saesneg, ysgrifenedig a llafar, er mwyn cyfathrebu â mewnfudwyr sy'n gwrthod dysgu Cymraeg. Nid yw'r penderfyniad i arfer unrhyw iaith mewn cyd-destun dwyieithog byth yn cael ei orfodi. Does dim deddf gwlad sy'n mynnu fod rhaid i'r cyfathrebu rhwng brodor a mewnfudwr yng Nghymru fod mewn Saesneg. Yn hytrach caiff y defnydd o'r Saesneg ei normaleiddio fel ymarfer diwylliannol 'naturiol' trwy gyfrwng *grym symbolaidd*.

Mewn bywyd o ddydd i ddydd, nid nerth bôn braich na bygythiadau corfforol sy'n cynnal grym cymdeithasol ond yn hytrach caiff ei drosi ar ffurf symbolaidd, a'i gynysgaeddu gan hynny â math o ddilysrwydd na châi fel arall. Pe defnyddid grym corfforol, cyfreithiol neu filwrol, diau y ceid gwrthsafiad yn ei erbyn, a dwyn i olau dydd ffurfiau ar ormes a fuasai cyn hynny'n anweledig. Grym dirprwyedig yw grym *symbolaidd*, ond mae gan hynny'n fwy difaol am ei fod i raddau helaeth yn guddiedig ac yn anodd ei herio. Ni all fod yn effeithiol oni bai i bobloedd darostyngedig fel y Cymry ei dderbyn, ac i raddau gydsynio ag ef.

Ys dywed golygydd *Language and Symbolic Power*, John B. Thompson, wrth grynhoi safbwynt Bourdieu:

> mae'r rhai sy'n elwa leiaf o weithrediad pŵer yn cyfranogi, i ryw raddau, yn eu darostyngiad eu hunain. Maent yn cydnabod neu'n derbyn yn dawel gyfreithlondeb pŵer, neu'r cysylltiadau pŵer hierarchaidd y maent yn sownd ynddynt; ac felly maent yn methu gweld mai adeiledd cymdeithasol mympwyol yw'r hierarchiaeth, wedi'r cyfan, sy'n gwasanaethu budd rhai grwpiau yn fwy na'r lleill. Er mwyn deall natur pŵer symbolaidd, mae hi'n allweddol, felly, sylweddoli ei fod yn rhagdybio math o *gyfranogaeth weithredol* o du'r rhai sy'n ddarostyngedig iddo.
>
> Nid cyrff goddefol y gweithredir pŵer symbolaidd arnynt, megis sgalpel ar gelain, yw unigolion

gorthrymedig. Yn hytrach, mae ar bŵer symbolaidd
angen, fel un o amodau ei lwyddiant, i'r rhai sy'n
ddarostyngedig iddo gredu yng nghyfreithlondeb y
pŵer a chyfreithlondeb y rhai sy'n ei ddal.[20]

Nid oes rhaid i'r Cymry siarad Saesneg â mewnfudwyr, ac
eto fe wnânt. Ond nid dewis 'rhydd' yw hwnnw ychwaith.
Mae'n digwydd am mai cymdeithas yw un Cymru ble yr
aeth siarad Saesneg â'r di-Gymraeg yn ail natur i bawb, yn
arfer mor naturiol fel nad yw neb yn ymwybodol o'i
arwyddocâd.[21]

Y gymdeithas Gymreig hon a drefedigaethwyd yn
gynhwynol trwy rym milwrol, materol a chyfreithiol, ond y
troesai'r trefedigaethu arni erbyn y cyfnod datganoledig yn
un symbolaidd yn bennaf, sydd i'r Cymry yn esgor ar eu
habitus – gair Bourdieu am nodweddion cymdeithasegol a
fewnolir yn rhan o ymwybod ac isymwybod aelodau o
grwpiau cymdeithasol ac sy'n llywio trywydd eu
gweithredoedd, gan gynnwys eu hymddygiad ieithyddol.
Mae arferion ieithyddol yr *habitus* yn mynd yn rhan
ddiarwybod o ymateb greddfol unigolion, nes y daw'n rhan
bron o'u corffolaeth, ac yn sicr eu seicoleg. Amsugnir
gwerthoedd yr *habitus*, meddai Thompson, trwy

broses o drwytho graddol y mae profiadau cynnar
plentyndod yn neilltuol bwysig iddi. Trwy lawer o
brosesau cyffredin hyfforddi a dysgu, megis y rhai sy'n
gysylltiedig â moesgarwch wrth y bwrdd ('eistedd yn
syth', 'paid â bwyta efo llond dy gêg', ac ati), mae'r
unigolyn yn ennill set o dueddiadau sy'n llythrennol
yn mowldio'r corff ac yn dod yn ail natur. Mae'r
tueddiadau a gynhyrchir felly hefyd yn *strwythuredig*
yn yr ystyr eu bod yn anochel yn adlewyrchu amodau
cymdeithasol eu caffael.[22]

Ffurfir acen, er enghraifft, sy'n anodd iawn ei newid, gan ddefnydd neilltuol o rannau o'r corff fel y tafod, y daflod, y gwefusau a'r ceg a ddysgir gan amlaf yn ystod plentyndod a llencyndod. Er nad yw *habitus* yn pennu ymddygiad neb yn derfynol (nid math o ragordeiniad Fethodistaidd ydyw ble mae tynged y colledig wedi'i selio ymlaen llaw!) mae'n anogaeth gref i weithredu mewn modd neilltuol.

Dyma felly gymhelliant y Cymry i siarad Saesneg â dieithriaid di-Gymraeg. Mae'n ganlyniad arferion ieithyddol hirhoedlog, sy'n wreiddiedig yn y berthynas rym hanesyddol rhwng Cymru a Lloegr. Mae'n arwain at shifft iaith i'r Saesneg am fod gwrthodiad y rhan fwyaf o fewnfudwyr i ddysgu Cymraeg yn creu marchnad ieithyddol ble mae mwy o werth yn perthyn i'r Saesneg na'r Gymraeg, a goddefir hyn gan i'r disgwyliad y dylent siarad Saesneg â'r di-Gymraeg gael ei ymgorffori gan y Cymry yn rhan o'u cymeriad eu hunain.

O'r crud, dysgir plant Cymraeg fod rhaid siarad Saesneg â'r di-Gymraeg. Byddai siarad Cymraeg yn amhriodol, ac yn wir yn annerbyniol.[23] Enghraifft o hyn yw dylanwad y siopwraig honno yng Ngheredigion a fynnai ddiolch i'm merch uniaith Gymraeg yn Saesneg. Pa syndod i'm merch gywilyddio, pan oedd ychydig flynyddoedd yn hŷn, wrth i minnau ddiolch yn Gymraeg i bobl Saesneg? Euthum yn groes i'r canllawiau cymdeithasol, creiddiol i'w hunaniaeth, a aethai'n rhan o'i *habitus*. Daeth yn ail natur iddi, fel i'r Cymry i gyd, mai iaith y gyfathrach yng Nghymru rhwng siaradwr Cymraeg a siaradwr Saesneg yw Saesneg.

Atgyfnerthir hyn gan system addysg sy'n gwneud dysgu Saesneg i safon iaith gyntaf yn fater o raid i Gymry mamiaith, ond sy'n caniatáu i siaradwyr Saesneg ddysgu'r Gymraeg fel 'ail iaith' heb fagu rhuglder ynddi. Trwy hyn mae'r wladwriaeth yn cynnal *grym symbolaidd* y Saesneg trwy adael i unieithrwydd Saesneg gael ei atgynhyrchu o genhedlaeth i genhedlaeth er mynnu dileu unieithrwydd Cymraeg.

Rydym yn synnu fod plant mewn ysgolion cyfrwng Cymraeg yn aml yn cyfathrebu â'i gilydd yn Saesneg, er bod pawb o'u plith yn medru Cymraeg. Ac eto, amlygiad o rym symbolaidd y Saesneg yw hyn, ac adlewyrchiad o ymddygiad ieithyddol cyflyredig y Cymry y dylid siarad Saesneg â phawb sy'n dymuno hynny, hyd yn oed os medrant Gymraeg. Agwedd ar yr un ffenomen yw bod rhai Cymry am siarad Saesneg â dysgwyr, neu o blaid eu 'helpu' wrth ddarparu cyfarwyddiadau dwyieithog ar eu cyfer. Dyma rym symbolaidd y Saesneg ar ei fwyaf eithafol wrth fynnu y dylai'r di-Gymraeg aros yn ddi-Gymraeg, hyd yn oed os nad yw'r di-Gymraeg yn dymuno hynny.

Nid hawdd yw ymddihatru mewn meddwl a gweithred oddi wrth seicoleg ymddygiad ieithyddol o'r fath. Canolbwyntiodd y mudiad iaith ers y 1960au ar *ychwanegu*'r Gymraeg at y Saesneg er mwyn creu amgylchfyd dwyieithog. O ganlyniad osgowyd wynebu'r ofnau a wreiddir mor ddwfn yn *habitus* y Cymry. Nid oes rhaid wynebu neb di-Gymraeg wrth yrru'r bil nwy uniaith Saesneg yn ei ôl. Pan gwynir am ddiffyg swyddogion Cymraeg, yn bur anaml y gwneir hyn yng ngŵydd neb, a throir at ffigwr amhersonol fel y Comisiynydd Iaith am gynhorthwy.

Mewn cyfathrebiadau bychain beunyddiol ar y llaw arall, yn y siop ac yn y caffi, ni ellir osgoi'r cyswllt wyneb-yn-wyneb hwn. Gan fod siarad Cymraeg â phobl ddi-Gymraeg yn gymdeithasol annerbyniol troir yn ddieithriad i'r Saesneg. Haws torri cyfraith gwlad yn enw'r iaith na thorri'r gyfraith symbolaidd sy'n mynnu fod rhaid siarad Saesneg â'r di-Gymraeg.

Cyfeiria Bourdieu at ofnau anlafaredig ymhlith grwpiau darostyngedig, a'r rheini'n eu rhwystro rhag defnyddio eu hiaith eu hunain, fel canlyniad *intimidation* a ddiffinia fel trais symbolaidd nad yw'n ymwybodol ohono'i hun fel trais (i'r graddau nad oes yn ymhlyg ynddo unrhyw *weithred o fygwth*) ac na ellir ei weithredu ond ar unigolyn wedi ei dueddbennu (yn ei *habitus*) i'w deimlo, lle bydd eraill yn ei anwybyddu. Mae eisoes yn rhannol wir dweud fod achos y swildod yn gorwedd yn y berthynas rhwng y sefyllfa neu'r person bygythiol (a all wadu fod y sefyllfa yn fygythiol) a'r person a fygythir, neu'n hytrach, rhwng amodau cymdeithasol cynhyrchu y naill a'r llall. Mae hyn yn adlewyrchu, o dipyn i beth, yr holl strwythur cymdeithasol.[24]

Disgrifir yn gywir y nerfusrwydd a deimlir wrth siarad Cymraeg mewn cwmni cymysg ei iaith, neu ar fuarth ysgol, neu mewn siop ble nad oes sicrwydd y bydd y staff yn deall. Esbonnir hefyd sut y gall rhywun di-Gymraeg fod mor gyfangwbl ddigywilydd, yn ystyr wreiddiol y gair, wrth baldaruo Saesneg mewn cymuned neu sefyllfa gymdeithasol a arferai fod yn Gymraeg. A'r brodor wedi bod yno ar hyd ei oes a'r mewnfudwr ers ychydig fisoedd!

Ac eto, gan mai *trefn symbolaidd* yw hon, gellir ei herio. Term Bourdieu ar y bygythiad dieiriau fod rhaid ymostwng gerbron yr iaith ddominyddol, a chefnu ar yr iaith ddarostyngedig, yw *trais symbolaidd*. Trais symbolaidd yw bod y di-Gymraeg yn cymell Cymry i droi i'r Saesneg, gan ddefnyddio ensyniadau anuniongyrchol megis 'I don't speak Welsh' ac 'I'm English', wrth ddistewi neu ebychu, neu wrth wneud dim.

Gall y berthynas rhwng dau berson fod o'r fath nes ei bod hi'n ddigon yn unig i un ohonynt ymddangos er mwyn gorfodi'r llall, heb ei fod hyd yn oed yn dymuno hynny, heb sôn am ei orchymyn, i dderbyn diffiniad o'r sefyllfa ac ohono'i hun (fel un sydd wedi ei fygwth, er enghraifft), sydd gymaint yn fwy absoliwt a diymwad drwy nad oes raid ei ddatgan.[25]

Dywed Bourdieu fod sefyllfa o'r fath yn fwyaf tebygol o godi mewn cyd-destun swyddogol (bu yn Ffrainc bolisi neilltuol waradwyddus o wahardd ieithoedd lleiafrifol brodorol fel y Llydaweg a'r Fasgeg o fywyd cyhoeddus yn llwyr), ond yn y cyd-destun Cymreig mae'r trais symbolaidd hwn, sydd fel lleidr pen ffordd, yn fwyaf niweidiol mewn bywyd bob dydd.

Cynnal pob sgwrs yn Gymraeg

Trais symbolaidd a welwyd yn y ddau gaffi yn Arfon, sef feto siaradwyr Saesneg ar gyfathrebu Cymraeg. Yn y caffi cyntaf, ni ufuddheais iddo. Roedd fel rhyw ddeddf ddychmygol yn cymell pob dewis ieithyddol ond y posibiliad o siarad Cymraeg. Ac eto, rywsut, rywffordd, fe'i gorchfygais. Yn yr ail gaffi, fe'm daliwyd er fy ngwaethaf gan y bygythiadau niwlog hyn nad oedd yn cynnig unrhyw bosibiliad ond llefaru yn yr iaith fain.

Trais symbolaidd yw'r dwyieithrwydd-sy'n-troi'n-Saesneg sy'n teyrnasu yng Nghymru heddiw. Mae ein traed mewn cyffion, ond cyffion seicolegol ydynt. A ellir eu chwalu, y maglau symbolaidd sy'n ein cadw rhag siarad Cymraeg? Dywedir, mae'n siŵr, fod siarad Cymraeg â'r di-Gymraeg yn 'hunanol', yn peri loes, ond ni chyfrifir byth y niwed a berir inni na ddymunwn siarad Saesneg.[26] Mae adfyd meddyliol gorfod siarad Saesneg yr un mor real â methiant corfforol mewnfudwyr di-Gymraeg i siarad Cymraeg; yn wir, yn fwy felly. Ac os dadleuir nad oes hawl gennym i fynnu fod eraill yn siarad Cymraeg â ni, yna yn ymhlyg yn y rhesymeg honno mae'r sylweddoliad nad oes rhaid i ninnau siarad Saesneg â'r eraill hynny ychwaith.[27]

Yn ei lyfr eiconoclastig, *Langue et territoire* (1984), sy'n dadlau fod tueddiad mwyafrifoedd ieithyddol i arddel unieithrwydd yn awgrymu nad yw dwyieithrwydd yn reddf ddynol naturiol, dywed yr ysgolhaig o Québec, J. A. Lapone, fod cost seicolegol bob tro pan fo lleiafrifoedd yn ildio tir yn enw dwyieithrwydd. Dychmyga fod siaradwr Saesneg a Ffrangeg yn cwrdd yn Montréal, a bod y naill a'r llall yn benderfynol o lefaru yn eu hiaith eu hunain. Os yw'r ddau siaradwr yn cadw at eu hiaith, yna'r enillydd pennaf fydd y siaradwr o'r cefndir lleiafrifol darostyngedig, gan mai ef neu hi sydd gyda'r 'mwyaf i'w golli o ddefnyddio iaith rhywun arall.'[28] Y buddugwr felly fyddai'r un a âi'n groes i'r drefn symbolaidd.

A ellir cymhwyso hyn at Gymru? Beth fyddai'n digwydd ped eid ati'n drefnedig i roi'r gorau i siarad Saesneg mewn ardaloedd Cymraeg? Nid 'dechreuwch bob sgwrs yn Gymraeg' ond 'cynnal pob sgwrs yn Gymraeg.' Troid y drefn symbolaidd tu chwith allan. Byddai'n chwyldro ar lawr gwlad.

Sut felly mae mynd ati? Gellir trin yr erfyniad hwn i gefnu ar ddwyieithrwydd yn llythrennol, yn gyfiawnhad i ddefnyddio'r Gymraeg yn unig ymhob cyfathrebiad; neu'n ymarfogol gyd-destunol, i ddefnyddio'r Gymraeg yn unig pan ddymunir. Ond cofiwch un peth: nid oes yr un rheswm moesol na moesegol i orfod cydnabod presenoldeb y Saesneg. Os cydnabyddwch hi, gwnewch hynny pan fo hynny o fudd materol a phersonol ichi, nid am fod gormes trefn symbolaidd yn mynnu hyn.

Ar bob cyfle ar lafar ac yn ysgrifenedig, mewn siop ac mewn tafarn, mewn caffi hefyd, yn y cyngor cymuned, yn yr Eglwys ac yn gigiau'r Sîn Roc Gymraeg, wrth baratoi poster neu hysbyseb i'r gymdeithas leol, wrth annerch cyngerdd ysgol a chyfarfod cyhoeddus, wrth lunio gwefan i'r pentre, wrth ddewis enw i'ch busnes ac arwydd i'r siop, wrth drydar ac wrth sgwrsio ar y Gweplyfr, wrth gyfrannu i drafodaeth ddosbarth mewn Ysgol 'naturiol ddwyieithog', yn y tîm pêl-droed ac yn y tîm rygbi, wrth ateb y ffôn, wrth siarad â'ch plant a phlant pobl eraill, troediwch y llwybr chwyldroadol, gwrthdrefedigaethol. Mynnwch i'r Gymraeg yn ddiwyro ei lle fel priod iaith a phennaf iaith yr ardaloedd Cymraeg eu hiaith.

Ni ellir achub y Gymraeg trwy ddwyieithrwydd o'r math a geir heddiw yng Nghymru. Ni ellir achub y Gymraeg ond trwy'r Gymraeg. Nid yw dwyieithrwydd-sy'n-troi'n-Saesneg ond yn cloddio bedd i'r Gymraeg a'r ymgymerwr wedi cael diwrnod o wyliau er mwyn ymgyrchu dros ragor o ddatganoli. Ond pa ddiben ymreolaeth os na fydd y Gymraeg fyw?

'Caniataer dyrchafu simbolau amwys, cymysglyd, "cymodgar", dwyieithog i gymylu'r canfyddiad sylfaenol hwn, a bydd ein gwir frwydr eisoes wedi ei cholli', ysgrifennodd J. R. Jones yn 1968.[29] O wrthryfel ddiwedd y 1960au, yr un a gychwynnwyd yng Nghymru ond nas cwblhawyd, fe broffwydwyd trasiedi'r Gymru sifig, ddatganoledig, ffug ddwyieithog.

Chwalwn y drefn symbolaidd sy'n darostwng y Gymraeg, ac yn iselhau ei siaradwyr. Nid addurn mewn trefn ddwyieithog anghyfartal yw lle'r Gymraeg i fod, yn 'ategiad i'n diwylliant Seisnigedig'.[30] Meddwl am hyn, a sut na ellid trwy gyfrwng dwyieithrwydd anghyfartal lunio dyfodol i gymuned Gymraeg ei hiaith oedd J. R. Jones pan holodd y mwyaf elfennol a beiddgar o'i gwestiynau, 'Gofynnaf eto – ond yn daerach y tro hwn – PA BETH YR AETHOCH ALLAN I'W ACHUB?'[31]

Nodiadau

1   Albert Memmi, *The Colonizer and the Colonized* (London, 2003), t. 151. Cyhoeddwyd gyntaf yn 1957 fel *Portrait du Colonisé précédé du Portrait du Colinisateur.*

2   Wrth wrthod yn Chwefror 2013 safonau iaith arfaethedig y Comisiynydd Iaith, dywedodd y Gweinidog â chyfrifoldeb am y Gymraeg, Leighton Andrews, mai un rheswm am eu gwrthod oedd fod ganddo 'bryderon ynghylch pa mor rhesymol a chymesur ydyn nhw.' Gweler http://wales.gov.uk/newsroom/welshlanguage/2013/130225languagestandards/?lang=cy

3   Richard Glyn Roberts, 'Réflexions sur une égalité superficielle: la traduction au pays de Galles', yn Anne Hellegouarc'h-Bryce *et al.* (goln.), *Pays de Galles: quelle(s) image(s)? / What Visibility for Wales?* (Brest, 2009), tt. 39-51.

4   Michael D. Jones, *Gwladychfa Gymreig* (Liverpool, 1860), t. 8.

5   Joshua A. Fishman, *Reversing Language Shift: Theoretical and Empirical Foundations of Assistance to Threatened Languages* (Clevedon, 1997 [1991]), t. 85. 'Pan fo dwyieithrwydd o fewn y grŵp ymysg Xiaid sy'n siarad Xeg wedi'i sefydlogi fel bod gan Xeg *ei* swyddogaethau *hi* a bod gan Yeg *ei* swyddogaethau *hithau* a nad yw'r ddwy set yma o swyddogaethau'n gorgyffwrdd ond rhyw fymryn, yna bydd gan Xeg "ei gofod ei hun", h.y. swyddogaethau lle mai hi a hi yn unig a ddisgwylir yn normadol, ac ni bydd Yeg mwyach yn fygythiad sylweddol iddi yn y swyddogaethau hynny.'

6   Gweler ymdriniaeth Patrick Carlin yn y gyfrol hon â'r cysyniad o briod iaith a lleiafrifoedd cenedlaethol gwladwriaeth Sbaen.

7   J. R. Jones, *Prydeindod* (Llandybïe, 1966), t. 10.

8   *Ibid.*, t. 9.

9   *Ibid.*, t. 11.

10   J. R. Jones, *A Raid i'r Iaith ein Gwahanu?* (Undeb Cymru Fydd, 1967), tt. 5-6.

11   *Ibid.*, t. 6.

12   *Ibid.*, t. 6.

13   *Ibid.*, t. 12.

14   Ned Thomas, 'Six Characters in search of tomorrow' yn Meic Stephens (gol.), *The Welsh Language Today* (Llandysul, 1973), t. 321.

15   Llywodraeth Québec, http://www.immigration-quebec.gouv.qc.ca/en/french-language/index.html

16 Gweler, er hynny, J. R. Jones, *Yr Ewyllys i Barhau* (1968), t. 11 ble mae'n taclo pwnc gwladychu Saesneg sydd 'yn sugno ei throedle, ei hunig droedle mewn bodolaeth, oddi arni [y Bobl Gymraeg]... Cafwyd bloddest o wfftio'r ymyrraeth yn Tsieco-slofacia, ond nid â thanciau yn unig y mae goresgyn gwlad.'

17 Pierre Bourdieu, *Language and Symbolic Power* (Cambridge, 1992), t. 67. Mae'r llyfr yn cynnwys nifer o ysgrifau a gasglwyd gyntaf yn *Ce que parler veut dire: l'économie des échanges linguistiques* (Paris, 1982).

18 Gweler, er enghraifft, Pierre Bourdieu, *Sociologie de l'Algérie* (Paris, 1958); Pierre Bourdieu, *Esquisse d'une théorie de la pratique, précédé de Trois études d'ethnologie Kabyle* (Genève, 1972); Pierre Bourdieu, *Algérie 60* (Paris, 1977).

19 Pierre Bourdieu, *Language and Symbolic Power*, t. 67.

20 John B. Thompson, 'Editor's Introduction' yn Pierre Bourdieu, *Language and Symbolic Power*, t. 23.

21 Gellir cymhlethu'r gymhariaeth hon rhwng Cymru ac *Algérie française* wrth gydnabod i'r Cymry ymelwa ar y prosiect trefedigaethol Prydeinig yn y gorffennol, fod Cymru'n rhan annatod o Brydain mewn modd na fu Algeria yn rhan annatod o Ffrainc erioed, a bod y Saesneg hithau ar lawer gwedd yn iaith Gymreig. Ac eto, erys yr ergyd: trefedigaethwyd Cymru gan Loegr, a shifft iaith i iaith Lloegr a gafwyd.

22 John B. Thompson, 'Editor's Introduction', t. 12.

23 Ceir enghraifft dda o *habitus* plentyn yn ei gymell i gywilyddio am na all siarad Saesneg â'r di-Gymraeg yn T. I. Ellis, *Crwydro Meirionnydd* (Llandebie, 1954), t. 15. Edrydd T. I. Ellis, mab cyn A.S. Meirion, Thomas Edward Ellis, amdano'i hun yn seremoni 'ddadorchuddio cofgolofn fy nhad yn Hydref, 1903, a minnau'n fachgen bach yn llaw fy mam, ac yn petruso am fy mod yn gorfod wynebu John Morley heb ddim mwy o Saesneg gennyf na "Yes" a "No".'

24 Pierre Bourdieu, *Language and Symbolic Power*, t. 51.

25 *Ibid.*, t. 52.

26 Dilys R. Davies, 'Within and Without (The story of the Welsh) The impact of cultural factors on mental health in the present day in Wales', yn Dinesh Bhugra and Roland Littlewood (goln.), *Colonialism and Psychiatry* (Oxford, 2001), tt. 185-231.

27 Rhinwedd sylweddoli hyn yw datgelu'r grym cymdeithasol (a'r anghysondeb deallusol) sy'n cynnal arferion sy'n ddifaol i ieithoedd lleiafrifedig. Yn hynny o beth, mae'n wrthbwynt i'r math o ddadl a

geir mewn theori wleidyddol ryddfrydol (ac a amlygir yn y gyfrol hon ym mhennod Huw Lewis) sy'n collfarnu rhai disgyrsiau a gysylltir ag ymorol am iaith leiafrifol fel rhai hanfodaidd a metaffisegol gan adael disgyrsiau cyffelyb sydd yn ymhlyg yn arferion diarwybod siaradwyr ieithoedd mwyafrifol ar waith.

28 J. A. Laponce, *Languages and their Territories* (Toronto, 1987), t. 51. Cyhoeddwyd yn gyntaf yn 1984 fel *Langue et territoire*.

29 J. R. Jones, *Ni fyn y taeog mo'i ryddhau* (Cymdeithas yr Iaith Gymraeg, 1968), t. 8.

30 *Ibid.*, t. 7.

31 *Ibid.*, t. 8.

ASTUDIAETH ACHOS

Cymro sy'n siarad Cymraeg
Unieithrwydd a dwyieithrwydd mewn ardal Gymraeg

gan Simon Brooks

Mae Lari Parc yn cydnabod nad yw ei benderfyniad i siarad Cymraeg yn unig â chynrychiolwyr asiantaethau'r Llywodraeth a chwmnïau mawrion yn golygu ei fod yn byw bywyd yn uniaith Gymraeg. Ond wedi cydnabod y terfynau a osodir arno gan amgylchiadau teuluol a chylch cydnabod a chyfeillion, mae'n ceisio byw ei fywyd drwy'r Gymraeg i'r graddau y bo hynny'n bosib.

Un o'r Fron yw Lari, pentref bychan ger Caernarfon gyda golygfa drawiadol o Grib Nantlle sydd, oherwydd ei harddwch naturiol, wedi gweld cryn fewnfudo Saesneg. Brodor o Loegr yw Lari yntau, wedi symud i'r cylch ers ugain mlynedd a mwy, ond yn wahanol i'r rhelyw wedi dysgu Cymraeg yn syth. Yn ei fywyd preifat, mae'n amlieithog. Saesneg yw'r iaith gyda'r teulu yn Lloegr, a hefyd gyda rhai ffrindiau yn y Fron er y gwna ei orau glas i fritho ei sgwrs â geiriau Cymraeg. Mae ei fam yn hanu o Awstria, a weithiau bydd yn siarad Almaeneg â thwristiaid ar eu hynt. Gwnaeth unwaith hefyd â heddwas a geisiodd ei wawdio trwy ei gyfarch mewn Almaeneg wedi iddo wrthod siarad Saesneg ag ef.

Wrth dderbyn gwasanaeth, fodd bynnag, mae'n ddieithriad yn siarad Cymraeg am y cred y 'dylen ni fod yn gallu siarad Cymraeg drwy'r adeg.' Ac yntau'n Gymro a fuasai unwaith yn Sais, mae am herio'r 'drefn gymdeithasol' sy'n dweud 'nad yw Saeson yn dysgu Cymraeg. 'Dyw Saeson ddim yn disgwyl hyn; dyw Cymry ddim yn disgwyl iddyn nhw wneud chwaith.' Yn hynny o beth, mae ei benderfyniad yn ergyd yn erbyn hiliaeth hefyd.

Y talcen caletaf iddo yw'r gwasanaeth iechyd. Dywedodd un meddyg wrtho mai fo yw'r unig Gymro i siarad Cymraeg â doctoriaid di-Gymraeg. Yn Ysbyty Gwynedd, bu nyrsys yn cyfieithu drosto, a chlywodd rai ohonynt yn ei regi o dan eu gwynt. Nid dyna'r unig dro iddo gael ei ddilorni am siarad yr iaith. Bloeddiwyd 'racist bastard' arno ym Mangor unwaith wedi iddo ateb ymholiad Saesneg yn Gymraeg. Fe'i galwyd yn 'fucking dirty Welsh cunt' ym Mhorthmadog mewn amgylchiadau tebyg ac ofnodd y tro hwnnw y câi ei waldio.

Er gwaethaf hyn llwydda i fyw ei fywyd cyhoeddus trwy'r Gymraeg yn ddigon llwyddiannus heb droi i'r Saesneg. Dim ond i siopau ble mae gwasanaeth Cymraeg ar gael mae'n mentro, ac os bydd yn taro ar rywun di-Gymraeg mewn archfarchnad bydd yn dal ati i siarad Cymraeg gan mai fo yw'r cwsmer. 'Maen nhw'n gwybod na fyddan nhw'n cael Saesneg allan ohona i', meddai.

Mae gyrwyr di-Gymraeg ar fysiau Arfon yn ei adnabod yn dda erbyn hyn. Does neb hyd yma wedi gwrthod pàs iddo am ofyn am diced yn Gymraeg, a phe digwyddai hynny, byddai'n gorwedd ar lawr y bws mewn protest. Hoffai weld mwy yn ymuno yn y frwydr. 'Ti isio cefnogaeth', meddai, 'mae'n unig. 'Sa cant yn gneud fydda'r sefyllfa wedi'i chwyldroi.'

* * *

Sut mae cyfathrebu â'r di-Gymraeg trwy'r Gymraeg? Bu'r ymgyrch 'Siaradwch Gymraeg yn gyntaf', a gynhelid gan wahanol Fentrau Iaith yn yr ardaloedd Cymraeg, yn ymgais i newid seicoleg y Cymry a'u cael i arddel yr iaith yn fwy gwydn. Gellid dadlau er hynny ei fod yn gaeth i oruchafiaeth y Saesneg gan fod yn ymhlyg yn y cyfarwyddyd awgrym y dylid troi i'r Saesneg os na cheir ateb Cymraeg.

Ceir cyngor sut i ddal ati ar wefan hen raglen deledu, *Popeth yn Gymraeg*, a ddengys Ifor ap Glyn yn siarad mewn Cymraeg yn unig am bum niwrnod mewn gwahanol rannau o Gymru. Mae'n argymell bod yn gyfeillgar ond yn hyderus, ynganu'n glir, defnyddio geiriau syml ac ystumio pan fo angen. Ond rhaglen deledu oedd hon, perfformiad o flaen camera, theatr stryd.

Mewn bywyd go-iawn, dywedodd un gŵr o'r Felinheli wrthyf ei fod yn cynnal y rhan fwyaf o'i sgyrsiau ag unigolion di-Gymraeg yn Gymraeg, ac yn cadw rhywfaint o Saesneg wrth gefn fel y gall gyfieithu geiriau anodd er mwyn cynorthwyo rhywun i ddysgu'r iaith.

Mewn mannau cyhoeddus, rwyf innau'n tueddu i siarad Cymraeg yn unig, mewn cymunedau Cymraeg o leiaf. Cymysg yw'r ymateb, fel y profais yn y ddau gaffi yn Arfon, ond yn aml hefyd ceir siom ar yr ochr orau. Mae'n syndod cynifer sy'n meddu ar wybodaeth oddefol o'r Gymraeg ac yn fodlon ymateb yn gadarnhaol, er eu bod yn swil o ddefnyddio'r iaith eu hunain. Byddai sefydlu norm cymdeithasol newydd o barhau i siarad Cymraeg yn siriol a chyfeillgar, fel y gwneir gyda'r Gatalaneg a'r Ffrangeg yng Nghatalwnia a Québec, yn hwb mawr i hyder siaradwyr a lled-siaradwyr y Gymraeg, ac yn gyrru neges glir i'r rhai gwrth-Gymraeg hefyd. Os yw gwarthnod 'iaith leiafrifol' ar y Gymraeg, hyd yn oed pan mae hi'n iaith y mwyafrif, mae hyn am inni fyhafio fel pe bai hynny'n wir.

STATWS

Priod Iaith
Patrick Carlin

Dyma a ddywedais wrth Dywysog Asturias ym Mynachlog Leyre, 'Testun pryder imi yw ein hiaith ni, sef iaith holl bobloedd Navarre.' Yr hyn rwy'n ei olygu wrth hynny yw mai inni yn unig mae'n perthyn, ond nid hi yw'r unig beth sy'n perthyn inni. Mae'r Sbaeneg hefyd yn perthyn inni.[1]

Dyna eiriau un o gyn-weinidogion addysg Llywodraeth Gwlad y Basg. Ond cysyniad sydd ar yr olwg gyntaf yn hudolus o niwlog yw'r cysyniad hwn, sef *priod iaith*.[2] Ym mha ffordd y gall iaith fod yn 'briod'? Mae synnwyr cyffredin yn dweud wrthym fod elfen o berthyn, neilltuolrwydd, priodolder neu addasrwydd i sefyllfa benodol yn perthyn i hyd a lled y gair 'priod'. Drwy estyniad, ensynnir bod 'priod iaith' yn arwyddocáu cyfatebiaeth neu gyd-ieuad rhwng natur swyddogol iaith ar y naill law a thiriogaeth benodol ar y llall. Yn ymhlyg hefyd yn y term, o bosibl, y mae'r awgrym o flaenoriaeth i un iaith rhagor un arall mewn bywyd cyhoeddus mewn tiriogaeth benodol lle y siaredir mwy nag un iaith swyddogol. Ond os felly, beth yn union yw tarddiad yr egwyddor a'r gyfatebiaeth diriogaethol sy'n deillio ohoni? O dan ba amgylchiadau ac i ba raddau y gallai egwyddor priod iaith arwain at roi baenoriaeth i ddefnyddio un iaith dros y llall?

Byrdwn y bennod hon yn y lle cyntaf yw olrhain twf y cysyniad, gan amlinellu sut a pham y daeth gwahanol fersiynau ohono i fod a sut y'u rhoddwyd ar waith mewn dwy wlad benodol yng Ngwladwriaeth Sbaen, sef Gwlad y Basg a Chatalwnia, neu'n fwy penodol felly, Cymuned Ymreolus Gwlad y Basg a Chymuned Ymreolus Catalwnia.[3] Byddaf yn dadlau y gall 'priod iaith', yng ngoleuni'r gyfatebiaeth rhwng iaith, tiriogaeth a sefydliadau cyhoeddus, fod yr un mor ddilys yng Nghymru. Byddaf yn cynnig hefyd fod modd cadarnhau egwyddor priod iaith yn rhan ganolog o brosesau cyfansoddiadol Cymreig y dyfodol. Yna gellid cymhwyso darpariaethau priod iaith at ddeddfwriaeth ieithyddol gyfredol *yn ogystal â* deddfwriaeth sectoraidd gyffredin. Byddai priod iaith felly'n gyfrwng i gywain ynghyd a chyfreithloni polisïau iaith mewn meysydd megis addysg statudol, addysg ôl-16 a gweinyddiaeth gyhoeddus. Hyd yn hyn, mae polisïau o'r fath wedi bod yn amddifad o fachyn cysyniadol i'w dal ynghyd.

Ond wrth gwrs, gellid dadlau y dilysir y polisïau hyn eisoes gan y ffaith bod statws swyddogol i'r Gymraeg bellach. Ymhell cyn i Fesur y Gymraeg 2011 nodi bod 'statws swyddogol i'r Gymraeg', roedd yr Arglwydd Roberts o Gonwy wedi datgan, adeg pasio Deddf yr Iaith Gymraeg 1993, fod y Gymraeg yn swyddogol mewn popeth ond enw. Yn ddi-os, mae 'statws swyddogol' y Gymraeg yn destun balchder, ond onid darpariaeth weddol foel ydyw mewn gwirionedd? Dadleuir yma na fydd statws swyddogol i'r Gymraeg ar ei ben ei hun yn ddigon i ddatblygu'r llwyddiannau a enillwyd drwy gydol yr ugeinfed ganrif. Yn hytrach, mae angen fframwaith neu egwyddor ehangach. Byddai egwyddor o'r fath yn cydnabod bod cyd-ieuad annatod o hyd rhwng y defnydd o'r iaith a thiriogaeth benodol. Byddai hefyd yn ddigon hyblyg i ganiatáu amrywiadau rhanbarthol wedi'u cytuno'n lleol. Gallai hyn olygu, ar y naill law, sefydlu'r Gymraeg yn iaith ragosodedig gweinyddiaeth gyhoeddus yn y llefydd hynny lle mae'r defnydd o'r Gymraeg yn gryf, tra'n gwarantu gwasanaethau yn y ddwy iaith. Ar y llaw arall gallai gynorthwyo deddfwriaeth gyfredol yn y dasg o gynyddu nifer y sawl sy'n gallu cynnig gwasanaethau'n ddwyieithog mewn ardaloedd lle nad yw'r Gymraeg mor hyfyw.

Priod Iaith yn Sbaen

Catalwnia

Yn wahanol i'r sefyllfa ieithyddol yng Ngwlad y Basg ac yng Nghymru, nid yw'r Gatalaneg yng Nghatalwnia yn iaith leiafrifol fel y cyfryw. Mae mwyafrif pobl Catalwnia (94%) yn datgan eu bod yn deall yr iaith tra bod 74% yn nodi eu bod yn gallu ei siarad.[4]

Olrheinir y term 'priod iaith' i gyfnod Ail Weriniaeth Sbaen (1931-39) a Statud Hunanlywodraeth Catalwnia (1932), y ddogfen sylfaen a ddisgrifiai system wleidyddol Catalwnia o fewn gweddill y wladwriaeth. Ynddi, datganwyd bod y Gatalaneg yn iaith swyddogol ar y cyd â'r Sbaeneg. Datganiadau gweddol foel a gynhwysai'r Statud Hunanlywodraeth, serch hynny, ond rhoddwyd cig rheoleiddiol ar esgyrn y prif ddatganiadau hyn drwy Statud Mewnol Catalwnia (1933) a bennodd y Gatalaneg yn 'briod iaith', gan nodi mai hi fyddai iaith addysg gynradd.[5] Cyplyswyd ynghyd felly iaith, tiriogaeth a'r awgrym o flaenoriaeth i'r Gatalaneg mewn rhai cyd-destunau cymdeithasol. Ceir ymgais gan academwyr ac ymarferwyr yng Nghatalwnia i ryngwladoli egwyddor priod iaith drwy honni y gellir ei chynnwys yn rhan annatod o'r Cyfamod Ryngwladol ar Hawliau Sifil a Gwleidyddol (1966) gan fod erthygl 27 yn cyfeirio at 'yr hawl i … fwynhau eu *diwylliant eu hunain* ... neu ddefnyddio *eu hiaith eu hunain*'.[6]

Mae blaenoriaethu'r Gatalaneg drwy gyfrwng egwyddor priod iaith bellach mewn grym yn y rhan fwyaf o gyddestunau cyhoeddus yng Nghatalwnia, gan gynnwys llywodraethiant beunyddiol ac addysg statudol. Ond ar ba fath o ddeddfwriaeth y seilir yr egwyddor yn y cyfnod democrataidd?

Wedi marwolaeth Franco, Deddf Normaleiddio Ieithyddol 1983 fu'r cyfrwng i ehangu ar egwyddor priod iaith yn Statud Hunanlywodraeth 1979. Er enghraifft, noda'r Statud mai'r 'Gatalaneg yw priod iaith Catalwnia' (Erthygl 3.1) ond aiff Deddf 1983 yn ei blaen i nodi mai'r 'Gatalaneg yw priod iaith Catalwnia a hi sy'n ei dynodi fel pobl' (Erthygl 2.1). Er nad yw Deddf 1983 yn datgan yn uniongyrchol mai'r Gatalaneg yw unig iaith gweinyddu mewnol sefydliadau cyhoeddus y gymuned ymreolus, mae'n crisialu'r egwyddor.[7] Datblygwyd yr egwyddor hon drwy gyfrwng deddfwriaeth sy'n berthnasol i'r gwasanaeth sifil – yn hytrach na thrwy ddeddfwriaeth iaith, sylwer – ac sy'n dynodi'r gwahanol lefelau o wybodaeth o'r Gatalaneg sydd eu hangen er mwyn sicrhau swydd mewn gweinyddiaeth gyhoeddus, gyda'r rhan helaethaf o swyddi'n gofyn am lefel gwybodaeth sy'n cyfateb i'r lefel ieithyddol a gyrhaeddir yn dilyn addysg statudol.[8]

Nid oes arloesi gwirioneddol yn y ddeddf nesaf, Deddf Polisi Iaith 1998, ond yn hytrach ymgais gan y blaid lywodraethol, y CiU (Y Democratiaid Cristnogol Cenedlaetholgar) i adeiladu ar ysgerbwd Deddf 1983 a sicrhau, hyd y gellid, na fyddai modd newid polisi iaith cyffredinol y gymuned ymreolus pe bai plaid nad oedd mor ymrwymedig iddo'n cipio grym.[9] Canlyniad hynt Deddf 1998 drwy'r ddeddfwrfa Gatalanaidd oedd crynhoi ac atgyfnerthu'r ddeddfwriaeth flaenorol yn ymwneud ag addysg statudol a gweinyddiaeth gyhoeddus, cynyddu presenoldeb yr iaith yn y diwydiannau cyfryngol a

diwylliannol, ymestyn yn rhannol i'r sector breifat ac
ymgeisio tuag at sicrhau cydraddoldeb llwyr rhwng y ddwy
iaith swyddogol.[10] Arwydd pellach o ddatblygiad egwyddor
priod iaith, ac yn wir y gwrthwynebiad unoliaethol iddi, yw'r
diffiniad ohoni yn Statud Hunanlywodraeth Catalwnia
(2006), a ddyfarnwyd yn 2010 yn anghyfansoddiadol gan
Dribiwnlys Cyfansoddiadol Sbaen. Yn ôl Statud 2006, 'y
Gatalaneg yw iaith arferol a dewis iaith gweinyddiaethau
cyhoeddus a chyfryngau cyhoeddus Catalwnia, a hi yn
ogystal yw'r iaith a ddefnyddir fel arfer yn gyfrwng dysgu
mewn addysg'.

Dyna yn fras a ddynodir gan ddeddfwriaeth yng
Nghatalwnia ond beth fu canlyniadau ymarferol dynodi'r
Gatalaneg yn briod iaith? Drwy gyplysu egwyddor priod
iaith â gweinyddiaeth gyhoeddus y gymuned ymreolus,
sefydlwyd system lywodraethiant genedlaethol a weinyddir
yn bennaf yn y Gatalaneg. O droi at swyddogaeth
gyhoeddus arall sy'n ganolog i ddinasyddiaeth – addysg
statudol – mae'n werth oedi dros union eiriad y prif
offerynnau deddfwriaethol sy'n ategu'r cysylltiad rhwng
priod iaith ac addysg statudol. Datgenir yn foel felly yn
Neddf Normaleiddio Ieithyddol 1983 mai'r Gatalaneg yw
priod iaith Catalwnia, ac mai hi 'yw'r briod iaith hefyd ar bob
un o'r lefelau addysgol' (erthygl 4.1). Yna, cyflwynir yr hyn
a ddisgwylid gan y datganiad hwn, sef cychwyn proses o
integreiddio ieithyddol, a sicrhau defnydd cynyddol o'r
Gatalaneg: 'Bydd y weinyddiaeth yn cymryd y camau
priodol er mwyn gofalu a) na fydd disgyblion yn cael eu
gwahanu mewn canolfannau ar wahân am resymau iaith; b)
y defnyddir yr iaith Gatalaneg yn gynyddol wrth i bob un o'r
disgyblion ei meistroli' (erthygl 4.5). Ychwanegwyd at y
cynseiliau hyn yn Neddf Polisi Iaith 1998, pan ddeddfwyd
fod yn 'rhaid defnyddio'r Gatalaneg fel arfer yn iaith cyfrwng
addysg hyd at lefel prifysgol' (erthygl 21.1). Er mwyn

cefnogi hyn, sefydlwyd cynllun trochi i hwyrddyfodiaid (erthygl 21.8). I bob pwrpas felly, gydag eithriadau prin mewn addysg uwchradd, y Gatalaneg fu'r cyfrwng statudol arferol *a chynyddol* ers yn fuan wedi cychwyn y cyfnod democrataidd, a'r cyfrwng hwnnw wedi'i ddilysu a'i fandadu'n ddemocrataidd gan egwyddor priod iaith.

Cawn weld nesaf sut y datblygwyd model fymryn gwannach o briod iaith yn ystod yr un cyfnod mewn system wleidyddol sydd ar lawer gwedd yn debycach o ran demograffeg a chanrannau siaradwyr i sefyllfa Cymru, sef Cymuned Ymreolus Gwlad y Basg. O'r herwydd, mae i'r model hwn elfennau sy'n cynnig mecanwaith y gellid elwa arno yng Nghymru.

Gwlad y Basg

Nid yw llinach priod iaith yng Ngwlad y Basg wedi gwreiddio cymaint ag yng Nghatalwnia, yn bennaf oherwydd na ddeddfwyd Statud Hunanlywodraeth i Wlad y Basg yn ystod yr Ail Weriniaeth. Fel y gwelir maes o law, mae'r ffordd y caiff egwyddor priod iaith yng Ngwlad y Basg ei dehongli a'i gweithredu'n wahanol oherwydd gwneuthuriad demograffig-ieithyddol y boblogaeth. Yn 1981 felly, roedd tua 431,000 (neu 22%) o siaradwyr Basgeg ledled y gymuned ymreolus ac erbyn 2001 roedd canran y siaradwyr dwyieithog wedi cynyddu'n sylweddol i 32% o'r boblogaeth sef tua 639,000.[11]

Mae goblygiadau'r berthynas ddemograffig-ieithyddol rhwng y Fasgeg a'r Sbaeneg ar draws y gymuned ymreolus yn effeithio ar y defnydd o'r ddwy iaith mewn amryw sefydliadau. Ond yn gyntaf, fel yn achos Catalwnia, ystyriwn lwybrau cysyniadol priod iaith, a'u goblygiadau ymarferol. Sylwn felly ar eiriad tri is-gymal cyntaf Erthygl 6 Statud

Hunanlywodraeth Gwlad y Basg 1979, tarddle cyfreithiol egwyddor priod iaith yn y gymuned ymreolus:

1. Bydd gan y Fasgeg, priod iaith Pobloedd Gwlad y Basg, ar y cyd â'r Sbaeneg, nodweddion iaith swyddogol yn Euskadi, ac mae gan bob un o'i thrigolion yr hawl i wybod a defnyddio'r ddwy iaith.
2. Bydd sefydliadau cyffredin y Gymuned Ymreolus, gan ystyried amrywiaeth cymdeithasol-ieithyddol Gwlad y Basg, yn gwarantu'r defnydd o'r ddwy iaith, gan reoleiddio eu nodweddion swyddogol, a byddant yn dyfarnu ac yn rheoleiddio'r dulliau a'r cyfryngau angenrheidiol i sicrhau'r wybodaeth ohonynt.
3. Ni ellir gwahaniaethu yn erbyn neb ar sail iaith.

O'n safbwynt ni yng Nghymru, yr hyn sy'n dal ein sylw yn gyntaf oll yw cyplysu'r hawl i ddefnyddio iaith yn y pau cyhoeddus â phriod iaith. Ymhen cwta dair blynedd, rhoddwyd cig ar esgyrn yr hyn a ddatganwyd yn Statud 1979, gan arwain at gychwyn y berthynas rhwng demograffeg ieithyddol Gwlad y Basg a'r disgwyliadau a'r camau *graddedig* ar gyfer adferiad cynyddol yr iaith. Y graddolrwydd yma, yn wahanol i Gatalwnia, sy'n hynodi datblygiad priod iaith yng Ngwlad y Basg.

Mae Deddf Normaleiddio'r Defnydd o'r Fasgeg 1982 yn perthyn i gyfnod cythryblus cychwynnol y system wleidyddol-gyfreithiol newydd. Er bod adfer y Fasgeg yn un o ofynion Democratiaid Cristnogol Cenedlatholgar y PNV, roedd cynnwys eang y ddeddf hon hefyd yn mwynhau cryn gefnogaeth gan sosialwyr Basgaidd y PSE.[12] Gan adeiladu ar egwyddorion y Statud Hunanlywodraeth, cadarnhawyd yn y ddeddf hawl y dinesydd i ddefnyddio'r naill iaith swyddogol neu'r llall wrth drafod busnes gyda'r weinyddiaeth gyhoeddus. Ym maes addysg statudol, crëwyd system a fyddai o ran rhychwant yn cwmpasu ar y naill law fodel addysg Sbaeneg ei iaith a model Basgeg ei iaith ar y llall. Roedd yn bwynt cychwyn hefyd ar gyfer llu o ddeddfu eilaidd yn y blynyddoedd dilynol, gan gynnwys ymhelaethu ar union ystyr priod iaith mewn gwahanol ardaloedd daearyddol yn y gymuned ymreolus.

Erbyn diwedd y 1980au, tybiai llywodraeth Gwlad y Basg ei bod hi'n bryd ymhelaethu ar y ddeddf drwy gynllunio i ddatblygu sgiliau ieithyddol gweithluoedd y gweinyddiaethau cyhoeddus, a dyna a gafwyd yn Neddf Gwasanaeth Sifil 1989, a oedd unwaith eto'n ffrwyth consensws digonol rhwng y PNV a'r PSE.[13] Ceir yn Neddf 1989 ddwy elfen gysylltiedig o gynllunio ieithyddol y mae'n werth eu trafod. Yn gyntaf, nodwyd y byddai gofyniad ieithyddol ynghlwm wrth bob swydd gyhoeddus yn y gymuned ymreolus er mwyn symud yn raddol i gyfeiriad gweinyddiaeth ddwyieithog. Deddf 1989, yn gyffredinol felly, yw offeryn *ymarferol* priod iaith yn y gymuned ymreolus. Yng ngeiriad y ddeddf ei hun lle y sonnir am ofyniadau ieithyddol nid oes cyfeiriad at briod iaith fel y cyfryw ond yn hytrach at natur gyd-swyddogol y Fasgeg a'r Sbaeneg a'r orfodaeth ar weinyddiaethau cyhoeddus y gymuned ymreolus i warantu'r defnydd o'r ddwy iaith:

> Y Fasgeg a'r Sbaeneg yw'r ieithoedd swyddogol yn y Gweinyddiaethau Cyhoeddus Basgaidd, a dyletswydd y gweinyddiaethau hyn yw gwarantu'r defnydd o'r ddwy iaith yn eu gweinyddiad, yn fewnol yn ogystal ag allanol. (Erthygl 97.1)

Yr ail elfen sydd o ddiddordeb yw nifer y swyddi sydd â gofyniadau iaith, terfynau amser unigol ar gyfer cyflawni hyn, yn ogystal â'r adnoddau ariannol a ddarperir er mwyn sicrhau sgilio ieithyddol digonol.[14] Sut felly y penderfynwyd faint o swyddi fyddai'n cynnwys gofyniad o'r fath? Yn wahanol i Gatalwnia, crëwyd 'mynegai gorfodaeth', sef fformwla fathemategol sy'n cyfateb i ddemograffeg ieithyddol y boblogaeth (yn ôl y cyfrifiad) y bydd pob haen o lywodraeth yn atebol iddi. Y fformwla yw 'Siaradwyr Basgeg + (Siaradwyr Basgeg goddefol ÷ 2)'. Yn dilyn hyn, caiff canran y siaradwyr Basgeg mewn tiriogaeth weinyddol benodol ar ôl pob cyfrifiad ei chymhwyso at swyddi cyhoeddus ar bob haen o lywodraeth a bydd y swyddi hyn yn destun 'proffil ieithyddol', sef lefel gyrhaeddiad benodol sy'n dangos faint o Fasgeg y disgwylir i weithiwr yn y sector gyhoeddus mewn unrhyw ardal weinyddol ei gwybod. Wrth reswm, mae fformwla o'r fath yn caniatáu 'mynegai gorfodaeth' uwch neu is, yn dibynnu ar ganlyniadau'r cyfrifiad. Yn y modd yma, gwelir bod ystyriaethau demograffig-ieithyddol a gwleidyddol yn greiddiol i lwyddiant a gweithrediad y polisi oherwydd y rhagdybiaeth y bydd mynegeion gorfodaeth yn codi yn ystod y degawdau nesaf yn dilyn y twf sylweddol mewn addysg Fasgeg. Dylid nodi erbyn hyn fod 83% o ddisgyblion y gymuned ymreolus yn derbyn naill ai'r rhan helaethaf neu tua'r hanner o'u haddysg trwy gyfrwng y Fasgeg, o gymharu â 69% yn 2003.[15] Yn y ffordd yma, gwelir fod polisi cadarn wedi bod o blaid dehongli egwyddor priod iaith yng nghyd-destun camau graddedig adfer iaith yn hytrach na'r dull mwy uniongyrchol yng Nghatalwnia sy'n seiliedig ar y diriogaeth gyfan. Gwelir yn gliriach hefyd y berthynas ymarferol rhwng priod iaith a'r gyfundrefn addysg.

Oherwydd bod egwyddor priod iaith yng Ngwlad y Basg wedi'i dehongli fel hyn, ac yn sgil y tebygrwydd demograffig-ieithyddol rhwng y gymuned ymreolus a Chymru, byddai'n talu inni fwrw golwg ar enghraifft o sut mae un weinyddiaeth gyhoeddus yng Ngwlad y Basg wedi mynd ati i ddehongli a gweithredu'r egwyddor. Trown felly at haen o lywodraeth sy'n gweinyddu ystod o gyfrifoldebau gweddol debyg i'r rheiny a weinyddid gan yr hen gynghorau sir yng Nghymru rhwng 1974-96, sef Awdurdod Taleithiol Gipuzkoa, un o dri awdurdod taleithiol y gymuned ymreolus.

Ychydig yw'r manylion pendant am lefelau gallu yn y Fasgeg ymhlith staff Awdurdod Gipuzkoa (talaith gogledd-ddwyreiniol y gymuned ymreolus y mae Donostia/San Sebastián yn brif ganolfan iddi) ddechrau'r 1990au, ond tybir mai ychydig yn llai nag un ym mhob pum a allai ei siarad bryd hynny.[16] Yn 1991, crëwyd Cyfarwyddiaeth Normaleiddio'r Fasgeg o fewn yr awdurdod a derbyniwyd yn 1992 gynllun iaith yr awdurdod ynghyd â rhaglen hyfforddiant iaith. Yn y cynllun hwn pennwyd 4 categori o ofyniadau ieithyddol ar gyfer y gweithlu. Yn ychwanegol, rhoddwyd blaenoriaeth i'r Fasgeg drwy ddatgan mai hi ddylai fod yn iaith fewnol y weinyddiaeth, er nad oes yn y cynllun fanylion pendant ynghylch sut i gyrraedd y nod hwn, ar wahân i nodi fod holl adrannau'r weinyddiaeth yn rhai dwyieithog.[17]

Erbyn 2004, fel y gwelir yn y ffigwr isod, roedd canran dosbarthiad y gofyniadau ieithyddol a oedd ynghlwm wrth swyddi'r 1,680 o staff yn yr awdurdod fel a ganlyn:

Gofyniad Ieithyddol 1:	16.5%[18]
Gofyniad Ieithyddol 2:	27.3%
Gofyniad Ieithyddol 3:	26.3%
Gofyniad Ieithyddol 4:	6.9%
Dim gofyniad:	22.5%

Yn ôl un o uwch-swyddogion yr Awdurdod, mae deiliad swydd sy'n meddu ar ofyniad ieithyddol 2, 3 a 4 yn gymwys i gynnal gweithgarwch drwy gyfrwng y Fasgeg.[19] Dyna gynnydd sylweddol ers 1991 gan fod 60.5% o'r gweithwyr bellach yn medru'r Fasgeg i raddau gwahanol. Er mwyn cyflawni hyn, rhwng 1992-1996, rhyddhawyd tua chwarter o holl staff yr Awdurdod i ddysgu'r Fasgeg neu i fireinio eu sgiliau iaith ar gyflog llawn tra bod eu swyddi'n cael eu llenwi gan swyddogion cyflenwi am gyfnodau o hyd at 2 flynedd.[20]

Er bod datganiadau amhendant ynghylch pennu'r Fasgeg yn iaith gwaith yr awdurdod oddi ar 1992, nid oedd unrhyw awgrym bod Awdurdod Taleithiol Gipuzkoa yn dehongli egwyddor 'priod iaith' yn wahanol i lywodraeth Gwlad y Basg. Daeth newid yn y drefn hon yn 2003 pan gafwyd buddugoliaeth etholiadol yn y dalaith i'r glymblaid genedlaetholgar PNV-EA. Y flwyddyn ganlynol gweddnewidiwyd polisi iaith yr awdurdod, yn ymarferol ac yn gysyniadol. Yn ôl yr ymarferydd iaith Joxean Amundarain, 'roedd yr arweinwyr gwleidyddol newydd eisiau datgan yn glir eu bod o blaid sefydlogi'r defnydd o'r Fasgeg o fewn yr awdurdod taleithiol'.[21] Bellach, roedd yr Awdurdod yn fodlon ymestyn ei ddealltwriaeth o'r dehongliad a'r gweithrediad o egwyddor 'priod iaith', y cyfeirir ati yn y Statud Hunanlywodraeth, a dechrau symud y tu hwnt i'r fformwla gymdeithasol-fathemategol. Nid oedd a wnelo'r hen ddehongliad ond ag ymdrechion i gynyddu lefelau *gwybodaeth* o'r Fasgeg – nid oedd yn troedio'n uniongyrchol i dir sy'n effeithio ar y *defnydd* o'r Fasgeg. Yn y polisïau newydd, cadarnhawyd defnydd o'r ieithoedd swyddogol yn yr awdurdod ond rhoddwyd blaenoriaeth hefyd i'r Fasgeg am y tro cyntaf:

> Rhaid cyflwyno gweledigaeth draws-adrannol, hynny yw, sefydlu rhychwant o gamau a chyfnodau o weithgarwch cyffredinol sy'n berthnasol i bob adran gyda'r bwriad y bydd y Fasgeg yn cael ei defnyddio fel iaith gwasanaeth ac iaith gwaith.[22]

Er mwyn mynd i'r afael â'r bwriad, rhannwyd holl adrannau'r awdurdod yn *unedau gweinyddol dwyieithog* ac o fewn yr unedau hyn byddai'r defnydd llafar ac ysgrifenedig o'r Fasgeg yn amrywio.[23]

Byddai unedau yn ogystal ag unigolion yn newid arferion gwaith yn raddol o'r Sbaeneg i'r Fasgeg. Unwaith eto felly, gwelir y posibiliadau sydd ynghlwm wrth ddehongli 'priod iaith' i gynyddu'r defnydd o'r Fasgeg. Yn Awdurdod Taleithiol Gipuzkoa, ceir tri math o uned weinyddol a bennir yn ôl lefel y flaenoriaeth a roddir i'r defnydd llafar ac ysgrifenedig o'r Fasgeg oddi mewn iddynt fel a ganlyn:

Unedau Gweinyddol	Canran o'r holl unedau	Nifer yr unedau[24]
Lefel 1 (blaenoriaeth uchaf)	33%	33
Lefel 2	32%	32
Lefel 3 (blaenoriaeth isaf)	35%	34

Diffinnir y gwahaniaethau o ran y flaenoriaeth a roddir i'r Fasgeg ynddynt yn ogystal â'r terfynau amser a bennir i gyflawni'r newidiadau mewnol. O safbwynt Lefel 1, y nod oedd sicrhau mai'r Fasgeg fyddai iaith arferol y gweithle erbyn diwedd 2005 tra amcanai Lefel 2 at sicrhau mai'r Fasgeg fyddai iaith arferol y gweithle 'bob yn dipyn' erbyn diwedd mis Mawrth 2007. Nid oes terfyn amser ar gyfer cyflawni Lefel 3. O safbwynt natur gwasanaethau'r unedau o fewn Lefel 1, gwelir gogwydd pendant tuag at y gwasanaethau hynny sy'n cynnwys ymwneud helaethach â'r cyhoedd a haenau llywodraethol eraill megis gwasanaethau cymdeithasol a hamdden, tra bod yr unedau hynny a gynhwysir ar hyn o bryd o fewn Lefel 3 yn perthyn i swyddogaethau y tybir eu bod hyd braich o'r cyhoedd megis priffyrdd, y trysorlys a gwasanaethau craffu.[25]

O gymharu Catalwnia a Gwlad y Basg felly, gwelir bod cryn wahaniaeth yn y goblygiadau ymarferol sydd i egwyddor priod iaith. Wedi dweud hynny, ceir cnewyllyn o ddeisyfiadau polisi wrth weithredu'r egwyddor sydd wedi parhau'n gyson ar hyd y 30 mlynedd ddiwethaf ar draws y ddwy gymuned ymreolus:

i. cyplysu'r briod iaith â thiriogaeth benodol gan warantu hawl ieithyddol y dinesydd yn y diriogaeth dan sylw.

ii. parhau i atgyfnerthu'r defnydd o'r briod iaith mewn gweinyddiaethau cyhoeddus.

iii. braenaru'r tir, i raddau ac ar gyflymderau gwahanol, ar gyfer blaenoriaethu'r briod iaith mewn rhai cyddestunau cyhoeddus.[26]

Ond tybed a oes modd cymhwyso egwyddor priod iaith at sefyllfa Cymru?

Cymru

Canolbwyntiwyd hyd yma ar sut mae sefydliadau'n dehongli darpariaethau ieithyddol sy'n deillio o gyfansoddiad cyfundrefnedig. Bydd cyfansoddiad o'r fath yn rhestru'r gwerthoedd, yr hawliau a'r dyletswyddau y gall dinesydd ddisgwyl eu harfer a'u dilyn, a chaiff y rhain eu diogelu'n sylweddol rhag prosesau a sefydliadau gwleidyddol. Cofir, serch hynny, fod cyfansoddiad arferiadol a rhannol ysgrifenedig y Deyrnas Unedig wedi'i seilio'n bennaf ar bragmatiaeth, gydag arferion yn cael eu creu drwy gynseiliau yn hytrach na thrwy ddatganiadau ysgubol. Disgrifir y cyfansoddiad Prydeinig yn aml felly fel cyfansoddiad 'gwleidyddol' yn yr ystyr mai drwy brosesau a sefydliadau gwleidyddol y bydd y sawl sy'n ymarfer grym yn atebol i ddinasyddion. Yn y modd yma, gwleidyddiaeth yw'r cyfrwng sy'n sicrhau trefn cyfraith a hawliau unigolion.[27]

Mae'r theorïwr gwleidyddol Richard Bellamy wedi awgrymu bod cyfansoddiad o'r fath yn datblygu o ganlyniad i wrthdaro rhesymol mewn gwleidyddiaeth. Yn ôl y dehongliad hwn, mae'r cyfansoddiad yn cael ei wreiddio yng ngwead y broses ddemocrataidd, ac felly 'y broses ddemocrataidd yw'r cyfansoddiad'.[28]

Dadleuir, serch hynny, fod y Deyrnas Unedig yn symud yn raddol oddi wrth gyfansoddiad 'gwleidyddol' tuag at gyfansoddiad mwy 'cyfreithiol' a gwelir hyn mewn deddfwriaeth megis Deddf Iawnderau Dynol 1998, creu sefydliadau megis y Goruchaf Lys ac, yn wir, yn y broses ddatganoli'n gyffredinol. Er gwaethaf y datblygiadau hyn, ceir ansicrwydd ynghylch sut yn union mae diwygio cyfansoddiadol i fod i ddigwydd. Yn ôl Dawn Oliver, Athro mewn Cyfraith Gyfansoddiadol, 'y ffaith amdani yw nad oes unrhyw gyfundrefn sefydlog ar gyfer delio â diwygio cyfansoddiadol yn y DU'.[29] Mewn sefyllfa hyblyg a newidiol felly, a chyda diwygio cyfansoddiadol sylweddol eisoes wedi digwydd yn sgil dwy Ddeddf Llywodraeth Cymru, sut mae hyn oll yn berthnasol i bolisi iaith yng Nghymru, ac yn fwy perthnasol, a ellid cynnwys egwyddor priod iaith yn rhan gyfannol o ddiwygio cyfansoddiadol yng Nghymru?

Hyd yn hyn mae deddfwriaeth iaith yng Nghymru wedi bod yn ddarostyngedig i oblygiadau cyfansoddiad arferiadol a rhannol ysgrifenedig y Deyrnas Unedig. Gwelwyd hyn yn glir iawn yn y 1990au cynnar. Oherwydd diffyg egwyddorion ysgrifenedig ym maes iaith, roedd gofyn am gryn greadigrwydd cyfreithiol wrth esgor ar fecanwaith creiddiol Deddf yr Iaith Gymraeg 1993, sef y cynlluniau iaith. Cynnyrch cynsail cyfreithiol sy'n perthyn i ddechrau'r ugeinfed ganrif yw'r rhain, sef y cynlluniau cymudo (*commutation*) a amlinellir yn Neddf Eglwys Cymru 1914, ond a gafodd eu cymhwyso 80 mlynedd wedyn at ddibenion y Ddeddf Iaith.[30] Dyma enghraifft odidog o gynllunio ieithyddol *ad hoc* tra Phrydeinig. Ym marn Winston Roddick, cyn-Gwnsler Cyffredinol y Cynulliad Cenedlaethol:

> Mae dwy ffaith yn debygol o gael dylanwad sylweddol ar statws yr iaith Gymraeg a'i rôl yn llywodraethiant Cymru yn y dyfodol. Y naill yw mai llywodraeth y DU yw llywodraeth Cymru. Y llall yw nad yw Cynulliad Cenedlaethol Cymru ond cangen weithredol llywodraeth y DU a hynny yn achos rhai yn unig o feysydd dyletswyddau llywodraeth y DU yng Nghymru.[31]

Er gwaethaf datganoli felly, llywodraeth y Deyrnas Unedig o hyd yw llywodraeth Cymru. Ond ers canlyniad refferendwm 2011 ceir pwerau deddfu sylfaenol mewn meysydd penodol yng Nghymru, gan gynnwys ym maes y Gymraeg. Ni wyddys pryd yn union, neu ar ba ffurf, y daw awdurdodaeth gyfreithiol Gymreig i fodolaeth. Serch hynny, ac a bwrw y bydd hyn yn digwydd, mae'n rhesymol gofyn beth fydd lle'r Gymraeg o'i mewn a beth fydd rhychwant yr hawl i'w defnyddio? Er mwyn ystyried hyn, rhaid troi'n ôl at y cyfansoddiad arferiadol Prydeinig. Nid yw'r cyfansoddiad hwnnw'n ymddangos mor hyblyg o arferiadol ag y tybid:

> Mae [cyfansoddiad y DU] dros y canrifoedd wedi ymgorffori elfennau ffurfiol ac ysgrifenedig sylweddol, ac y mae'r rhain wedi tyfu'n helaethach ac yn amlycach yn y cyfnod diweddar. Yn wir, gellid maentumio mai rhai o'r darpariaethau ffurfiol hyn – Magna Carta, gwrthod awdurdod y Pab, y deddfau amrywiol a basiwyd rhwng 1533 a 1560 yn sefydlu Eglwys Loegr, y Ddeiseb Iawnderau, y ddeddf yn diddymu Llys Siambr y Seren, deddfwriaeth Habeas

Corpus, Mesur Iawnderau 1689, Deddf Uno 1707, Deddf Ddiwygio 1832 a llawer o rai eraill – sy'n cyfansoddi'r cerrig milltir sy'n nodi twf a natur y cyfansoddiad Prydeinig [...] diffinnir y cyfansoddiad i raddau helaeth gan y sefydliadau a'r arferion hynny a ymddangosodd o ganlyniadau a gadarnhawyd fel rhai derbyniol ac a hwylusai adnewyddu gweithgarwch gwleidyddol cadarnhaol wedi cyfnodau o wrthdaro a rhaniadau llym.[32]

Yn yr ysbryd yma, mae newidiadau cyfansoddiadol ffurfiol ac anffurfiol, gan gynnwys y Ddeddf Iawnderau Dynol, y Goruchaf Lys a datganoli i genhedloedd y Deyrnas Unedig, oll wedi ychwanegu yn ddiweddar at 'adnewyddu gweithgarwch gwleidyddol cadarnhaol'. Tybed i ba raddau y gallai *datgan* egwyddor priod iaith yn un o ddogfennau lled-gyfansoddiadol y dyfodol yng Nghymru, megis awdurdodaeth gyfreithiol Gymreig neu Ddeddf Llywodraeth Cymru ar ei newydd wedd, adlewyrchu'r gweithgarwch gwleidyddol adeiladol y sonia Johnson amdano? Ar yr olwg gyntaf, nid yw traddodiad deddfu'r Deyrnas Unedig yn argoeli'n dda i'r perwyl hwn. Yn ôl cyfreithwyr Swyddfa'r Cwnsleriaid Seneddol yn Whitehall, mae'n amhosibl creu datganiadau mewn deddfwriaeth sylfaenol Brydeining.[33] Mewn geiriau eraill, mae'n rhaid i ddeddf sylfaenol fod yn gadarnhaol (*substantive*), gan nodi'r hyn y gellir ei ganiatáu drwy gyfraith a'r hyn na ellir ei ganiatáu, yn hytrach na gwneud datganiadau. Enghreifftiau o ddatganiad o'r fath, fel y gwelsom, yw'r datganiad o blaid y Fasgeg yn Statud Gernika 1979 sydd, fel a nodwyd uchod, yn datgan:

Bydd y Fasgeg, sef priod iaith Pobloedd Gwlad y Basg, ar y cyd â'r Sbaeneg, yn meddu ar nodweddion iaith swyddogol yng Ngwlad y Basg, ac mae gan bob un o'i thrigolion yr hawl i wybod a defnyddio'r ddwy iaith.

Ond a yw'r dehongliad hwn o gyfraith y Deyrnas Gyfunol yn dal dŵr bellach? Er na fydd deddfwriaeth ddatganiadol yn ymddangos yn aml ar y llyfrau statud ym Mhrydain, nid yw serch hynny yn hollol ddieithr i lunwyr y gyfraith yn yr ynysoedd hyn. Yn wir, yn ôl y bargyfreithiwr deddfwriaethol Daniel Greenberg, gellir ystyried y rhan fwyaf o'r Magna Carta yn ddatganiadol.[34] Ond nid hynafbeth y gorffennol mo deddfwriaeth ddatganiadol chwaith. Lai na 15 mlynedd yn ôl, pan gyrhaeddodd Deddf Gogledd Iwerddon 1998 y llyfrau statud, cynhwyswyd darpariaeth ddatganiadol sydd o bwys cyfansoddiadol o'r radd flaenaf:

> Yr ydys drwy hyn yn datgan fod Gogledd Iwerddon yn ei gyfanrwydd yn aros yn rhan o'r Deyrnas Unedig ac na fydd yn peidio â bod felly heb gydsyniad mwyafrif pobl Gogledd Iwerddon yn bwrw pleidlais a gynhelid i ddibenion yr adran hon yn unol ag At. 1.

Gwneud *datganiad* y mae'r ddeddfwriaeth hon am barhad bodolaeth tiriogaeth benodol yn rhan o'r Deyrnas Unedig hyd nes y penderfynir yn wahanol gan ddinasyddion yno. Ymddengys ei bod yn briodol felly, o dan rai amgylchiadau, i lunio deddfwriaeth ddatganiadol yn y cyd-destun Prydeinig. Dyma Greenberg unwaith yn rhagor:

> Cyfyd y cwestiwn a yw hyn yn ddefnydd dilys o ddeddfwriaeth. Mae'r ddadl sy'n dal nad yw'n ddilys yn seiliedig ar yr haeriad mai unig bwrpas y ddeddfwriaeth yw newid y gyfraith. Ond os oes gwir amheuaeth ynghylch sefyllfa'r gyfraith gyda golwg ar

fater neilltuol, *mae dileu'r ansicrwydd drwy ddarpariaeth ddiamwys yn gweithredu newid yn y gyfraith*, hyd yn oed os nad ydyw'n gwneud dim mwy nag adfer fel yr unig ddehongliad yr hyn a fyddai'n debygol wedi bod yn ddehongliad gorau yn wyneb amheuaeth.[35]

I ychwanegu at yr enghraifft uchod, yn nes o lawer at gartref, ceir darpariaeth ddatganiadol ar fater yr iaith yn y Gymru gynyddol ddatganoledig. Datgenir yn adran 1(1) Mesur y Gymraeg 2011 fod 'statws swyddogol i'r Gymraeg yng Nghymru', gan bwysleisio'r berthynas rhwng natur swyddogol yr iaith a thiriogaeth benodol. Ond os oes mater y mae dybryd angen deddfwriaeth ddatganiadol i'w oleuo, egwyddor priod iaith yw hwnnw. Trwy hynny byddid yn datgan lle'r Gymraeg mewn bywyd cyhoeddus mewn dogfen a chanddi rym cyfansoddiadol. Ceir eisoes gynseiliau felly, yng nghyfraith Prydain, a allai ganiatáu i egwyddor priod iaith ymffurfio yn y dyfodol drwy sianelau cyfreithiol cynhenid Prydeinig. Mae hefyd yn werth ystyried yr elfen o greadigrwydd cyfreithiol Cymreig a fyddai'n elwa ar gynsail sy'n tarddu oddi mewn i gyfraith y DU, gan ei bod yn fwy tebygol o gael ei derbyn gan ymarferwyr deddfeg Brydeinig a gwleidyddion yng Nghymru.

Byddai egwyddor priod iaith yn gonglfaen, yn cryfhau, yn cyfreithloni, ac yn rhoi dilysiad diymwad i ddogfennau megis *Iaith fyw: Iaith byw* a'r *Strategaeth Addysg Cyfrwng Cymraeg* nad ydynt hyd yn hyn ond yn ddatganiadau digyswllt o ffydd, yn ogystal ag atgyfnerthu'r ddeddfwriaeth iaith gyfredol. Ond pe bai'r egwyddor yn cael ei derbyn gan fwyafrif pleidiau Cymru rywbryd yn y dyfodol – proses a fyddai'n gofyn am wytnwch a lobïo diflino dros nifer o flynyddoedd yn ôl pob tebyg – sut fyddid yn ei rhoi ar waith yn ymarferol?

Mae Mesur yr Iaith 2011 yn dryfrith o bosibiliadau, er gwaethaf natur amryfath tarddiad a gwneuthuriad y ddeddfwriaeth. Byddir yn cofio am fodel priod iaith Gwlad y Basg, ein cymharydd amrwd agosaf o safbwynt demograffeg ieithyddol, ynghyd â'r dull o gydnabod y realiti cymdeithasol hwn drwy fformwla fathemategol sy'n gofyn am ganran benodol, ond cynyddol, o swyddi lle y bydd gofyn am wybodaeth o'r Fasgeg mewn swyddi cyhoeddus. A chofir hefyd sut yr aeth Awdurdod Taleithiol Gipuzkoa ati i greu unedau gweinyddol dwyieithog ar gorn deddfwriaeth llywodraeth Gwlad y Basg. Nid yw'n ormod o naid honni y gellid harneisio Mesur yr Iaith 2011, a'i his-ddeddfau tybiedig dilynol, er gwaethaf yr ansicrwydd ynghylch union weithrediad y safonau iaith newydd, i gyfreithloni gweithrediad ymarferol ond cynyddol priod iaith. Mewn trefn o'r fath, byddai brodwaith ieithyddol cyson newidiol y wlad yn rhan o fecanwaith ymarferol a fyddai'n cydnabod realiti dwysedd siaradwyr Cymraeg. Ar yr un pryd, serch hynny, dyma fecanwaith holistaidd, datblygol ac ymledol ar gyfer y wlad ar ei hyd a fyddai'n gyson â dymuniadau'r ddeddfwrfa a'r twf mewn addysg Gymraeg. Dyma isod ddwy enghraifft o'r Mesur sy'n cynnig y posibiliadau hyn (italeiddio wedi'i ychwanegu isod):

44 Hysbysiadau cydymffurfio

(2) Caiff hysbysiad cydymffurfio ei gwneud yn ofynnol i berson gydymffurfio â safon benodol—

(a) mewn rhai amgylchiadau, ond nid mewn amgylchiadau eraill;

(b) *mewn rhyw ardal neu rai ardaloedd, ond nid mewn ardaloedd eraill.*

150 Gorchmynion a rheoliadau

(5) Mae unrhyw bŵer gan Weinidogion Cymru i wneud

gorchymyn neu reoliadau o dan y Mesur hwn yn cynnwys pŵer—

(a) i wneud darpariaeth wahanol ar gyfer achosion gwahanol, dibenion gwahanol neu *ardaloedd daearyddol gwahanol*;

Darpariaethau gweddol benagored yw'r adrannau uchod, wrth reswm, ond o'u hieuo gydag egwyddor priod iaith ac unedau gweinyddol dwyieithog, gallent fod yn ysgogydd polisi mwy effeithiol na'r trefniant cwbl ddigyswllt presennol. Yn amlwg, ni ddylid ystyried y mecanweithiau i roi egwyddor priod iaith ar waith yng Ngwlad y Basg yn ddilyffethair drosglwyddadwy i Gymru. Ond ni ddylid anwybyddu chwaith y defnydd creadigol sydd wedi'i wneud o'r cyplysiad rhwng tiriogaeth a phriod iaith yno. Gellid cymhwyso'r egwyddor at wahanol rannau o'r wlad mewn ffordd ddatblygol, boed hynny er mwyn rhoi bachyn diysgog i gynghorau sir fel Cyngor Gwynedd sydd ar lawer gwedd wedi braenaru'r tir ar gyfer *blaenoriaethu* iaith anwladwriaethol o dan rai amgylchiadau, ynteu er mwyn hybu'r iaith mewn ffordd fwy treiglol ond egnïol mewn cyrff ac awdurdodau cyhoeddus lle mae'r dwysedd lleol yn y defnydd o'r Gymraeg yn llai.

Casgliad

Wrth reswm, dim ond pe bai mwyafrif pleidiau'r system wleidyddol Gymreig yn cytuno ei fod yn ysgogydd polisi y dylid ei goleddu y bydd egwyddor priod iaith yn cael ei chyfannu'n rhan greiddiol o wead cysyniadol ac ymarferol yr awdurdodaeth gyfreithiol sydd ar droed. Ar ben hyn, byddai'n rhaid wrth 'drafodaeth genedlaethol' estynedig a chynhwysol drwy Gymru benbaladr. Nid ar chwarae bach y sicrheid y consensws yma. Fel y gwelwyd wrth drafod Gwlad y Basg, cyfaddawd sosioieithyddol yw'r dehongliad presennol yno o'r hyn yw 'priod iaith'.[36] Ffrwyth consensws *gwleidyddol* bron yn gyfan gwbl rhwng sosialwyr y PSE a chenedlaetholwyr y PNV yn ystod llywodraeth gyntaf y gymuned ymreolus newydd oedd canlyniadau'r ddeddf iaith yn 1982 ym myd gweinyddiaeth gyhoeddus ac addysg.[37] Ond yn y consensws yma, bu parodrwydd i dderbyn anghydweld cyson agored ar faterion ieithyddol yn rhan annatod, parhaus a dymunol o'r cyd-drafod gwleidyddol hwnnw, sefyllfa sy'n dra gwahanol i'r un yng Nghymru. Yn ôl Pedro Miguel Etxenike, gweinidog addysg yn ystod y llywodraeth gyntaf:

> Does yr un gymdeithas ddwyieithog wedi bodoli nad oedd wedi wynebu anawsterau. Mae cyfnodau o argyfwng yn rhwym o ddigwydd. Awn i gyfeiriad cymdeithas ddwyieithog, mae hynny'n saff ichi, ond i'r bobl hynny sy'n meddwl y gellir cyflawni hyn heb unrhyw anghydweld, dydyn nhw ddim yn deall beth maen nhw'n ei ddweud, neu os ydyn nhw'n deall, eisiau twyllo y maen nhw.[38]

Yng Nghymru ar y llaw arall, barnodd y Prif Weinidog Rhodri Morgan yn 2007 mai dadwleidyddoli'r iaith yn y 1980au a'r 1990au oedd y strategaeth fwyaf priodol i greu consensws.[39] Bu dilyn y llwybr hwn yn dactegol bwrpasol ac yn gwbl gyson â pholisïau llywodraethol gydol yr ugeinfed ganrif. Serch hynny, ar ddechrau cyfnod newydd oni fyddai'n well cynnal trafodaeth ddemocrataidd aeddfetach? Neu, a rhoi hynny mewn ffordd arall, beth fyddai goblygiadau parhau â'r dacteg o ddadwleidyddoli pe bai'r 23.3% o blith y grŵp oedran 3-4 oed y nodir iddynt siarad Cymraeg yn 2011 yn cynyddu'n sylweddol erbyn 2031, dyweder? Y perygl yw y byddai egin bolisïau iaith y system wleidyddol a sefydliadol Gymreig newydd yn rhygnu ymlaen yn ymarferiad *sui generis* yn hytrach na chael eu cyfannu'n rhan o berfedd cyfansoddiadol y system ifanc.[40] Yn wir, gallai arwain at ddadrithio dinasyddion a pheri diffyg hygrededd yn y polisïau sydd i fod i'w hybu.

Mae'r twf mewn sefydliadau yn y system Gymreig felly yn cynnig cyfle i ystyried o'r newydd y berthynas rhwng egwyddor a gweithrediad priod iaith Cymru. Ar adeg pan fydd y cyfansoddiad Prydeinig yn ymaddasu i adleoli grym yn dilyn y gyfres o benderfyniadau democrataidd am ddatganoli a wnaed oddi ar 1997, byddai datgan y Gymraeg yn briod iaith Cymru yn un o ddogfennau neu brosesau cyfansoddiadol Cymreig y dyfodol yn ysbarduno ac yn cyfannu nifer cynyddol o feysydd polisi, gan ystwytho gwaith darbwyllo a lobïo fel ei gilydd. Byddai'n ysgogi amrywiaethau polisi mewn tiriogaethau daearyddol ble mae'r Gymraeg ar ei chryfaf tra'n cryfhau, ar sail gynyddol, hawliau ieithyddol y dinesydd ledled Cymru. Byddai'r egwyddor yn cymryd ei lle ymhlith y clwstwr o egwyddorion diamwys hynny sy'n dechrau ymsefydlu yn y Deyrnas Unedig asymetrig hon. Mae gofyn bod yn fwy creadigol ynghylch sut i gydnabod a dathlu arferion ieithyddol plwralistaidd ei chenhedloedd. Egwyddor ddiamwys fydd yn coleddu lle'r Gymraeg mewn addysg ac a fydd wrth wraidd gweinyddu bywyd cyhoeddus yng Nghymru yw egwyddor priod iaith.

Nodiadau

1   Pedro Miguel Etxenike, Athro Ffiseg Mater Cywasgedig, Prifysgol Gwlad y Basg a chyn-weinidog addysg Llywodraeth Gwlad y Basg yn Etxenike, 2003.

2   Gweler, er enghraifft, Cymdeithas yr Iaith, *Mesur yr Iaith Gymraeg*

2007 (Aberystwyth, 2007), http://cymdeithas.org/pdf/mesuriaith2007.pdf

3   Rwy'n ddiolchgar iawn i Richard Crowe am drafod rhai agweddau ar y bennod hon gyda mi.

4   Sefydliad Ystadegol Catalwnia, Cultura, *lleure i llengua* (Barcelona, 2012), http://www.idescat.cat/cat/idescat/publicacions/anuari/aec_pdf/aec-cap15.pdf

5   E. Pons Perera, 'Los Derechos Lingüísticos en el Marco Internacional y Comunitario Europeo' yn J. Pérez Fernández (gol.), *Estudios Sobre El Estatuto Juridico de las Lenguas en España* (Barcelona, 2006).

6   Y Cenhedloedd Unedig, *International Covenant on Civil and Political Rights* (1966) http://www2.ohchr.org/english/law/ccpr.htm (yr awdur biau'r italeiddio); A. M. Pla i Boix, *El Règim Jurídic de les Llengües a l'Administració de Justícia* (Barcelona, 2006); J. Solé i Durany, 'El concepte de llengua pròpia en el dret i en la normalització de l'idioma a Catalunya', *Revista de Llengua i Dret* 26 (1996), 95-120.

7   A. Milian i Massana, 'La Convivencia Lingüística en Cataluña: Reflexiones en torno de la regúlación del catalán y del castellano en las administraciones públicas catalanas, a partir de la ley del parlamento de Cataluña 1/1998, de 7 de enero, de política lingüística,' *Revista Vasca de Administración Pública* 69.2 (2004), 151-184 [153-4].

8   Deddf 17/1985 greodd y gofyniad i wybod y Gatalaneg hyd at lefelau gwahanol o fewn y gwasanaeth sifil Catalanaidd. Gweler Llywodraeth Catalwnia, *Llei Funció Pública* (Barcelona, 1985), http://web.udl.es/usuaris/etsea2/persadm/norm/lleifun.htm); Ordinhad y Generalitat 107/1987. Gweler Llywodraeth Catalwnia, *Decret 107/1987, de 13 de març* (Barcelona, 1987), http://www20.gencat.cat/docs/Llengcat/Documents/Legislacio/Recull%20de%20normativa/Generalitat%20de%20Catalunya/Arxius/gc_decret107_1987.pdf . Diwygiwyd yr olaf yn ddiweddarach gan Ordinhad 162/2002. Gweler E. Pons Perera, 'Los Derechos Lingüísticos en el Marco Internacional y Comunitario Europeo', 301.

9   J. Solé i Durany, 'El concepte de llengua pròpia en el dret i en la normalització de l'idioma a Catalunya', 102.

10 J. Costa, 'Catalan linguistic policy: liberal or illiberal?', *Nations and Nationalism* 9.3 (2003), 413–32.

11 Llywodraeth Gwlad y Basg, *III Mapa Soziolinguistikoa* (Vitoria-Gasteiz, 2005).

12 B. Tejerina, 'El poder de los símbolos: Identidad colectiva y movimiento etnolingüístico en el País Vasco', *Revista Española de Investigaciones Sociológicas* 88 (1999), 75-105 [100].

13 I. Agirreazkuenaga, 'Cultura, lengua y hecho diferencial' yn G. Jauregi, *et al.* (goln.), *Estado Autonómico y Hecho Diferencial de Vasconia* (Donostia, 2000).

14 G. Poggeschi, 'Linguistic Rights in Spain', yn S. Trifunovska a F. de Varennes (goln.), *Minority Rights in Europe: European Minorities and Languages* (The Hague, 2000), tt. 85-101 [93].

15 Sefydliad Ystadegol Gwlad y Basg, *Alumnado de enseñanzas de régimen general no universitario de la C.A. de Euskadi, por Territorio Histórico, nivel, modelo de enseñanza bilingüe y titularidad* (Vitoria-Gasteiz, 2012), http://www.eustat.es/elementos/ele0002400/ti_Alumnado_de_ense%C3%B1anzas_de_regimen_general_no_universitario_de_la_CA_de_Euskadi_por_Territorio_Historico_nivel_modelo_de_ense%C3%B1anza_bilingue_y_titularidad_Avance_de_datos_20112012/tbl0002427_c.html#axzz1iOy65A6o

16 J. Amundarain, 'Euskararen erabileraren normalizazioa Gipuzkoako Foru Aldundian', *Bat Soziolinguistika Aldizkaria* 55.2 (2005), 37-51 [38].

17 X. Iriondo, 'Hizkuntzen Erabilera Administrazioko Barne Harremenetan: Eredu Gonbaratuak eta Euskararen Praktika', *Revista Vasca de Administración Pública* 44.2 (1996), 301-27 [322].

18 J. Amundarain, 'Euskararen erabileraren normalizazioa Gipuzkoako Foru Aldundian', 38.

19 Cyfweliad, Donostia, 2006.

20 *Ibid.*

21 J. Amundarain, 'Euskararen erabileraren normalizazioa Gipuzkoako Foru Aldundian', 41.

22 Awdurdod Taleithiol Gipuzkoa, *21/04 Foru Dekretua, hizkuntza ofizialen erabilera arautzen duena Gipuzkoako Foru Aldundiaren jarduera esparruan* (Donostia, 2004), tt. 3-4.

23 Awdurdod Taleithiol Gipuzkoa, *20/04 Foru Dekretua, Gipuzkoako Foru Aldundiaren Euskararen Erabilera Normalizatzeko Plana onartzen duena* (Donostia, 2004).

24 J. Amundarain, 'Euskararen erabileraren normalizazioa Gipuzkoako Foru Aldundian', 38.

25 Awdurdod Taleithiol Gipuzkoa, *20/04 Foru Dekretua*, tt. 9-11.

26 I. Agirreazkuenaga, *Diversidad y Convivencia Lingüística: Dimensión europea, nacional y claves jurídicas para la normalización del Euskara* (Donostia, 2003).

27 G. Gee a G. Webber, 'What is a Political Constitution?', *Oxford Journal of Legal Studies* 30.2 (2010), 273-99.

28 R. Bellamy, *Political Constitutionalism* (Cambridge, 2007), t. 5.

29 D. Oliver, 'The United Kingdom', yn D. Oliver a C. Fusaro (goln.), *How Constitutions Change: A Comparative Study* (Oxford, 2011), t. 340.

30 C. H. Williams, *Language Law and Policy* (Cardiff). Mae'r gyfrol yn y wasg ac fe'i cyhoeddir yn 2014.

31 C. H. Williams (gol.), *Language and Governance* (Cardiff, 2007), t. 286.

32 N. Johnson, *Reshaping the British Constitution: Essays in Political Interpretation* (Basingstoke, 2004), tt. 14-15.

33 C. H. Williams, *Language Law and Policy*.

34 D. Greenberg, *Craies on Legislation: A Practitioner's Guide to the Nature, Process, Effect and Interpretation of Legislation* (London, 2008), t. 70.

35 *Ibid.*, t. 68. Yr awdur biau'r italeiddio.

36 I. Agirreazkuenaga, 'Cultura, lengua y hecho diferencial', t. 240.

37 B. Tejerina, 'El poder de los símbolos', 100.

38 P. M. Etxenike, 'Un Marco Jurídico Sustentado en el Consenso' yn *La normalización del uso del euskara / Euskararen erabileraren normalkuntza* (Vitoria-Gasteiz, 2003), t. 8.

39 C. H. Williams, *Language and Governance*, t. 45.

40 *Ibid.*, t. 39.

ASTUDIAETH ACHOS

Sofraniaeth y Gymraeg ar ei thir ei hun
Priod Iaith Ceredigion a Sir Gâr
gan Simon Brooks

A oes yna'r fath beth â chymuned naturiol Gymraeg? Oes, siŵr iawn, ac eto nid ydynt yn 'naturiol' ond trwy hap a damwain demograffig ac arferiad cymdeithasol. Mae'r cymunedau hyn fel rhai o'r ynysoedd gwasgaredig hynny yn y Môr Tawel sydd dan fygythiad yn sgil newid hinsawdd. Wrth i lefel y dŵr godi, cânt eu traflyncu, bob un yn eu tro. Rhaid ymyrryd felly er mwyn sefydlogi a ffurfioli'r hen naturioldeb ieithyddol a fu. Gan mai dim ond arferiad hanesyddol sy'n cadw'r Gymraeg yn wyneb y mewnlifiad, rhaid datgan mai'r Gymraeg yw'r briod iaith.

Pentref Cymraeg felly yw Llanddarog yng Nghwm Gwendraeth. Mae bywyd yno'n 'naturiol Gymraeg', sy'n arwydd o 'ewyllysgarwch cymdogaeth' yn ôl Ann Gruffydd Rhys, sy'n byw yn lleol. Bu'n aelod o bwyllgor y neuadd am ugain mlynedd, a honno'n ganolfan i fywyd diwylliannol y cylch, a'i drysau ar agor i Ferched y Wawr, y Ffermwyr Ifanc, partïon plant a sioeau'r ysgol leol. Cymraeg yw iaith y pwyllgor, a Chymraeg yn unig sydd ar yr arwyddion yno. 'Fyddai neb yn meddwl am roi'r arwyddion yn ddwyieithog,' meddai Ann.

Sefyllfa debyg sydd yn Nyffryn Aeron yng Ngheredigion. Er gwaethaf y gostyngiad diweddar yng nghanran y siaradwyr Cymraeg, Cymraeg yw iaith y bywyd diwylliannol yn Theatr Felinfach, clwb yr Hoelion Wyth, Merched y Wawr, pwyllgorau'r neuadd a'r carnifal, y côr a'r Ffermwyr Ifanc, a Chymry sy'n rhedeg tafarn, dwy siop a garej y pentref mwyaf. Dywed Owen Llywelyn, cyn-gynghorydd sir a chynghorydd cymuned erbyn hyn, mai Cymraeg yw iaith holl gyfarfodydd

Cyngor Cymuned Llanfihangel Ystrad, ac unig iaith y cofnodion.

Yn y ddwy gymuned, does neb wedi awgrymu gwneud fel arall, ac mae egwyddor priod iaith, sef cydnabod mai'r Gymraeg yw iaith y gymuned, yn cael ei gweithredu eisoes. Cred Owen y byddai pobl leol yn amddiffyn hawl y cyngor cymuned i weithredu'n Gymraeg pe bai bygythiad i'r drefn honno. Ond dyw'r ymrwymiad i'r Gymraeg ddim wedi'i ffurfioli ar ffurf cyfansoddiadol. A ddylai hynny ddigwydd?

Cyfeddyf Ann Gruffydd Rhys nad oes ganddi ateb i'r cwestiwn hwn. A yw'n ddoeth i fudiadau lleol gael rheol iaith? Ni thrafodwyd dim ar y mater ym mhwyllgor y neuadd am nad oedd 'neb yn meddwl y byddai unrhyw fygythiad i'r Gymraeg'. Y duedd mewn cymunedau Cymraeg yw peidio trafod y pwnc nes i gais am wasanaeth Saesneg gyrraedd, ac mae'n anochel wedyn y caiff y cwbl ei drin mewn amgylchiadau pur anffafriol.

* * *

Mewn llywodraeth leol yn yr hen Ddyfed, rhoddwyd egwyddor priod iaith ar waith hefyd, ond yn lled fympwyol. Dynododd polisi iaith y sir y rhan fwyaf o ysgolion cynradd cefn gwlad yn rhai categori A, yn dysgu trwy'r Gymraeg yn bennaf. Yr unig ffordd o amddiffyn hyn, fel y gwnaed yn llwyddiannus yn erbyn y mudiad dros addysg Saesneg, *Education First*, ar ddiwedd y 1980au a dechrau'r 90au, yw dadlau dros roi blaenoriaeth i'r Gymraeg ar sail diriogaethol. Hynny yw, dadleuir mai'r Gymraeg yw iaith 'naturiol' y cymunedau hyn, ac y dylai polisi addysg adlewyrchu hynny. Ac eto, nid ymestynnwyd y polisi i'r sector uwchradd, a derbynia disgyblion mewn ardaloedd mor Gymreigaidd â Thregaron a Llanbedr Pont Steffan eu haddysg trwy'r Saesneg. Cânt ennill eu graddau A* mewn Cymraeg ail iaith, a siarad Saesneg gyda'u ffrindiau ar y cae rygbi.

Yng nghynghorau sir y de-orllewin, prin fu'r ymdrech i ddefnyddio'r Gymraeg yn iaith gweinyddiaeth fewnol. Dim ond 20% o staff adran addysg Cyngor Sir Gâr sy'n medru'r Gymraeg. Pan oedd yn wrthblaid yng Nghyngor Ceredigion, bu Plaid Cymru'n sôn am Gymreigio'r cyngor fesul adran, ond does fawr o dystiolaeth iddi fynd i'r afael â'r mater ers ennill mwyafrif ar y cyngor yn 2012.

Hanner canrif yn ôl, ychydig o wahaniaeth oedd rhwng y gogledd-orllewin a'r de-orllewin o ran cryfder y Gymraeg. Roedd talpiau eang o'r ddau ranbarth i bob pwrpas ymarferol yn uniaith Gymraeg. Ers hynny, gweddnewidiwyd cyfansoddiad ieithyddol y wlad, ac eto mae'n drawiadol fod y Gymraeg wedi dal ei thir yn well o lawer yng Ngwynedd na Dyfed.

Fel y dengys hanes Llanddarog a Dyffryn Aeron, nid oherwydd diffyg ymrwymiad gan bobl leol y digwyddodd hyn. Defnyddiodd Gwynedd egwyddor priod iaith er mwyn gwneud gwybodaeth o'r Gymraeg yn sgil hanfodol y bu'n rhaid i ddau grŵp hollbwysig feddu arno, disgyblion ysgolion uwchradd a staff y cyngor sir. O ganlyniad ceir pobl ifanc yng Ngwynedd gyda medrau yn y Gymraeg, a chyflogwr lleol ar eu cyfer. Ni ddigwyddodd hynny yn Nyfed, a bu dirywiad yr iaith gymaint yn gyflymach yno o'r herwydd. Mae'n anodd rhagweld adferiad buan i'r Gymraeg yn y de-orllewin nes bod egwyddor priod iaith yn cael ei gweithredu mewn addysg uwchradd a llywodraeth leol yno hefyd.

CENEDLAETHOLDEB

Gwireddu'r genedl ac atgynhyrchu gormes
Richard Glyn Roberts

Ni fydd gwleidyddiaeth wir ryddfreiniol yn ymdroi â sefydlu neu adsefydlu hunaniaeth ond bydd yn canolbwyntio yn hytrach ar ddileu gormes ar ei amryfal weddau.[1]

Cenedlaetholdeb banal Cymreig a Phrydeinig

Drwy wrthod y gwahaniaeth rhethregol rhwng *gwladgarwch* (cyfrifol, normal; Prydain neu Ffrainc dyweder) a *chenedlaetholdeb* (eithafol, afresymegol; Corsica neu Tsetsnia dyweder), a arddelir yn gyffredin mewn trafodaethau academaidd a newyddiadurol, a lledu cwmpas ystyr cenedlaetholdeb i gynnwys dulliau ideolegol atgynhyrchu'r genedl-wladwriaeth, bathodd Michael Billig gysyniad tra defnyddiol: *cenedlaetholdeb banal*. Yn ei lyfr o'r un enw, mae Billig yn trafod effeithiolrwydd atgynhyrchiol cenedlaetholdeb y genedl-wladwriaeth sefydledig, a pharhad ei goruchafiaeth, drwy gyfryngau cyffredin a disylw fel chwaraeon, mân gyfeiriadau at 'y genedl' yn y wasg, a'r baneri sy'n cyhwfan yn gonfensiynol ar adeiladau cyhoeddus.[2] Mae'n debyg nad yw arwyddion beunyddiol, hollbresennol cenedlaetholdeb Prydeinig yn ymddangos mor gynnil i'r rhai ohonom sy'n eu gweld yn wrthun a gormesol. Ond ni olyga hynny na ellir yn fuddiol fenthyg y cysyniad o *genedlaetholdeb banal* a'i gymhwyso at agweddau ar genedlaetholdeb rhanbarthol oddi mewn i'r genedl-wladwriaeth, ac yn neilltuol yr ymdrechion i ddychmygu a gwireddu'r genedl yng Nghymru.

O ymestyn y term *cenedlaetholdeb* i gynnwys yr agweddau ar feithrin a chadarnhau'r ymwybyddiaeth genedlaethol nad ydynt mor wrthnysig o safbwynt y wladwriaeth ganol, daw i'r amlwg natur amlweddog a sylfaenol amwys cenedlaetholdeb Cymreig.[3] Amwysedd hanesyddol yw hwn sy'n parhau ac sydd, drwy ddatblygiad datganoli, wedi dwysáu yn y presennol. Ni ddatblygodd egin cenedlaetholdeb Cymreig diwedd y bedwaredd ganrif ar bymtheg a dechrau'r ugeinfed ganrif mewn gwrthwynebiad absoliwt i genedlaetholdeb *banal* Prydeinig y wladwriaeth. Yn hytrach mae cenedlaetholdeb Cymreig i raddau helaeth yn amlygiad rhanbarthol o genedlaetholdeb Prydeinig ac yn digwydd oddi mewn iddo, yn syniadol ac yn ddiriaethol. Ynghyd â bod yn symbolau cenedligrwydd, yr oedd y Brifysgol, y Llyfrgell, yr Amgueddfa a'r Eisteddfod Genedlaethol, ar yr un pryd, yn gaerau Prydeindod ac mae'r enwau priod sy'n cynrychioli deffroad cenedlaethol troad y ganrif ymron yn ddieithriad yn unigolion a dderbyniodd eu gwobr gan y wladwriaeth – Syr John Rhŷs, Syr John Morris-Jones, Syr J. E. Lloyd, Syr John Williams, Syr O. M. Edwards. Awgryma hyn fod egin cenedlaetholdeb Cymreig a chenedlaetholdeb banal y wladwriaeth Brydeinig yn ideolegau cydgyfeiriol a gynhyrchir ar sail tueddfryd cymdeithasol cyffredin, ac y mae'r rhai sydd ynglŷn â'r mudiadau hyn yn elwa ohonynt yn yr un modd.

Gwrthsafiad tufewnol, a rhannol, i ymlediad cyflawn hegemoni diwylliannol y grŵp llywodraethol Seisnig, fel y'i ymgorfforir yn y wladwriaeth, a geir mewn cenedlaetholdeb Cymreig. Nid oes yn hynny ddim sy'n hynod nac yn annodweddiadol o gysylltiadau pŵer. Fel y gwelodd yr athronydd Michel Foucault, mae pŵer yn rhagdybio gwrthsafiad ond nid o'r tu allan i gwmpas pŵer y daw gwrthsafiad. Nid yw'n bod o flaen y pŵer y mae'n ei wrthsefyll; mae'n hollol gyfoes â'r pŵer, yn ymdebygu iddo ac yn cymryd arno ei nodweddion.[4]

Yn aml bydd ymdriniaethau â chenedlaetholdeb Cymreig yn ei ddiffinio fel ideoleg wyredig, eithafol a negyddol gan anwybyddu rhan y wladwriaeth yn ei gyfansoddiad a chan gymryd cenedlaetholdeb Prydeinig yn ganiataol.[5] Yn y bennod hon, i'r gwrthwyneb, ystyrir cenedlaetholdeb Cymreig megis ochr yn ochr â chenedlaetholdeb Prydeinig y wladwriaeth, ond nid yn y ffordd gonfensiynol drwy faentumio gwrthwynebiad absoliwt rhyngddynt. Yn hytrach trafodir cenedlaetholdeb Cymreig fel parhad cydhanfodol o'r Prydeinig gan ystyried rhai o'r pwyntiau lle maent yn cydgyfeirio ac yn cyfarfod.

Defnyddir cenedlaetholdeb Cymreig yma felly mewn ystyr eang – ehangach na'r arfer – i ddynodi ideoleg sy'n arddel arwahanrwydd mewn perthynas â'r wladwriaeth Brydeinig ar wastad disgyrsaidd ond sydd, yn wrthrychol, yn fodd i sefydlogi'r cysylltiadau pŵer rhwng grwpiau ieithyddol yng Nghymru ac sy'n gadael peirianwaith atgynhyrchu gorthrwm yn gyfan, heb ei gyffwrdd.[6] Mewn gair, cyfrwng sy'n caniatáu atgynhyrchu ar lefel leol y rhagdybiaethau sylfaenol sy'n dilysu'r cysylltiadau pŵer a integreiddir yn y wladwriaeth ac sydd, drwy gymedroli arwyddion allanol amlycaf gormes symbolaidd, yn cuddio hanfod y gormes hwnnw. Yn y modd hwn, drwy gynnwys cydraddoldeb ffurfiol mewn anghydraddoldeb real, mae'n cadarnhau goruchafiaeth y grŵp llywodraethol Saesneg gymaint yn fwy effeithiol a chymaint yn llwyrach.

Gan gyfeirio at y modd y mae'n arosod ffurf normalrwydd hunaniaethol 'cenedlaethol' ar y boblogaeth sy'n trigo oddi mewn i'w therfynau, ac yn gorfodi felly unffurfiaeth theoretig ar blwraliaeth real, deil yr athronydd

Alain Badiou mai cynhyrchu anfodolaeth (*inexistant*, hynny yw peth nad yw'n bodoli) yn ddiarbed a wna'r wladwriaeth a'i chyfryngau.[7] Wrth i'r wladwriaeth orfodi norm hunaniaethol drwy ddyrchafu iaith a diwylliant y dosbarth neu'r grŵp llywodraethol yn iaith a diwylliant cyffredinol oddi mewn i'w thiriogaeth a'u dilysu drwy'r gyfundrefn addysg a gweinyddiaeth gyhoeddus, mae'n anorfod y gwarthnodir y lleill yn ieithoedd a diwylliannau neilltuol (neu, ac arfer label a ddaeth yn gyffredin, *ethnig*). Gan hynny, ym Mhrydain, ac felly yng Nghymru, dyrchefir yr iaith Saesneg yn iaith 'gyffredinol' y mae'n rhaid i bawb ei gwybod, gan ymylu'r Cymry fel siaradwyr iaith 'neilltuol'.

Ymhellach, gan nad ydyw'r gyfundrefn addysg yn caniatáu mynediad cyfartal na chyflawn at y diwylliant cyffredinol (yn rhinwedd y ffaith fod diwylliant ysgol yn adlewyrchu diwylliant cartref dosbarth cymdeithasol neilltuol ac felly'n breinio aelodau'r dosbarth hwnnw â llwyddiant addysgol a gyflwynir fel gwobrwyo 'dawn' mewn sefydliad niwtral), mae gorthrwm symbolaidd yn anochel ynghlwm wrth ymestyn norm hunaniaethol y wladwriaeth. Ac yn rhinwedd y bri a roir ar yr iaith a'r diwylliant dilys yn y farchnad lafur, y mae'n annatod ynghlwm hefyd wrth orthrwm economaidd. Mae hyn yn wir yn achos rhaniadau dosbarth oddi mewn i'r grŵp ieithyddol llywodraethol (a amlygir drwy dafodieithoedd dosbarth ac acenion gwahanol), ond mae'n amlycach eto yn achos grwpiau ieithyddol gwahanol a warthnodir yn rhai abnormal:

Mae sefydlu undod diwylliannol ac ieithyddol yn gysylltiedig â gorfodi'r iaith a'r diwylliant llywodraethol fel y rhai dilys, a gwrthod y rhai eraill i gyd a'u gwarthnodi fel *patois*. Effaith mynediad un iaith neu un diwylliant neilltuol at gyffredinolrwydd yw hel y lleill i faes neilltuolrwydd; hefyd, gan nad

ydyw cyffredinolder y gofynion a sefydlir yn y modd
hwn yn dod gyda chyffredinolder mynediad at y
moddion i'w bodloni, mae'n ffafrio ar yr un pryd
fonopoleiddio'r cyffredinol gan rai a dadfeddiannu'r
lleill, a lurgunnir felly, fel petai, yn eu dynoliaeth.[8]

Dyma'r paradocs sydd yn ymhlyg ymhob achos o
'imperialaeth y cyffredinol', term a ddefnyddir gan y
cymdeithasegydd Pierre Bourdieu yng nghyd-destun
imperialaeth ddiwylliannol Ffrainc (yn hanesyddol) a'r
Unol Daleithiau (heddiw) ond a gymhwysir yma at ymestyn
hegemoni oddi mewn i'r wladwriaeth mewn modd nid
annhebyg i'r defnydd a wnaed o 'wladychu mewnol' fel erfyn
i ddehongli datblygiad anghyfartal o fewn tiriogaeth y
wladwriaeth.[9] Gellir sefydlu'r rheidrwydd i gydymffurfio â'r
diwylliant cyffredinol ond gan mai cyffredinolder ydyw sydd
wedi ei seilio ar ddyrchafu ac ymestyn neilltuolrwydd grŵp
neilltuol, mae'n anochel y bydd gan rai, rhagor eraill,
fynediad rhwyddach at y cyffredinolder hwn, gan roi
mantais amlwg i aelodau'r grŵp y dyrchefir ei ddiwylliant i
wastad y cyffredinol ac esgor ar orthrwm symbolaidd ar y
lleill.

Cyfyd paradocs pellach yn yr ymateb posibl i orthrwm, a
fynegir gan Bourdieu yn y termau hyn: os nad oes gan y sawl
a orthrymir ddewis yn wyneb gorthrwm ond arddel yr hyn y
mae'n orthrymedig o'i herwydd a ellir sôn am wrthsafiad yn
y cyswllt hwn? Ac i'r gwrthwyneb, pan fo'r gorthrymedig yn
ymdrechu i ddiosg y nodwedd sy'n eu diffinio'n
orthrymedig, a ellir yn y cyswllt hwn sôn am ildio? Hynny
yw, 'gall gwrthsafiad fod yn ddieithriol a gall ildio fod yn
rhyddfreiniol'. Mae'n baradocs nad oes datrys arno ac yn
rhan annatod ac anochel o *logic* gorthrwm symbolaidd.[10]

Mae hyn yn boenus o eglur, nid yn unig yn achos y
Cymry hynny sy'n troi i siarad Saesneg ymysg ei gilydd neu

sy'n magu eu plant yn Saeson, ac felly'n cyfrannu at ddileu eu priod gyfrwng cyfathrebu, ond hefyd yn achos pawb ohonom sy'n troi i'r Saesneg ar amrantiad pan ddeuwn i gyswllt â Saeson, gan ildio i'r norm a gyfryngir ganddynt, a thrwyddynt, er mwyn osgoi ein gwarthnodi'n abnormal.[11] Yn hanesyddol mae Cymry lawer wedi mynegi eu gwrthsafiad i warthnod yn y modd hwn, hynny yw, drwy siarad Saesneg a mynd yn Saeson. Drwy hynny daw y mwyafrif ohonynt yn agored i ormes symbolaidd cynilach oddi mewn i'w grŵp ieithyddol newydd, wrth i'r gorthrwm sy'n ymrithio ar ffurf gwerth cymharol tafodieithoedd dosbarth (sy'n amlycach o lawer yn Saesneg nag yn Gymraeg) gymryd lle'r gorthrwm cynharach a amlygid yn y berthynas rhwng grwpiau ieithyddol arwahanol. Yn y cyfryw amgylchiadau mae cysylltiadau pŵer yn dagfa ar bosibiliadau eraill nas gwireddwyd.

Y posibilrwydd arall fyddai arddel gwarthnod y Gymraeg. Yn hanesyddol yn y Gymru Gymraeg mae'n debyg nad oedd y rhyngwyneb rhwng y Cymry a'r Saeson yn ddigon llydan i ganiatáu bwrw heibio'r Gymraeg. Hynny yw, yr oedd crynoder uwch y Cymry a'u cydlynedd fel grŵp cymdeithasol yn yr ardaloedd hyn yn golygu nad oedd yr amgylchiadau mor ffafriol i'w troi yn Saeson. A chan hynny nid oedd ganddynt ddewis ond arddel y Gymraeg a derbyn y gwarthnod a ddeuai i'w chanlyn.

Mewn amgylchiadau o'r fath, nid yw'n syndod i rai, yn y gobaith o fynd heibio i'r strategaethau hyn, sydd ill dwy yn cynnwys ymostyngiad i norm hunaniaethol y wladwriaeth, weld cenedlaetholdeb fel modd realistig o ddileu effeithiau gorthrwm, a gwrthdroi'r gyfundrefn werthoedd sy'n gwarthnodi'r Cymry, drwy godi'r Gymraeg yn gyfrwng cyffredinol ar ei thir ei hun.

Fodd bynnag, yn ei hanfod, amcan y mudiad cenedlaethol Cymreig yw adsefydlu hunaniaeth gydryw

oddi mewn i endid tiriogaethol hanesyddol a elwir Cymru
ac y cydnabyddir ei ffiniau gan y wladwriaeth (Cymru'n
cynnwys hyn a hyn o siroedd); endid mympwyol o safbwynt
y grŵp ieithyddol gorthrymedig a erys yn lleiafrif ynddo fel
y mae'n lleiafrif hefyd ym Mhrydain.[12] Os ymddengys fel pe
bai cenedlaetholdeb yn grymuso'r Cymry i wrthsefyll
gorthrwm symbolaidd y mae hynny oherwydd amwysedd
sylfaenol cenedlaetholdeb Cymreig y mae'r agweddau
ymddangosiadol ryddfreiniol arno – yn neilltuol y
cydraddoldeb ffurfiol a ymgorfforir mewn dwyieithrwydd –
yn gweithredu fel abwyd i'r Cymry. Yn y modd hwn,
llwyddir i gelu hanfod gormesol y cysylltiadau pŵer a
ddilysir ganddo ac a sefydlogir ynddo ac ennill felly
gefnogaeth y rhai sy'n disgwyl yr union wrthwyneb i'r hyn y
mae'n ei wneud mewn gwirionedd.

Wrth i'r grŵp ieithyddol gael ei ddiffinio yn nhermau
hunaniaeth fel gwyriad oddi wrth norm hunaniaethol dilys y
wladwriaeth, a chael ei gymell wedyn i'w *ddiffinio ei hun*
mewn perthynas â'r hunaniaeth honno, gan fynegi ei
wrthsafiad yn nhermau hunaniaeth genedlaethol
diriogaethol anachronistaidd y mae ei briod arfer ieithyddol
yn symbol gweddillol o arwahanrwydd hanesyddol ei
thiriogaeth, caiff ei hun yn wynebu anfantais ddyblyg drwy
fod cenedlaetholdeb Cymreig yn gyfrwng i atgynhyrchu'r
gorthrwm symbolaidd ar y grŵp ieithyddol Cymraeg ar wastad
mwy lleol. Oherwydd nid yn nhermau adsefydlu hunaniaeth
y mae deall y gwrthsafiad i orthrwm symbolaidd ond yn
nhermau cysylltiadau pŵer a pheirianwaith gorthrwm:

> Yr hyn sydd yn y fantol yn y chwyldro symbolaidd yn
> erbyn gorthrwm symbolaidd a'i effeithiau *bygythiol*
> yw nid, fel y dywedir, ennill neu adennill hunaniaeth,
> ond adfeddiannu'n dorfol y pŵer hwn dros
> egwyddorion cyfansoddi a gwerthuso ei briod

hunaniaeth y mae'r gorthrymedig yn ei ildio er mantais i'r gorthrymwr cyhyd ag y bydd yn derbyn y dewis o gael ei wadu neu ei wadu ei hun (a gwadu y rheini ymysg ei bobl ei hun nad oes arnynt eisiau ymwadu neu na allant ymwadu) er mwyn cael ei gydnabod.[13]

Gall cenedlaetholwyr arddel y Gymraeg megis crair ar wastad symbolaidd a swyddogol yn eu hymdrech i sefydlu hunaniaeth arwahanol – 'jwg ar seld' Parry-Williams – heb fynd i'r afael â pheirianwaith gormes yn ei ymwneud â'r grŵp ieithyddol gorthrymedig sydd yntau'n arddel yr iaith, nid fel symbol, ond fel *praxis*, hynny yw yn weithredol. A chan fod ei barhad fel grŵp cydlynol megis yn brawf diymwad o'r gorthrwm sydd ynghlwm â ffurfiant yr endid cenedlaethol newydd, trwy ddatgysylltu'r iaith oddi wrth ei siaradwyr mae hyrwyddwyr cenedlaetholdeb yn ennill manteision lawer. Cânt fantais symbolaidd drwy godi'r iaith yn arwydd o arwahanrwydd hanesyddol Cymru ac ar y llaw arall fantais ymarferol drwy fod rhoi bri ar yr iaith yn annilysu ymlaen llaw unrhyw edliwiad o du'r grŵp ieithyddol gorthrymedig eu bod yn ormesedig o hyd, ac yn cyfrannu felly at ei ddadfeiliad fel grŵp. Er mwyn dileu'r gorthrwm symbolaidd mewn gwirionedd nid digon yw gwyrdroi symbolau, rhaid datgymalu'r peirianwaith y mae gorthrwm yn gweithredu trwyddo. Mewn cyswllt arall, cyfatebol deil Foucault:

> Ymddengys i mi mai'r wir dasg wleidyddol, mewn cymdeithas fel ein un ni, yw beirniadu gweithrediad sefydliadau ymddangosiadol niwtral ac annibynnol; eu beirniadu ac ymosod arnynt yn y fath fodd ag y dadlennir y trais gwleidyddol sy'n gweithredu'n annelwig ynddynt ac y gellir ymladd yn eu herbyn.

Mae'r feirniadaeth hon a'r ymdrech hon yn ymddangos i mi yn hanfodol am amryw resymau: yn gyntaf, oherwydd bod pŵer gwleidyddol yn mynd yn llawer dyfnach nag yr amheuir; mae ganddo ganolfannau a chadarnleoedd anweledig, na wyddir prin ddim amdanynt; efallai fod ei wir wytnwch, ei wir gadernid i'w ganfod yn y man lle nad ydys yn ei ddisgwyl. Efallai nad digon yw dweud fod y dosbarth llywodraethol yn gorwedd y tu ôl i aparatws y Wladwriaeth; rhaid lleoli'r pwynt gweithredu, y mannau a'r ffurfiau a gymer y gorthrwm hwn yn ei weithrediad. A chan nad mynegiant syml o ecsbloitio economaidd, mewn termau politicaidd, ydyw'r gorthrwm hwn, ond yn hytrach ei erfyn, ac i raddau helaeth yr amod sy'n ei wneud yn bosibl; byddir yn llwyddo i ddiddymu'r naill drwy amgyffred y llall yn llwyr. Oni lwyddir i adnabod y cadarnleoedd hyn sydd gan bŵer dosbarth, yr ydys yn mentro caniatáu iddynt barhau i fodoli a gweld ailgyfansoddiad y pŵer dosbarth yma wedi proses chwyldroadol ymddangosiadol.[14]

Ailgyfansoddiad cysylltiadau pŵer wedi proses chwyldroadol ymddangosiadol. Rhywbeth ar hyd y llinellau hyn sydd wedi digwydd yng Nghymru yn dilyn datganoli, proses a gyflwynwyd ar y pryd ac a gyflwynir o hyd yn un chwyldroadol yng nghyswllt y berthynas rhwng y 'genedl' a'r wladwriaeth ganol. Proses yr un mor chwyldroadol yng nghyswllt yr iaith Gymraeg a ddyrchafwyd i statws iaith swyddogol a chrair cenedlaethol, sy'n symbol o arwahanrwydd hanesyddol dilys, ac yn wrthrych 'consensws'. Proses sydd ar yr un pryd yn llechwraidd atgynhyrchu'r gormes symbolaidd ar y Cymry, hynny yw ar y grŵp ieithyddol gorthrymedig.[15]

Cenedlaetholdeb a'r grŵp ieithyddol

Pe na bai'r grŵp ieithyddol lleiafrifedig yn bodoli fel endid wedi ei warthnodi a'i ddiffinio gan ddiffyg ei gyfalaf symbolaidd, ni fyddai'n rhaid iddo arddel ac amddiffyn ei fodolaeth o gwbl.[16] Trwy genedlaetholdeb, fodd bynnag, ailddiffinnir terfynau derbyniol hunaniaeth arwahanol gan ysgogi gwyrdroad symbolaidd sy'n rhoi gwerth ar nod amgen arwahanrwydd (*yr iaith Gymraeg*), heb fynd i'r afael â'r mecanweithiau y mae gormes yn gweithredu trwyddynt. Yn y modd hwn annilysir bodolaeth y grŵp ieithyddol gan danseilio felly ei allu i wrthsefyll gorthrwm. Tragwyddolir, ar yr un pryd, israddoldeb siaradwyr Cymraeg drwy gyfrwng egwyddor dwyieithrwydd sy'n atgynhyrchu mewn modd cynilach – ond nid llai effeithiol na llai dogmatig – annilysrwydd eu harfer ieithyddol mewn perthynas â norm dilys y wladwriaeth. Absenoldeb defnyddwyr yr iaith (y grŵp ieithyddol) a'r duedd gysylltiedig i ddiriaethu'r iaith, ei hysgaru oddi wrth ei siaradwyr, ei phersonoli a'i hystyried yn endid sy'n bodoli'n annibynnol ar ei chyd-destun cymdeithasol, sy'n nodweddu disgwrs cenedlaetholwyr yn eu hymwneud â'r Gymraeg.

Mae mawrygu'r iaith fel symbol o genedligrwydd a dirmygu ei siaradwyr yn rhan o'r un symudiad. Yn y cyswllt hwn, dadl sy'n digwydd oddi mewn i genedlaetholdeb i raddau helaeth yw honno rhwng puryddwyr ieithyddol a phleidwyr polisi iaith *laissez-faire*, safbwyntiau a gynrychiolir ar wastad academaidd gan eiriaduraeth derminolegol ar y naill law a sosioieithyddiaeth ar y llall. Dwy wyddor yw'r rhain sy'n enghreifftio ynddynt eu hunain israddoldeb y Cymry mewn perthynas ag arfer ieithyddol y grŵp llywodraethol.[17] Amlygir y rhagdybiaeth sylfaenol a'r tueddiadau dilynol sy'n gyffredin i'r ddau safbwynt yn y drafodaeth ar gymysgu côd mewn Cymraeg llafar (hynny yw, defnyddio elfennau a welir fel rhai sy'n perthyn i'r Saesneg wrth siarad Cymraeg).

Bydd y puryddwyr yn dehongli'r cymysgu côd sy'n nodweddu llafar llawer o Gymry mewn termau moesol, gan gondemnio diogi neu anwybodaeth affwysol siaradwyr Cymraeg yn llurgunio'r iaith megis yn fwriadol. Awgrymir felly fod yr iaith rywfodd yn cael ei gormesu gan ei phriod siaradwyr, y disgwylir iddynt ei chadw ar ffurf ddigyfnewid yn annibynnol ar amodau cymdeithasol ei ffurfiant (hynny yw, amodau caffael hyfedredd ynddi), neu ei chynnal yn offeryn mynegiant mor ystwyth â'r Saesneg *mewn potensial* yn annibynnol ar y cyfleoedd real i'w defnyddio yn ei rhychwant. Trwy wneud ffetish o gywirdeb a phurdeb geirfaol yn y modd hwn megir cymhlethdod ymysg siaradwyr Cymraeg ynghylch eu gallu i siarad ac ysgrifennu eu hiaith hwy eu hunain, gan brysuro'r cefnu arni fel offeryn cyfathrebu.

Yn wyneb yr un ffenomen deil y rhyddfrydwyr fod cymysgu côd yn nodwedd normal mewn cymdeithas ddwyieithog *sefydlog*, ac felly'n dderbyniol. Cyfeirir weithiau at y gwahaniaeth rhwng gramadeg disgrifiadol a gramadeg deddfol heb sylweddoli fod elfen ddeddfol yn ymhlyg yn y disgrifiadol yn y modd y mae'n dilysu'r hyn a ddisgrifir drwy anwybyddu'r amodau sy'n peri iddo ddigwydd, hynny yw cysylltiadau pŵer. Yn anochel mae niwtraliaeth ymddangosiadol ieithyddiaeth ddisgrifiadol, sy'n osgoi cwestiwn amodau cymdeithasol caffael iaith a hyfedredd ieithyddol, yn cynhyrchu cyfiawnhad effeithiol i bolisïau ieithyddol y gyfundrefn ryddfrydol, gan gyfrannu at sefydlu'r Gymraeg yn gyfrwng ansafonol a thanseilio'r ymdrechion i ymestyn cyd-destun ei defnydd. Oherwydd mae i ddatganiadau'r gwyddorau ddylanwad ac effeithiau gwleidyddol nad ydynt o reidrwydd yn adlewyrchu bwriadau'r awduron, ac nid oes gweithred sy'n llai niwtral wrth drafod y byd cymdeithasol na datgan yr hyn sy'n bod gydag awdurdod.[18] O fwriad, neu'n anfwriadol, mae sosioieithwyr rhyddfrydol yn darparu'r cyfiawnhad theoretig angenrheidiol i wyngalchu'r gorthrwm ar y grŵp ieithyddol Cymraeg.

Gwelir fod y puryddwyr a'r rhyddfrydwyr fel ei gilydd yn ystyried arfer ieithyddol siaradwyr megis yn gynnyrch consenswus rhwng unigolion sy'n gweithredu'n rhesymegol mewn rhyddid llwyr. Hynny yw mae'r ddau safbwynt yn rhagdybio goddrych fel y'i deellir mewn athroniaeth Gartesaidd: ymwybod anhanesyddol, hunangyfansoddiadol a hollol rydd. Mae beirniadaeth radical ar athroniaeth y goddrych yn ganolog i epistemoleg hanesyddol Foucault (a ddiffiniodd amcan ei waith fel cynhyrchu hanes moddau cyfansoddiad y goddrych) ac yng nghymdeithaseg Bourdieu arferir clwstwr o gysyniadau allweddol – *habitus* ac *agent* yn neilltuol – gyda'r amcan o fynd y tu hwnt i ddeuoliaeth wrthwynebol draddodiadol ewyllys rydd a phenderfyniaeth (*déterminisme*).[19]

Nid ar wastad grym ffisegol y mae gorthrwm symbolaidd yn gweithredu ond yn hytrach grym ydyw sy'n abl i hawlio cydnabyddiaeth y gorthrymedig yn ddigymell. Gan hynny, unwaith y ceir ymwared rhag cysylltiadau grym o natur ffisegol a syrthio i afael cysylltiadau grym symbolaidd, mae'n hawdd troi tuag at athroniaeth y goddrych ac ymwybyddiaeth gan ddehongli gweithredoedd o gydnabyddiaeth fel gweithredoedd rhydd o ufudd-dod neu ymostyngiad.[20] Oherwydd eu hymlyniad naïf wrth y goddrych (sy'n rhydd ac felly'n gyfrifol), a'r duedd ddilynol i amgyffred gweithredoedd pobl yn annibynnol ar – ac megis uwchlaw – eu cyd-destun cymdeithasol, mae'r puryddwyr a'r rhyddfrydwyr ieithyddol fel ei gilydd yn ddall i ormes ieithyddol ac yn anabl i amgyffred cymysgu côd fel nodwedd sy'n perthyn i bŵer a gorthrwm.[21] Ymhellach, yn rhannol oherwydd eu hamharodrwydd i broblemateiddio cyd-destun cymdeithasol cymysgu côd, erys goruchafiaeth y Saesneg yn ymhlyg yn y ddau safbwynt a chan hynny gellir eu hystyried ill dau yn ddisgyrsiau sy'n cadarnhau, yn ddiarwybod i'w hyrwyddwyr, hegemoni ieithyddol y grŵp llywodraethol Saesneg.

Mewn sosioieithyddiaeth ryddfrydol ymgorfforir goruchafiaeth y Saesneg yng nghonsept ffuantus *dwyieithrwydd sefydlog* sydd, meddir, yn gynnyrch amgylchiadau cymdeithasol sefydlog y rhagdybir eu bod yn ymgorfforiad o degwch.[22] Wrth gwrs, y sefydlogrwydd sylfaenol yn y ffenomen a ddisgrifir fel dwyieithrwydd sefydlog yw sefydlogrwydd y cysylltiadau grym sy'n ei gynhyrchu. Rhwng y Cymry yn unig y mae llafar dwyieithog yn digwydd a phan fyddant yn siarad Cymraeg y bydd siaradwyr yn cymysgu côd. Nid archwilir o gwbl y cwestiwn pam nad ydyw hyn yn digwydd pan fyddant yn siarad Saesneg. Efallai y byddai gofyn hyn yn taro'r sylwedyddion yn chwithig gan ei naïfrwydd ond y cwestiwn hwn sy'n allwedd i ddadlennu'r berthynas sylfaenol rhwng y ddwy iaith, eu gwerth yn y farchnad a statws cyfatebol eu siaradwyr. Yn y cyswllt hwn, yn hytrach na dilysu'r diffiniad swyddogol o'r iaith swyddogol a'i chodi'n norm cyffredinol (gan anwybyddu amodau cymdeithasol caffael iaith a chyfansoddiad y farchnad lle y sefydlir ac y gorfodir y diffiniad o'r dilys a'r annilys),[23] mae sosioieithyddiaeth yn gweithredu gwyrdroad llwyr gan gadarnhau hegemoni ieithyddol ymarferol y grŵp llywodraethol drwy ddilysu'r ffurf ar lafar y grŵp gorthrymedig sy'n amlygiad ohono ar ei fwyaf gorthrymedig, a chadarnhau felly ei israddoldeb.

Mae puryddwyr ieithyddol ar y llaw arall, yn neilltuol drwy gyfrwng geiriaduraeth derminolegol, yn atgynhyrchu gormes drwy sefydlu norm safonol newydd *in vitro* sy'n dyrchafu'r iaith uwchlaw (hynny yw, ar draul) ei siaradwyr.

Yn y modd hwn y mae deall sylw Bourdieu fod pob cenedlaetholdeb, ymron yn ddieithriad, wedi ei dynghedu i atgynhyrchu'r prosesau unffurfiaethol y mae'n eu collfarnu.[24] Ond y mae goruchafiaeth y Saesneg hefyd yn ymhlyg yn y norm safonol newydd. Mewn geiriaduraeth derminolegol, glos ar y Saesneg yw'r Gymraeg yn ddieithriad ac amcan gweithgarwch terminolegol yw cyfleu union ystyr y gair Saesneg yn Gymraeg, gan ymdrechu i sicrhau cyfatebiaeth semantig lwyr rhwng y gair Cymraeg a'r gair Saesneg gwreiddiol. Yn y modd hwn cyplysir cylch semantaidd geiriau Cymraeg wrth ystyr y geiriau Saesneg cyfatebol, gan rwystro neu annilysu datblygiad semantaidd amgen a chadarnhau perthynas o ddibyniaeth.

Y tu hwnt i elfennau lecsigol, mae'n debyg fod peth ymyrraeth â chystrawen hefyd er mwyn sicrhau cyfatebiaeth gryno gair am air yn hytrach na gair am ymadrodd. Hynny yw pan fo dewis o ddau ddull derbyniol yn Gymraeg i fynegi'r cysyniad a gyfleir gan air Saesneg dewisir y ffurf gryno er mwyn adlewyrchu yn Gymraeg grynoder y Saesneg; er enghraifft wrth ddewis ansoddair berfol yn lle rhangymeriad gorffennol yn groes i arfer siaradwyr (e.e. *listed building* yn rhoi 'adeilad rhestredig' yn hytrach nag 'adeilad wedi'i restru'). Yn aml enghreifftir y ddibyniaeth o chwith wrth i'r geiriadurwr wrthod gair benthyg amlwg neu ddewis gair sy'n ddieithr wrth ochr y gair Saesneg. Nid yw'r gyfryw ymgais i gyfleu gwahanrwydd yn newid dim ar yr amcan sylfaenol ac erys y fenter yn ddarostyngedig i awdurdod ei deunydd crai: *lexis* yr iaith Saesneg. Pe bai hon yn broses fwriadus yn ei chyflawnder – hynny yw pe bai'r ddibyniaeth ar y Saesneg yn echblyg, agored – gellid ei disgrifio yn nhermau *colinguisme*, cysyniad a grewyd gan Renée Balibar.[25] Ond cais y broses eiriadurol roi'r argraff nad yw'r Saesneg yn bodoli ond fel casgliad o eiriau cyfwerth â'r eirfa Gymraeg gyfatebol gyferbyn, tra bod ei gafael mewn gwirionedd yn llawer mwy na hynny. Mae'r un egwyddor yn ymhlyg ym mhob cyfieithu yng Nghymru.

Amcan cyfieithu i'r Saesneg ydyw cadarnhau goruchafiaeth siaradwyr Saesneg drwy sicrhau nad ydyw gweithgarwch drwy gyfrwng y Gymraeg yn tanseilio hegemoni diwylliannol y grŵp llywodraethol. Amcan pennaf cyfieithu i'r Gymraeg yw atgynhyrchu'n ufudd ddisgwrs sefydliadol ac ymdrechu i wneud hynny mewn iaith sydd mor obsesiynol agos â phosib at yr iaith wreiddiol fel nad ydyw'n gwyro dim oddi wrthi, hyd yn oed o ran rhychwant semantaidd posibl ei helfennau.[26]

Er gwaethaf y dehongliad cyffredin ohonynt fel safbwyntiau sy'n perthyn i ddau begwn gwahanol, oherwydd eu bod ill dau yn rhagdybio goddrych Cartesaidd mae puryddiaeth a rhyddfrydiaeth ieithyddol fel ei gilydd yn dderbyniol yng nghyd-destun cynllunio ieithyddol rhyddfrydol. Oherwydd fel yr erys cysylltiadau grym yn ddigrybwyll yn y drafodaeth ar gymysgu côd, felly hefyd y cyfundrefnir cysylltiadau grym, a hegemoni'r grŵp llywodraethol, mewn deddfwriaeth a pholisïau consesiynol sy'n gynnyrch cynllunio iaith:

> Felly gellir gweld yr agwedd echblyg ar gynllunio iaith fel yr ymateb a hawlir oddi wrth ddeiliaid grym i alwadau lleiafrifoedd, tra mai sicrhau gafael y grŵp llywodraethol ar rym yw ei agwedd ddigrybwyll.[27]

Mae maentumio sofraniaeth y goddrych a blaenoriaeth yr unigolyn yn greiddiol i gynllunio o'r fath, oherwydd yn yr un modd ag yn y drafodaeth ar gymysgu côd, mewn cynllunio ieithyddol yng Nghymru rhagdybir rhyddid dilyffethair y siaradwr unigol i ddewis siarad neu ddewis peidio siarad y Gymraeg, gan ryddhau'r wladwriaeth o unrhyw gyfrifoldeb.[28]

Fel y gwelodd y cymdeithasegydd Glyn Williams, mewn disgwrs swyddogol rhagdybir fod 'consesiynau i grwpiau lleiafrifol yn bosibl, a hyd yn oed yn ddymunol, cyn belled nad ydynt yn peryglu natur y berthynas lywodraethol/lleiafrifol.'[29] Gan hynny canolbwyntia cynllunio ieithyddol yng Nghymru ar gydraddoldeb damcaniaethol a wireddir ar bapur drwy ddwyieithrwydd ffurfiol ac a weithredir drwy gyfrwng cyfieithu. Ni pheryglir felly oruchafiaeth ieithyddol y grŵp llywodraethol Saesneg a chadarnheir israddoldeb sylfaenol y Cymry yn wrthrychol drwy gyflwyno cydraddoldeb ymddangosiadol sy'n ymgorffori gormes symbolaidd a ddiystyrir yn ei wirionedd fel amlygiad o bŵer y grŵp llywodraethol.

Ers datganoli, daeth cyfieithu'n greiddiol i bob gweithgarwch Cymraeg – cynghorau, dramâu, priodasau *bourgeois* ac felly ymlaen – ond erys yn ymylol neu'n absennol ym mhob gweithgarwch Saesneg. Ymhellach, drwy ddarparu cyfieithu ar y pryd cymhellir y Cymry mewn cyd-destunau swyddogol a chyhoeddus i gymryd rhan weithredol yn y broses o wadu'r gorthrwm sydd arnynt drwy eu beichio â'r ymdeimlad o reidrwydd i siarad Cymraeg yn yr amgylchiadau mwyaf chwithig, pan fo mwyafrif llethol eu cydsiaradwyr yn Saeson. Yn y cyswllt olaf hwn mae peirianwaith gorthrwm ieithyddol yn y Gymru ddatganoledig yn wirioneddol athrylithgar.

Pan fo Cymro, er gwaethaf pob ymdeimlad o annifyrrwch, mewn cyfarfod cyhoeddus dyweder, yn agor ei geg i ddweud rhywbeth yn Gymraeg er mwyn sefydlu'r pwynt politicaidd dyheadol (neu theoretig) fod y Gymraeg a'r Saesneg yn gydradd, mae'n cyfrannu at ledaenu'r anwiredd swyddogol sy'n datgan eu bod yn gydradd mewn gwirionedd, a thrwy hynny'n dirymu unrhyw gyhuddiad o orthrwm ieithyddol ymlaen llaw. Os llefara yn Saesneg, maentumir mai dewis gwneud hynny o'i wirfodd a wna ac er yr ystyrir hynny'n drueni 'o safbwynt yr iaith', ni ellir beio neb ond y siaradwr unigol am beidio ag arfer ei hawl neu yn hytrach am arfer ei hawl i beidio.

Mae'r pwyslais hwn ar unigolyddiaeth ac ar hawliau'r unigolyn, nad ydynt, fel hawliau dynol, ond egwyddorion gweigion heb eu gwreiddio mewn realiti,[30] yn gwbl gyson â'r gwrthchwyldro neoryddfrydol sydd, ers diwedd saithdegau'r ganrif ddiwethaf, wedi ysgubo drwy wledydd y gorllewin. Ac nid drwy nofio'n groes i'r llif neoryddfrydol y daeth llwyddiant cenedlaetholdeb Cymreig.

Cenedlaetholdeb a neoryddfrydiaeth

Un o gryfderau – onid pennaf cryfder – yr ideoleg ryddfrydol lywodraethol yw ei gallu i gynnwys ymraniadau ac amrywiaeth.[31] Yn ymhlyg yn hyn mae capasiti gorthrwm i ddargyfeirio er ei fantais ei hun feirniadaeth arno a gwrthsafiad iddo; oherwydd nid ymostyngiad y gorthrymedig yn unig sy'n sicrhau parhad y gyfundrefn a'i gweithrediad llyfn ond ei gallu i drawsnewid yn wyneb gwrthsafiad.[32] Gan hynny gall Cymreictod a Phrydeindod fel ei gilydd fod yn gyfryngau i ledaenu'r efengyl neoryddfrydol a chadarnhau yn rhan o ffabrig pob trafodaeth ei rhagdybiaethau, ei *doxa* (hynny yw, y syniadau sylfaenol nas cwestiynir, a ddefnyddir wrth ddadlau ond na ddadleuir yn eu cylch). Ac nid hap a damwain sy'n cyfrif am y cyfatebiaethau gwaelodol rhwng yr ymosodiad neoryddfrydol ar y wladwriaeth les, ar sefydlogrwydd cyflogaeth ac ar gynhyrchion diwylliannol nad ydynt yn uniongyrchol fasnachol ar y naill law, ac ar y llall effeithiau'r ymdrechion i adeiladu cenedl (Brydeinig neu Gymreig) ar y Gymru Gymraeg.

Fel y cymhwysa'r gyfundrefn neoryddfrydol

egwyddorion y farchnad — blaenoriaeth egwyddor eiddo preifat, cystadleuaeth agored, marchnad rydd — at bob agwedd ar fywyd, felly hefyd y trawsffurfir tueddiadau economaidd yn dynged, a chyfundrefn wleidyddol yn drefn naturiol, yn y drafodaeth am y cymunedau Cymraeg. A thrwy faentumio na ellir gwrthsefyll grymoedd economaidd meithrinir agwedd ffatalistig yn wyneb eu dadfeiliad. Adlewyrcha hyn y toriad rhwng yr economi a realiti cymdeithasol sy'n nodweddu'r rhaglen neoryddfrydol, a gais sefydlu mewn realiti system economaidd sy'n cyfateb i'w disgrifiad theoretig ond sy'n gwbl ddifraw i'r chwalfa gymdeithasol a gynhyrchir ganddi.[33] Ac yn yr un modd ag y mae ansefydlogrwydd cyflogaeth a bygythiad parhaus diweithdra yn dadwneud clymau cydymdrech gan greu poblogaeth o unigolion dof ac ynysig, felly y mae'r pwyslais ar iaith fel nodwedd hunaniaethol unigolyddol, yn atomeiddio'r grŵp ieithyddol Cymraeg gan wneud siaradwyr Cymraeg yn llai atebol i wrthsefyll gorthrwm.

Cyflwynir hyn oll, mewn cyfres o allweddeiriau llednais, fel rhyddid yr unigolyn, hyblygrwydd, symudedd, moderneiddio, effeithiolrwydd, amlddiwylliannedd, dwyieithrwydd ac felly ymlaen. Nod amgen pob chwyldro ceidwadol yw cyflwyno ei genadwri gaethiwus mewn termau sy'n awgrymu rhyddid newydd a chyflwyno felly adferiad ceidwadol fel chwyldro gwirioneddol. Oherwydd ar yr un pryd darlunnir yr ymateb amddiffynnol i'r tueddiadau hyn a'r ymdrech i ddiogelu enillion y gorffennol fel symudiad adweithiol, yn bennaf drwy wyrdroi ystyr geiriau. Gwarthnodir felly ymlyniad yr Eisteddfod wrth y rheol Gymraeg fel plwyfoldeb, y disgwyl i Saeson yn yr ardaloedd Cymraeg ddysgu'r iaith fel hiliaeth, ymdrech Eos i sicrhau bywoliaeth deg i gerddorion Cymraeg fel haerllugrwydd barus.

Wrth i safbwynt y gorthrymwr ymsefydlu fel consensws

neu fel ffrâm gyffredinol y mae pob barn arall yn bodoli oddi
mewn iddi, llwyddir i gyflwyno'r ymdrechion i wrthsefyll
gormes y gyfundrefn fel rhai iwtopaidd, nad oes iddynt
sylfaen mewn realiti, ac sy'n perthyn felly i deyrnas yr
amhosibl. Oherwydd, fel y dywed Badiou, mae'r
wladwriaeth yn neilltuo iddi hi ei hun yr hawl i ddiffinio
cwmpas y posibl.[34] A thrwy gyfrwng diffiniad haearnaidd a
thaeog o'r posibl, cadarnheir rhesymoldeb naturiol a
digwestiwn y drefn gymdeithasol gan alltudio felly i'r cyrion
afreal bob ymgais i gwestiynu ei thegwch sylfaenol.

Torri'r consenswys yma gan esgor ar bosibilrwydd
newydd wna pob ymdrech ryddfreiniol mewn
gwleidyddiaeth. Eisoes ar ddiwedd y 1960au traethai J. R.
Jones – gelyn digymrodedd gwleidyddiaeth y posibl –
wirionedd cyffelyb.[35]

* * *

Mewn darlith radio yn 1979 ymroes yr hanesydd Marcsaidd
o genedlaetholwr, ond amwys ei agwedd at y gymdeithas
Gymraeg, Gwyn A. Williams i ddaroganu'n rhethregol:

> Os bydd cyfalafiaeth yn Ynysoedd Prydain fyw, bydd
> Cymru farw. Os yw Cymru i fyw, rhaid i gyfalafiaeth
> yn Ynysoedd Prydain farw.[36]

Dengys hanes y cyfnod Thatcheraidd ac ôl-Thatcheraidd
(hynny yw *tra*-Thatcheraidd) mai fel arall y bu. Daeth yn
eglur bellach fod Cymru (*Wales* y dyfyniad gwreiddiol), fel
construct hunaniaethol, yn gallu ffynnu dan amodau
cyfalafiaeth a democratiaeth seneddol, y cyfundrefniad
politicaidd a wedda orau at esgusodi'r rhysedd
ecsbloityddol a'r trueni cymdeithasol sy'n ei nodweddu. Nid
oes anghytgord sylfaenol rhwng dyrchafu hunaniaeth

Gymreig a mawrygu pwrcasu a phleidleisio, y ddwy weithred gyfwerth sy'n ganolog i'r drefn. Mewn gwirionedd, roedd sylw diystyrllyd hanesydd arall, Eric Hobsbawm, tua'r un pryd, yn nes ati, pan daerai mai'r gorau y gellid ei ddweud am Gymru annibynnol yw na fyddai'n wahanol iawn yn wleidyddol i Gymru'r presennol.[37] Oherwydd ochr yn ochr â ffyniant hunaniaeth genedlaethol Gymreig dan y drefn gyfalafol ni fu ball ar ddadfeiliad y gymdeithas Gymraeg.

Gan hynny, daeth yn bryd dehongli'r gwrthsafiad yn erbyn dadfeiliad y Gymru Gymraeg yn nhermau amlygiad lleol o wrthsafiad ehangach, cyffredinol i'r gorthrwm economaidd a diwylliannol sy'n gynhenid i'r rhaglen neoryddfrydol a'i hymgorfforiad gwladol ar ffurf ffantasmau hunaniaethol lleol, Prydeinig a Chymreig. A'i ddehongli felly, fwyfwy, fel brwydr *yn erbyn* cenedlaetholdeb.

Nodiadau

1 Diolch i Llifon Jones, Delyth Morris a Glyn Williams am eu sylwadau ar y bennod hon.
2 Michael Billig, *Banal Nationalism* (London, 1995).
3 Nid yw D. Densil Morgan ymhell o fynegi'r un sylweddoliad pan ddywed: 'Os bu i genedlaethau diweddarach roi clod i radicaliaid eirias fel Henry Richard, Michael D. Jones ac eraill am greu'r "genedl" boliticaidd hon, roedd a wnelo pwyll, ymroddiad a dycnwch Lewis Edwards â'r peth yn ogystal'. Gweler D. Densil Morgan, *Lewis Edwards* (Caerdydd, 2009), t. 201.
4 Gweler Michel Foucault, 'L'éthique du souci de soi comme pratique de la liberté', *Dits et écrits II. 1976-1988* (Paris, 2001), tt. 1527-1548, lle mae Foucault yn gwahaniaethu rhwng cysylltiadau pŵer a chyflyrau o orthrwm a nodweddir gan gysylltiadau pŵer sydd wedi eu cloi yn y fath fodd nes bod y lle ar gyfer rhyddid – ac felly gwrthsafiad – wedi ei gyfyngu'n ddirfawr.
5 Gweler beirniadaeth Glyn Williams, 'Blaming the Victim', *Contemporary Wales* 17 (2004), 214-32 [218-19].
6 Mae dadl y bennod hon yn dra dibynnol ar y cysyniad o orthrwm

(neu drais) symbolaidd fel y'i cyflwynir yng ngwaith y cymdeithasegydd Pierre Bourdieu. Strwythur cymdeithasol a fewnolir gan y gweithredydd ar ffurf strwythur gwybyddol yw *habitus*. Sylfaenir gorthrwm symbolaidd ar y cytundeb rhwng *habitus* y gorthrymedig a strwythur y berthynas o ormes y cymhwysir yr *habitus* ati. Bydd y gorthrymedig yn dirnad y gorthrymwr drwy gyfrwng categorïau a gynhyrchwyd gan y berthynas o orthrwm ac sydd, oherwydd hynny, yn cydymffurfio â buddiannau'r gorthrymwr. Gweler Pierre Bourdieu, *Raisons pratiques* (Paris, 1994), t. 210; ac ymhellach, *idem*, *Méditations pascaliennes* (Paris, 2003), tt. 248-57.

7 Alain Badiou, *Le Réveil de l'histoire* (2011), t. 109.

8 Pierre Bourdieu, *Raisons pratiques*, t. 116.

9 Defnyddir 'imperialaeth y cyffredinol' yn ei ystyr wreiddiol yn Pierre Bourdieu, *Sur l'État. Cours au Collège de France (1989-1992)*, (Paris, 2012), tt. 251-55. Daeth y syniad o 'wladychu mewnol' i amlygrwydd yng Nghymru drwy ddylanwad gwaith M. Hechter, *Internal Colonialism: The Celtic Fringe in British National Development, 1536-1966* (London, 1975) ond fe'i ceir hefyd tua'r un pryd mewn cyd-destun ieithyddol gan Louis-Jean Calvet yn ei *Linguistique et colonialisme* (Paris, 1974).

10 Pierre Bourdieu, *Choses dites* (Paris, 1987), tt. 183-4.

11 Ar wastad anffurfiol ymwneud pobl â'i gilydd bob dydd fel hyn y gwelir gorthrwm symbolaidd ar ei fwyaf effeithiol. Yn ôl Bourdieu, unwaith eto, ni all trais symbolaidd weithredu heb gydsyniad gweithredwyr sydd wedi mewnoli'r strwythurau y trefnir cymdeithas yn unol â hwynt. Golyga hyn ein bod oll yn agored i fod yn gyfrannog yn y gorthrwm sydd arnom. Gweler Pierre Bourdieu, «*Si le monde social m'est supportable, c'est parce que je peux m'indigner*» (Paris, 2004), tt. 19-20. Yma deil Bourdieu wrth y fformiwla fod pŵer yn bresennol ym mhob man ac eto heb fod yn unman yn neilltuol. Yn y cyswllt hwn gellir ei gymharu â phwyslais Foucault ar weithrediad pŵer ar wastad meicro. Gweler Michel Foucault, 'Les rapports de pouvoir passent à l'intérieur des corps', *Dits et écrits II.*, tt. 228-36 [231-33]; ac ymhellach Gilles Deleuze, *Foucault* (Paris, 2004), tt. 80-1.

12 Yma gellir deall 'lleiafrif' yn yr ystyr gyffredin mewn termau demograffig neu'n fwy treiddgar yn nhermau dosbarthiad anghyfartal grym sy'n cyfansoddi grwpiau *lleiafrifedig*, heb iddynt o reidrwydd fod yn lleiafrifoedd o ran niferoedd – yn yr ystyr olaf yma

erys y Cymry yn lleiafrif cyfansoddedig heddiw ym Mhwllheli, er enghraifft, er gwaethaf y niferoedd.

13 Pierre Bourdieu, 'L'Identité et la représentation: Éléments pour une réflexion critique sur l'idée de Région', *Actes de la recherche en sciences sociales* 35 (novembre 1980), 63-72 [69]. Fersiwn cynharach yw'r erthygl hon o bennod a gynhwysir yn *Ce que parler veut dire* (Paris, 1982).

14 Michel Foucault, 'De la nature humaine: justice contre pouvoir', *Dits et écrits I. 1954-1975* (Paris, 2001), tt. 1339-80 [1364]. Adysgrifiad o'r ddadl enwog rhwng Foucault a Noam Chomsky a ddarlledwyd ar deledu'r Iseldiroedd.

15 Gwelir fod y bennod hon yn trin grwpiau ieithyddol fel grwpiau cymdeithasol gan ddilyn felly arweiniad Glyn Williams a Delyth Morris yn eu *Language Planning and Language Use: Welsh in a Global Age* (Cardiff, 2000).

16 Pierre Bourdieu, 'L'identité et la représentation', 70.

17 Gellir cymhwyso at eiriaduraeth derminolegol lawer o'r hyn a ddywedir am y modd y mae ieithyddiaeth yn anwybyddu cwestiwn amodau cymdeithasol caffael hyfedredd mewn iaith yn Pierre Bourdieu a Luc Boltanski, 'Le fétichisme de la langue', *Actes de la recherche en sciences sociales* 1.4 (juillet 1975), 2-32. Ceir ymdriniaeth ehangach â rhagdybiaethau athronyddol sosioieithyddiaeth yn Glyn Williams, *Sociolinguistics: A Sociological Critique* (London, 1992).

18 Pierre Bourdieu, *Leçon sur la leçon* (Paris, 1982), t. 19.

19 Y testun allweddol yw Michel Foucault, 'Le sujet et le pouvoir', *Dits et écrits II*, tt. 1041-62, ond gweler yn ogystal, er enghraifft, y sylwadau yn 'Entretien avec Michel Foucault', *Dits et écrits II*, tt. 140-60 [yn neilltuol tt. 147-48]. Yn ei *Méditations pascaliennes* [t. 201], deil Bourdieu nad yw'r gweithredydd (*agent*) byth yn oddrych llwyr ei weithredoedd.

20 Pierre Bourdieu, 'Dévoiler les ressorts du pouvoir' yn *Interventions, 1961-2001* (Marseille, 2002), tt. 173-76.

21 Hyd y gwelaf, Dafydd Glyn Jones yw'r unig un sy'n trafod, yn ddiamwys, ymwrthod â norm cynharach fel amlygiad o orthrwm diwylliannol: 'Pam y mae'r Gymraeg heddiw yn newid mor gyflym, ac yng ngolwg rhai ohonom yn dirywio? Ai am ein bod ni'n rhodresgar? Ai am ein bod ni'n ddi-ddeall? Ynteu am ein bod ni'n ddwyieithog? 'Rwy'n amau mai'r olaf.' Dafydd Glyn Jones, *John Morris-Jones a'r "Cymro Dirodres"* (Llangefni, 1997), t. 12. Ceir yn ogystal sylwadau digon treiddgar ar buryddiaeth gan Rhisiart Hincks

yn *Yr Iaith Lenyddol fel Bwch Dihangol yng Nghymru ac yn Llydaw* (Aberystwyth, 2000) a '*Heb Fenthyca Cymaint a Sill ar Neb o Ieithoedd y Byd*' (Aberystwyth, 2007). Mae Hincks hefyd yn gwbl ymwybodol o'r gorthrwm a bair i siaradwyr ymwrthod â safonau'r iaith lenyddol ond nid ymddengys ei fod yn ymglywed â holl rychwant y cymhellion i ddyrchafu'r safonau puryddol hyn.

22 Gweler, er enghraifft, ymdriniaeth ddifeddwl-ddrwg Margaret Deucher a Peredur Davies, 'Code switching and the future of the Welsh Language', *International Journal of the Sociology of Language* 195 (2009), 15-38.

23 Gweler sylwadau Bourdieu yn *Ce que parler veut dire* [tt. 24-5] ar y modd y dilysir yr iaith swyddogol yn ieithyddiaeth gyffredinol Saussure neu wedyn yng ngwaith Chomsky drwy gyfrwng y cysyniad o *competence* – o gymharu â *performance* – er enghraifft.

24 Pierre Bourdieu, *Ce que parler veut dire*, t. 28.

25 Gweler Sonia Branca-Rosoff (gol.), *L'Institution des langues. Autour de Renée Balibar* (Paris, 2001).

26 Ceir sylwadau ar hyd yr un llinellau yn Glyn Williams, 'Gwarchod Iaith a Lladd Diwylliant', *Barn* 306 (Gorffennaf 1988), 29-30.

27 Glyn Williams, 'Policy as Containment within Democracy: The Welsh Language Act', *International Journal of the Sociology of Language* 66 (1987), 49-61 [51].

28 Gweler Glyn Williams, 'Y Bwrdd a Chynllunio Ieithyddol', *Barn* 387 (Ebrill 1995), 7-9.

29 Glyn Williams, 'Policy as Containment', 50.

30 Gilles Deleuze a Félix Guattari, *Qu'est-ce que la philosophie?* (Paris, 1991), t. 103.

31 Pierre Bourdieu a Luc Boltanski, 'La production de l'idéologie dominante', *Actes de la recherche en sciences sociales* 2.2-3 (juin 1976), 3-73 [4].

32 Charlotte Nordmann, *Bourdieu / Rancière. La politique entre sociologie et philosophie* (Paris, 2006), t. 117. Symudiad yw hwn y gellir ei gyplysu ag angen parhaus y gyfundrefn gyfalafol i greu marchnadoedd newydd.

33 Pierre Bourdieu, *Contre-feux. Propos pour servir à la résistance contre l'invasion néo-libérale* (Paris, 1998), t. 110.

34 Alain Badiou, *Le Réveil de l'histoire*, t. 137.

35 J. R. Jones, *Ac Onide. Ymdriniaeth mewn ysgrif a phregeth ar argyfwng y Gymru gyfoes* (Llandybie, 1970), tt. 175-77.

36 Gwyn A. Williams, *When was Wales?* (London, 1979), t. 21.

[37] Eric Hobsbawm, 'Some reflections on 'The Break-up of Britain', *New Left Review* 105 (September-October 1977), 3-23.

ASTUDIAETH ACHOS

Iaith i bawb ond ei siaradwyr
Symboliaeth y Gymraeg yn 'Y Gymru Newydd'
gan Richard Glyn Roberts

Yn wahanol i'r Saesneg, nad ystyrir yn gyffredin ei bod *ynddi hi ei hun* yn fusnes i'r rhai nad ydynt yn ei siarad ac nad oes arnynt rwymedigaeth i'w dysgu, yn ôl seiri'r Gymru Newydd 'iaith pawb' yw'r Gymraeg, boed y rheiny'n ei siarad neu beidio. Mae i'r sbaddiad symbolaidd hwn effeithiau real. Cam cyntaf dychmygwyr y genedl ym mater y Gymraeg, wedi datganoli, fu herwgipio'r iaith oddi ar ei siaradwyr. Yr ail gam fu dyrchafu'r iaith i'r wybren symbolaidd, yn addurn cenedligrwydd 'Cymru wirioneddol ddwyieithog', hynny yw gwlad lle y mae pob Sais yn 'ddysgwr' mewn potensial a lle ffeiriwyd, ar wastad cyhoeddus, ddirmyg agored at siaradwyr Cymraeg am agwedd fwy nawddogol.

Enghreifftir y broses hon gan y ddarpariaeth gyfieithu ar y pryd mewn cyfarfodydd Saesneg sy'n beichio siaradwyr Cymraeg â'r cyfrifoldeb o arddel eu cydraddoldeb theoretig, er gwaethaf pwysau pob rheol gymdeithasol i'r gwrthwyneb. Cydraddoldeb symbolaidd yw hwn sy'n ymgorffori gorthrwm real a erys yn anweledig oherwydd, ar y naill law, y duedd i ddehongli cyndynrwydd Cymry i siarad Cymraeg trwy gyfieithydd fel dewis personol rhydd ac, ar y llall, anallu unrhyw gyfieithiad i gyfleu rhwystredigaeth fewnol siaradwyr Cymraeg dan y cyfryw amodau.

Hyd yn oed oddi mewn i'r sefydliadau cyhoeddus goleuedig hynny sy'n arddel y Gymraeg yn iaith y gweithle – Llyfrgell Genedlaethol Cymru, Awdurdod Parc Cenedlaethol Eryri, Cyngor Gwynedd, Cymdeithas Tai Eryri – mae graddau o wahaniaeth yn effeithiolrwydd cyfieithu ar y pryd. Ar wastad ffurfiol, ym mhrif gyfarfodydd y sefydliadau hyn, ymysg uwch-swyddogion ac aelodau etholedig, y gwelir llwyddiant cyfieithu ar y pryd. Mewn cyfarfod o bwyllgor archwilio Cyngor Gwynedd, er enghraifft, ynghyd â'u swyddogaethau llywodraethiannol, ymarferol mae i'r prif weithredwr, penaethiaid yr adrannau, a deiliaid portffolio'r hyn a'r llall swyddogaeth symbolaidd, gyhoeddus. Maent yn cynrychioli'r sefydliad, ac yn ymgorffori ethos y sefydliad, fel y mae brenin yn cynrychioli teyrnas. A chan fod y sefydliad yn arddel dwyieithrwydd rhaid cyfleu hynny mewn amgylchfyd ieithyddol cynlluniedig sydd ar yr un pryd yn real ac yn ddyheadol.

Mae'r defnydd symbolaidd hwn o'r Gymraeg, nad yw'n ymwybodol ohono'i hun yn ei wirionedd sylfaenol fel defnydd symbolaidd, yn gweddu i ffurfioldeb ei gyd-destun. Oherwydd yn y cyfryw amgylchiadau mae effeithiolrwydd cyfieithu ar y pryd yn seiliedig ar gyfuniad o ffurfioldeb defodol y gweithdrefnau (cadeirio ffurfiol, rhaglen, cofnodion, ac ati), sy'n darparu amgylchfyd symbolaidd addas, a hyder y gweithredwyr unigol sy'n seiliedig ar faint eu cyfalaf cyffredinol (hynny yw cyfuniad o incwm, cefndir addysgol, dylanwad, safle cymdeithasol, ac ati). Ar y gwastad ffurfiol-gyhoeddus yma mae llwyddiant cyfieithu ar y pryd yn real ond mae hefyd yn gamarweiniol.

Wrth fynd yn is i lawr hierarchaeth y sefydliad, ac wrth i gyfalaf cyffredinol y gweithredwyr o Gymry fynd yn llai, byddant yn ymdeimlo fwyfwy â'r pwysau i ateb Saesneg â Saesneg, yn neilltuol wrth gyfeirio ateb at aelod o'r cyhoedd. Gwelir tueddiad cyffelyb mewn cyfarfodydd ar lefel is rhwng swyddogion o sefydliad Cymraeg fel Cyngor Gwynedd a sefydliad Saesneg fel Bwrdd Iechyd Betsi Cadwaladr. Ar yr adegau hyn, codir y llen hud dros dro a daenir gan gyfieithu ar y pryd, gan roi cip ar anghydraddoldeb gwirioneddol y ddau grŵp ieithyddol.

*   *   *

Trwy gymwynasgarwch Bwrdd yr Iaith gynt a Swyddfa'r Comisiynydd heddiw gall pawb ohonom gario ar ein brest arwydd bychan o'n darostyngiad.

Ar un wedd ymddengys y bathodyn siarad Cymraeg yn ddigon diniwed ond yn ymhlyg yn y ddealltwriaeth fod modd siarad Cymraeg efo'r rheiny sy'n ei wisgo mae'r awgrym na ddylid mentro gwneud hynny fel arall. Hynny yw, effaith sylfaenol amlhad y bathodynnau hyn yw sefydlogi'r Saesneg yn norm ieithyddol y gymdeithas, gan ddiffinio'r Gymraeg fel arfer wyredig, hyd yn oed yn yr ardaloedd hynny lle mae'r Cymry'n ffurfio mwyafrif y boblogaeth.

Yn yr un modd â chyfieithu, lle mae cyflwyno cydraddoldeb damcaniaethol yn cuddio a thragwyddoli anghydraddoldeb sylfaenol, mae'r bathodyn, fel rhyw *Welsh Not* gwên deg, yn fodd i warthnodi'r Cymry'n weladwy a thrwy hynny'n rhwyddhau'r ffordd i'w gwastrodi a'u rheoli — mewn gair, eu cadw yn eu lle. Yn hanesyddol bu gwladwriaethau eraill yn gorfodi grwpiau lleiafrifedig i arddangos arwydd allanol o'u habnormalrwydd tybiedig.

Er mwyn gwireddu'r ffantasi genedlaethol a dyrchafu'r Gymraeg yn symbol o ddilysrwydd yr endid cenedlaethol newydd, a glywir hefyd yn achlysurol yn ail iaith ar dafod leferydd unigolion (yn cyfateb felly i *cúpla focal* y Gwyddyl), mae'n rhaid i'r Cymry fel grŵp ieithyddol cydlynol ddarfod â bod. Yn y modd hwn mae cenedlaetholdeb y Gymru Newydd yn bwrw ymlaen â datrysiad terfynol y wladwriaeth Brydeinig yn ei hymwneud â'r Gymru Gymraeg.

HAWL

Y Gymraeg a'r Hawl i Sicrwydd Ieithyddol
Huw Lewis

Mae hawl yn gysyniad sydd wedi'i ddefnyddio'n bur helaeth gan ladmeryddion yr iaith Gymraeg dros y blynyddoedd, ond yn arbennig felly yn ystod y cyfnod mwyaf diweddar.[1] Er enghraifft, fe'i defnyddiwyd yn sail i ddadleuon o blaid ehangu'r ystod o wasanaethau – cyhoeddus a phreifat – a ddarperir trwy gyfrwng y Gymraeg.[2] Ymhellach, ar wahanol adegau, defnyddiwyd y cysyniad wrth ymdrin â dyfodol hirdymor yr iaith. Er enghraifft, mae amryw wedi sôn am hawl y Gymraeg neu hawl cymunedau Cymraeg i oroesi.[3]

Eto i gyd, er gwaethaf y defnydd helaeth a wnaed o'r cysyniad hwn, ychydig o drafod manwl a fu ar ei ystyr a'i arwyddocâd: ei ddefnyddio a wnaed, yn bennaf, fel arf gwleidyddol, rhethregol. O ganlyniad, prin fu'r ystyriaeth a roddwyd i ystod o gwestiynau pwysig. Beth yn union yw hawl? Beth yw'r amodau sy'n rhaid eu bodloni er mwyn esgor ar hawl? Pa fath o endidau all feddu ar hawliau? Fodd bynnag, mae ystyried y cwestiynau hyn yn hollbwysig, gan fod iddynt oll, mewn gwahanol ffyrdd, oblygiadau pwysig i hyd a lled yr hyn y gellir ei fynnu'n ystyrlon fel mater o hawl mewn perthynas â'r Gymraeg.

Nid oes raid chwilio ymhell am arweiniad ar sut i fynd i'r afael â chwestiynau o'r fath, gan eu bod yn gwestiynau sydd wedi hawlio cryn sylw ymhlith athronwyr gwleidyddol dros yr ugain mlynedd diwethaf. Ymhellach, yr hyn sy'n arbennig o arwyddocaol i ladmeryddion y Gymraeg yw eu bod yn gwestiynau sy'n aml wedi'u gwyntyllu yn rhan o drafodaethau ehangach ynglŷn â phynciau megis cenedlaetholdeb, amlddiwylliannedd a hawliau lleiafrifoedd.[4] O ystyried hyn, bwriad yr ysgrif hon fydd trafod y corff hwn o lenyddiaeth yn ofalus, gan geisio dangos sut y gall oleuo a miniogi ein trafodaethau ynglŷn â'r Gymraeg. Yn benodol, ceisir tynnu ar ddadleuon normadol pwysig er mwyn pwyso a mesur i ba raddau y gellir cymeradwyo'r datganiad canlynol: 'Mae gan y Cymry hawl i weld y Gymraeg yn goroesi.'

O'i ystyried yn ofalus, gwelir fod modd dehongli'r datganiad uchod mewn mwy nag un ffordd. Yn gyntaf: bod gan y Cymry *fel unigolion* hawl i weld y Gymraeg yn goroesi; hynny yw, hawl y gellir ei harddel gan bob Cymro neu Gymraes yn unigol. Yn ail: bod gan y Cymry *fel grŵp* hawl i weld y Gymraeg yn goroesi; hynny yw, hawl y gellir ei harddel gan y Cymry fel grŵp, yn hytrach nag fel unigolion annibynnol. Bydd yr ysgrif yn cloriannu'r deongliadau hyn yn eu tro ac wrth wneud hynny ceisir amlinellu sut gall datganiad y byddai nifer helaeth ohonom yn ei ystyried yn un digon rhesymol agor y drws i ystod o gwestiynau anodd a heriol dros ben. Yn wir, yn sgil natur y cwestiynau hyn, dadleuir mai ofer fyddai i garedigion y Gymraeg barhau i geisio amddiffyn yr hawl i oroesiad ieithyddol. Llawer gwell fyddai meddwl yn ofalus ynglŷn â hyd a lled yr hyn y gellir ei fynnu o dan adain hawl amgen: yr hawl i sicrwydd ieithyddol. Fodd bynnag, cyn y gellir mynd ati i ymdrin â'r materion hyn, rhaid dechrau drwy fagu gwell dealltwriaeth o union natur y cysyniad o hawl.

Beth yw hawl?

Yn ôl yr athronydd gwleidyddol a chyfreithiol Joseph Raz, dylid diffinio hawl fel a ganlyn: 'Mae gan X hawl os a dim ond os y gall X feddu ar hawliau, ac, a bwrw fod popeth arall yn gyfartal, mae agwedd ar les X (ei fudd) yn rheswm digonol dros osod dyletswydd ar unigolyn(ion) arall(eraill)'.[5] Yn amlwg felly, nid ar chwarae bach y gellir sefydlu hawl i nwydd neu gyfle penodol. Yn hytrach, er mwyn gwneud hynny rhaid bodloni cyfres o amodau allweddol.

Yn gyntaf, rhaid i'r deilydd fod yn endid sy'n meddu ar y gallu i ddal hawl. Er mwyn meddu ar allu o'r fath, tybir fod yn rhaid i'r deilydd fod yn endid y gellir priodoli iddo arwyddocâd moesol; hynny yw, endid sy'n medru dioddef cam ac sy'n medru cael ei weld gan eraill fel un y mae ganddynt ddyletswyddau tuag ato. Yn ail, rhaid i'r deilydd feddu ar fudd a gâi ei warchod wrth sefydlu'r hawl dan sylw. Mewn geiriau eraill, rhaid i'r deilydd fedru dangos sut y byddai ei les yn cael ei hybu wrth estyn iddo'r hawl. Yn drydydd, gan fod estyn hawl i rai yn anochel yn golygu gosod dyletswydd ar eraill (dyletswydd i barchu'r hawl ac ymatal rhag ei thramgwyddo), rhaid i'r lles neu'r budd a ddeillia o sefydlu'r hawl fod yn ddigon sylweddol ac arwyddocaol i gyfiawnhau'r dyletswyddau cyfatebol. Neu, a defnyddio terminoleg Ronald Dworkin, rhaid i'r lles neu'r budd fod yn ddigon sylweddol i 'drympio' ystyriaethau eraill.[6]

Goroesiad fel Hawl Unigolyddol

Ceir cytundeb cyffredinol ymhlith athronwyr gwleidyddol a chyfreithiol fod bodau unigol yn endidau sy'n meddu ar arwyddocâd moesol. Gall unigolion ddioddef cam ac felly maent yn endidau sy'n meddu ar y gallu sylfaenol i ddal hawliau. O ganlyniad, y lle amlwg i ddechrau wrth ystyried a ellir cymeradwyo hawl i oroesiad ieithyddol yw wrth drafod yr hawl honno o bersbectif unigolyddol. A yw pobl Cymru *fel unigolion* yn meddu ar hawl i weld y Gymraeg yn goroesi?

Bydd hawl a ddiffinnir fel un unigolyddol yn cael ei dal a'i harddel gan yr unigolyn yn annibynnol ar eraill. Ymhellach, ac yn bwysicach, caiff y lles neu'r budd a ddaw i ran yr unigolyn, ar ei ben ei hun, ei gydnabod yn rheswm digonol dros sefydlu'r hawl a gosod y dyletswyddau cyfatebol ar eraill. Fel yr eglura Denise Réaume:

> Er mwyn i unigolyn arddel hawl rhaid i'w lles fod yn rheswm digonol i osod dyletswyddau neilltuol ar eraill. Mae'n rhaid mai er ei mwyn hi y gosodir y ddyletswydd yn yr ystyr mai ei lles hi yn unig sydd angen ei ystyried.[7]

Enghraifft amlwg o hawl sy'n syrthio i'r dosbarth hwn yw'r hawl i beidio cael eich arteithio. Dyma hawl a gaiff ei dal a'i harddel gan bob unigolyn yn annibynnol ar eraill. Yn ogystal, mae'r lles a ddaw i ran yr unigolyn ar ei ben ei hun yn ddigon o reswm i gydnabod hawl o'r fath. Er enghraifft, yn achos grŵp o ddeg o bobl, petai naw yn mynnu y byddent yn cael cryn bleser o boenydio'r degfed, ni fuasai neb yn tybio bod hyn yn rheswm teilwng dros roi rhwydd hynt iddynt wneud hynny. Yn hytrach, bernir bod y lles a ddaw i ran y degfed aelod wrth beidio â chael ei boenydio yn ddigon o reswm dros sicrhau iddo'r hawl i hynny, a gosod dyletswydd ar y naw arall i ymatal. Fel yr eglura Leslie Green, mewn achos o'r fath 'mae budd yr unigolyn ei hun, ar ei ben ei hun, yn ddigon pwerus i warantu gosod dyletswyddau ar lawer o bobl eraill'.[8]

Felly, ar sail y drafodaeth uchod gellir casglu y byddai hawl unigolyddol i weld y Gymraeg yn goroesi yn hawl a gâi ei dal, ac a fyddai'n medru cael ei harddel, gan bob Cymro a Chymraes yn unigol. Yn ogystal, byddai disgwyl i'r lles a ddeuai i ran yr unigolion hyn, yn annibynnol ar bawb arall, fod yn ddigon o reswm dros sefydlu'r hawl, ynghyd â'r dyletswyddau cyfatebol. Ond i ba raddau y gellir dal bod modd cyfiawnhau hawl o'r fath? Mae'r achos o blaid hynny yn simsan dros ben a dweud y lleiaf.

Ystyrier, i ddechrau, beth fyddai goblygiadau ymarferol cydnabod hawl o'r fath. Byddai'n golygu bod modd i mi fel Cymro unigol ddatgan bod gan fy nghyd-Gymry ddyletswydd, beth bynnag y bo eu teimladau personol hwy, i gymryd camau i sicrhau bod y Gymraeg yn goroesi. Hyd yn oed pe na bai yr un Cymro na Chymraes arall yn dymuno gweld yr iaith yn goroesi, byddai bodolaeth yr hawl unigolyddol yn caniatáu i mi fynnu eu bod yn cydymffurfio â'm dymuniad. Nawr, i ba raddau y byddai modd i mi ddadlau bod gen i fuddiannau sy'n ddigon pwysig i ddilysu sefyllfa o'r fath? O bosib, gallwn ddadlau bod y Gymraeg yn elfen gwbl ganolog yn fy hunaniaeth bersonol – mai hi yw fy mamiaith a'r iaith rwyf fwyaf cyffforddus yn ei defnyddio. Ymhellach, gellid dadlau y byddai medru byw mewn cymdeithas lle mae'r Gymraeg yn parhau i gael ei gweld a'i chlywed yn destun balchder personol imi. Heb os, ni ddylid diystyru'r ffactorau hyn yn llwyr. Fel y dadleua'r athronydd o Québec, Charles Taylor, gall pobl ddioddef niwed os na chaiff elfennau o'u hunaniaeth eu cydnabod a'u trin â pharch.[9] Fodd bynnag, mae'n amheus a fyddai Taylor hyd yn oed am drin y niwed posib hwn fel un sy'n ddigon difrifol i ganiatáu i mi, fel unigolyn, glymu fy nghyd-Gymry wrth lwybr ieithyddol a diwylliannol penodol, beth bynnag y bo eu dyheadau hwy. Ni fyddai'r niwed yn un y gellid ei osod ar wastad moesol o'r fath.

Eto i gyd, hyd yn oed pe anwybyddid y problemau moesol sylweddol a amlinellwyd uchod, byddai cynnal dadl sy'n mynnu bod hawl unigolyddol i weld y Gymraeg yn goroesi yn parhau'n anodd, os nad yn amhosib. Deillia hyn o'r ffaith bod y cysyniad hefyd yn un arbennig o broblemus o safbwynt ontolegol; hynny yw, o safbwynt yr hyn y gellir dweud ei fod yn bodoli. Yn ogystal â bod yn hawl a sefydlir ar sail y lles a ddaw i ran yr unigolyn ar ei ben ei hun, mae hawl unigolyddol yn ffurf ar hawl na fedr fodoli ond mewn perthynas â nwyddau neu gyfleoedd y gall yr unigolyn eu mwynhau ar ei ben ei hun. Ni all y nwydd neu'r cyfle a warchodir gan hawliau unigolyddol fod yn rhai y mae eu mwynhad yn ddibynnol ar gydweithrediad neu gyd-gyfranogiad eraill.[10]

Hyd y gwelaf, nid nwydd unigolyddol o'r fath yw'r hyn y ceisir ei warchod a'i warantu wrth fynnu'r hawl i weld y Gymraeg yn goroesi. Nid dadlau a wneir o blaid hawl i weld yr iaith yn goroesi mewn unrhyw ffurf bosib, er enghraifft bod tystiolaeth lafar neu ysgrifenedig o'r Gymraeg yn cael ei warchod fel y gall unigolion yn y dyfodol droi ati i'w hastudio. Yn hytrach, dadlau a wneir o blaid rhywbeth mwy penodol, sef yr hawl i weld cenhedlaeth ar ôl cenhedlaeth o Gymry'n parhau i ddefnyddio'r iaith yn gyfrwng cyfathrebu naturiol. Yn anochel, i fwynhau nwydd o'r fath rhaid wrth gydweithio a chyd-gyfranogiad gan gasgliad o bobl. O ganlyniad, ni ellir ei ddiffinio fel nwydd unigolyddol. Yn hytrach mae'n perthyn i'r dosbarth hwnnw a ddisgrifir fel nwyddau cyfranogol – pethau na all unigolyn, ar ei ben ei hun, feddu ar hawl iddynt, gan na all eu mwynhau heb gymorth gan eraill.[11]

Felly, am resymau moesol ac ontolegol, gwelir na ellir dadlau bod gan y Cymry *fel unigolion* hawl i weld y Gymraeg yn goroesi. O ganlyniad, er mwyn cymeradwyo hawl o'r fath rhaid mynd ati i'w chloriannu o bersbectif ychydig yn wahanol. Rhaid pwyso a mesur a ellir cymeradwyo hawl y Cymry *fel grŵp* i weld y Gymraeg yn goroesi.

Goroesiad fel Hawl Grŵp

Nid rhywbeth hawdd i'w drin a'i drafod mo'r cysyniad o hawl grŵp, gan fod modd ei ddefnyddio mewn ystod o gyd-destunau gwahanol.[12] Fodd bynnag, yn yr ystyr mwyaf cyffredinol, gellir ei ddiffinio fel hawl a arddelir gan grŵp – fel grŵp – yn hytrach na chan ei aelodau unigol, fesul un. A ellir, felly, ddadlau bod gan y Cymry fel grŵp hawl i weld y Gymraeg yn goroesi?

Y Dehongliad Corfforaethol

Fel y nodwyd eisoes, i feddu ar hawl rhaid i'r deilydd fod yn endid y gellir priodoli iddo arwyddocâd moesol; hynny yw, rhaid iddo fedru dioddef cam a chael ei weld gan eraill fel un y mae ganddynt ddyletswyddau tuag ato. O ystyried hynny, tueddai nifer o ladmeryddion cynnar y cysyniad o hawl grŵp i gymryd yn ganiataol fod dilysu hawl yn ddibynnol ar ddangos bod grŵp arbennig – cymuned ddiwylliannol neu genedl, er enghraifft – yn meddu ar statws o'r fath yn ei rinwedd ei hun, yn annibynnol ar ei aelodau unigol. A dyfynnu Peter Jones: '[tybiwyd bod] priodoli hawl i grŵp yn golygu amgyffred y grŵp fel endid moesol yn ei hawl ei hun: rhaid i'r grŵp feddu ar safle moesol nad yw'n ddibynnol ar safle ei aelodau'.[13]

Un a fabwysiadodd y dull hwn o ymresymu oedd Vernon Van Dyke. Ym marn Van Dyke, gellir dehongli cenhedloedd neu gymunedau diwylliannol fel endidau corfforaethol sy'n bodoli ac yn meddu ar hunaniaeth yn annibynnol ar eu haelodau.[14] Golyga hyn fod modd i grwpiau o'r fath feddu ar fuddiannau fel grŵp – buddiannau sy'n fwy na chyfuniad o fuddiannau eu haelodau unigol yn unig – a'i bod hefyd yn bosib iddynt ddioddef cam fel grŵp. O ganlyniad, dylid priodoli i'r grwpiau hyn arwyddocâd moesol, ac os gallant gyfeirio at fudd neu angen sylweddol dylid estyn iddynt hawliau a gosod dyletswyddau ar eraill, yn union fel sy'n digwydd yn achos unigolion. Felly, i ba raddau y gellir cymhwyso'r dehongliad traddodiadol hwn o hawl grŵp i'r drafodaeth bresennol ynglŷn â hawl pobl Cymru i weld y Gymraeg yn goroesi, ac yn bwysicach, a ellir ei ddefnyddio fel sail i ddadlau o blaid bodolaeth hawl o'r fath?[15]

Rhaid cyfaddef fy mod yn amheus o werth y dehongliad corfforaethol yn y cyswllt hwn, a hynny, unwaith eto, oherwydd cyfuniad o resymau ontolegol a moesol. A ydyw hi'n wir yn gwneud synnwyr ontolegol i ddehongli'r grŵp fel un sy'n meddu ar arwyddocâd moesol yn ei rinwedd ei hun? Efallai y byddai hyn yn gam cwbl resymol yn achos rhai endidau mawr, fel cwmni preifat rhyngwladol er enghraifft. Mae endid o'r fath yn meddu ar fuddiannau a dyletswyddau sy'n annibynnol ar y rhai a feddir gan yr unigolion hynny sy'n gysylltiedig ag ef. Fel yr eglura Jones:

> Os yw Corfforaeth Olew y Gwlff yn prynu neu'n gwerthu eiddo, neu'n ymuno â chartél, neu os ceir ei bod yn achosol gyfrifol am lygredd amgylcheddol ac y'i delir yn foesol gyfrifol am ei lanhau, nid yw cyfansoddiad y Gorfforaeth fel gweithredydd a dioddefwr yn ddibynnol ar yr unigolion sy'n gysylltiedig â hi ar y pryd.[16]

Fodd bynnag, i ba raddau y gellir dehongli Cymru, y genedl – sef y grŵp perthnasol yn ein hachos ni – yn y termau hyn? A oes modd dweud bod cenedl yn meddu ar arwyddocâd moesol yn annibynnol ar ei haelodau unigol? Fel endid daearyddol, efallai. Ond mae cenedl yn llawer mwy na hyn. Mae hefyd yn endid gwleidyddol a diwylliannol, ac ar y gwastad hwn mae'n amheus iawn a all cenedl feddu ar arwyddocâd moesol, ac o ganlyniad ddioddef cam, yn annibynnol ar ei haelodau.[17]

Fodd bynnag, hyd yn oed pe bai rhai'n anghytuno ag elfennau o'r dadansoddiad hwn, erys problem foesol ddifrifol sydd hefyd yn codi wrth geisio defnyddio'r dehongliad corfforaethol fel sail i ddadl o blaid hawl grŵp i oroesiad ieithyddol. Gan fod arddel y dehongliad hwn yn galw arnom i ddehongli'r grŵp fel endid sy'n meddu ar arwyddocâd moesol yn annibynnol ar ei aelodau, y grŵp ar ei ben ei hun fyddai hefyd yn dal unrhyw hawliau a grëid. Gan hynny, yn yr achos dan sylw, Cymru fel cenedl, yn annibynnol arnom ni, aelodau'r genedl, fyddai'n meddu ar yr hawl i weld y Gymraeg yn goroesi. Mewn geiriau eraill, ei hawl hi, y genedl, i weld yr iaith yn goroesi a gâi ei chydnabod, yn hytrach na'n hawl ni, yr aelodau.

Pam felly y byddai hyn yn beryglus o safbwynt moesol? Yn syml, byddai'n creu sefyllfa lle bo Cymru, y genedl, yn meddu ar hawl ar ein traul ni, aelodau'r genedl, ac o ganlyniad, yn medru gosod dyletswyddau sylweddol arnom. Gallai hyn, yn ei dro, agor y drws i ystod o fesurau arbennig o broblemus. I ddechrau, gellid ymyrryd yn sylweddol ag arferion ieithyddol teuluoedd, gan gyflwyno deddfwriaeth a'i gwnâi'n anghyfreithlon i rieni sy'n siarad Cymraeg beidio trosglwyddo'r iaith i'w plant. Yn ogystal, gellid cyflwyno deddfwriaeth a'i gwnâi'n angenrheidiol i gyplau sy'n siarad Cymraeg fagu mwy o blant er mwyn sicrhau cynnydd sylweddol yn y niferoedd sy'n medru'r iaith. Pe na bai hynny'n ddigon, gellid cymryd camau i orfodi siaradwyr Cymraeg i symud gyda'i gilydd i un ardal benodol, ac yna eu rhwystro rhag gadael, er mwyn sicrhau bodolaeth tiriogaeth ag iddi ddwysedd uchel o siaradwyr. Wrth reswm, nid oes raid casglu y byddai mesurau mor llawdrwm yn angenrheidiol er mwyn caniatáu i iaith fel y Gymraeg oroesi. Serch hynny, mae'n bwysig deall y byddai arddel y dehongliad corfforaethol yn golygu mabwysiadu fframwaith foesol sydd o leiaf yn caniatáu cyfiawnhad *prima facie* iddynt.[18] Pe bai Cymru'n meddu ar yr hawl i weld y Gymraeg yn goroesi, byddai dyletswydd foesol ar aelodau'r genedl i wneud popeth posib i warantu'r hawl hwnnw. O ganlyniad, gwelir mai sefyll ar dir simsan iawn – yn ontolegol ac yn foesol – fyddai unrhyw ymgais i bledio hawl i oroesiad ieithyddol ar sail rhagdybiaethau'r dehongliad corfforaethol o hawl grŵp.[19] Fodd bynnag, nid dyma'r unig ddehongliad o hawl grŵp a gynigir gan athronwyr gwleidyddol cyfoes.

Y Dehongliad Cyfunol

Cyflwynwyd y dehongliad cyfunol o hawl grŵp yn wreiddiol gan Joseph Raz, ac fel y gwelir, adeiladu a wna ar ei ddehongliad cyffredinol o hanfod y cysyniad o hawl. Yn ôl Raz, gall grŵp feddu ar hawl i nwydd neu gyfle penodol os yw'n bodloni'r amodau canlynol:

> Yn gyntaf mae'n bod oherwydd bod agwedd ar fudd bodau dynol yn cyfiawnhau gosod dyletswydd ar rai unigolion. Yn ail, mae'r buddiannau dan sylw yn fuddiannau unigolion fel aelodau o grŵp mewn nwydd cyhoeddus ac mae'r hawl yn hawl i'r nwydd cyhoeddus hwnnw gan ei fod o fudd iddynt fel aelodau o'r grŵp. Yn drydydd, nid yw budd unrhyw aelod unigol o'r grŵp hwnnw yn y nwydd cyhoeddus hwnnw yn ddigon ar ei ben ei hun i gyfiawnhau gosod dyletswydd ar berson arall.[20]

Felly, gall grŵp feddu ar hawl fel grŵp os yw ei aelodau'n meddu ar fudd neu angen cyffredin sy'n ddigon sylweddol i gyfiawnhau'r dyletswyddau cyfatebol, ac os yw budd neu angen unrhyw aelod unigol, ar ei ben ei hun, yn annigonol i gyfiawnhau'r dyletswyddau hynny.[21]

O ganlyniad mae gwahaniaeth pwysig rhwng y dehongliad hwn o hawl grŵp a'r dehongliad corfforaethol a drafodwyd eisoes. Wrth arddel y dehongliad cyfunol nid oes galw arnom i drin y grŵp fel endid sy'n meddu ar arwyddocâd moesol yn ei hawl ei hun, yn annibynnol ar ei aelodau. Fel yr eglura Jones:

> ... nid yw hawl grŵp wedi ei amgyffred yn y modd hwn yn golygu rhoi statws moesol i'r grŵp fel grŵp sy'n annibynnol ar eiddo'i aelodau ar wahân. Yn hytrach, y statws moesol sy'n gwarantu hawl grŵp yw statws moesol yr amryw unigolion sy'n dal yr hawl yn gyffredin. Mae hawl grŵp felly yn cael ei amgyffred fel 'eu' hawl yn hytrach nag 'ei' hawl'.[22]

Fodd bynnag, o ystyried mai arwyddocâd moesol aelodau unigol y grŵp yw sail yr hawl, onid yr hyn a geir yma mewn gwirionedd yw ffurf ar hawl unigolyddol? Cam gwag fyddai dod i gasgliad o'r fath. Ni fyddai hawl a sefydlid o dan adain y dehongliad cyfunol yn un y byddai unigolion yn medru ei harddel yn annibynnol ar eraill. Yn hytrach, gan fod yn rhaid wrth fudd neu angen cyffredin er mwyn esgor ar hawl o'r fath, byddai'n hawl na ellid ei harddel ond gan garfan o bobl gyda'i gilydd. A dyfynnu Jones unwaith eto:

> Yn ôl y syniad hwn, gelwir hawl grŵp yn gywir wrth yr enw hwnnw oherwydd bod yr unigolion sy'n cyfansoddi'r grŵp sy'n dal yr hawl yn meddu ar hawl gyda'i gilydd nad yw yr un ohonynt yn meddu arni ar wahân. Nid cyfanswm syml yr hawliau a ddelir yn unigol gan aelodau'r grŵp yw'r hawl.[23]

Felly, i ba raddau y gellir cymhwyso'r dehongliad cyfunol o hawl grŵp i'r drafodaeth bresennol ynglŷn â hawl y Cymry i weld y Gymraeg yn goroesi, gan ei ddefnyddio fel sail i ddadlau o blaid bodolaeth hawl o'r fath?

Nid yw'r problemau ontolegol a moesol hynny a godwyd mewn perthynas â'r dehongliad corfforaethol yn codi yn achos y dehongliad cyfunol. Yn y lle cyntaf, nid yw'r dehongliad cyfunol yn mynnu trin y grŵp fel endid sy'n meddu ar arwyddocâd moesol yn ei rinwedd ei hun, yn annibynnol ar ei aelodau. Yn hytrach, aelodau'r grŵp a'r buddiannau cyffredin a feddir ganddynt sy'n rhoi iddo'i arwyddocâd. Yn ail, ac o ganlyniad i hyn, nid yw'r dehongliad cyfunol yn caniatáu i'r grŵp ddal hawl yn erbyn ei aelodau a gosod dyletswyddau sylweddol arnynt. Yn hytrach, aelodau'r grŵp sydd â'r hawl yn ôl y dehongliad hwn. Felly, yr aelodau gyda'i gilydd fyddai'n penderfynu a yw'r hawl i gael ei harddel, neu, yn bwysicach fyth, ei gwrthod. Felly, o ystyried hyn, a ellir casglu fod modd cymeradwyo hawl i weld y Gymraeg yn goroesi yn gyson â'r dehongliad cyfunol?

Erys rhai problemau. Dychmyger fod y genhedlaeth bresennol o Gymry'n dilyn arweiniad Joseph Raz: maent yn llwyddo i brofi eu bod yn meddu ar fuddiannau neu anghenion cyffredin mewn perthynas â'r Gymraeg ac yn dadlau bod y rhain yn ddigon sylweddol i esgor ar hawl i weld yr iaith yn goroesi. Pe bai hawl o'r fath yn cael ei chydnabod, pa fath o ddyletswyddau fyddai'n rhaid eu sefydlu a phwy fyddai'n gorfod eu hysgwyddo? Yn amlwg, byddai dyletswyddau yn cael eu gosod ar aelodau o genhedloedd eraill; hynny yw, byddai disgwyl i'r bobl hyn ymatal rhag gweithgareddau sy'n tramgwyddo gallu'r Gymraeg i oroesi. Fodd bynnag, gan ei bod, yn ei hanfod, yn hawl a geisir er mwyn gwarantu parhad nwydd penodol *dros amser*, byddai cydnabod bod gennym hawl i weld yr iaith yn goroesi hefyd yn golygu gosod dyletswyddau sylweddol ar Gymry'r dyfodol.[24] Wedi'r cyfan, er mwyn gwarantu'r hawl bydd disgwyl i genhedlaeth ar ôl cenhedlaeth o Gymry, beth bynnag y bo eu dymuniadau a'u dealltwriaeth hwy o'u Cymreictod, barhau i ddefnyddio'r iaith yn gyfrwng cyfathrebu naturiol. Oni fydd hyn yn digwydd, ni fydd yr iaith yn goroesi mewn unrhyw fodd ystyrlon, ac felly caiff hawl a fynnir gan y genhedlaeth bresennol ei thramgwyddo.

I ba raddau y gellir dilysu cam o'r fath? Wrth drafod pynciau megis anghyfiawnder hanesyddol mae amryw o athronwyr gwleidyddol wedi dod i'r casgliad ei bod yn bosib mewn rhai sefyllfaoedd i un genhedlaeth osod dyletswyddau moesol ar ei disgynyddion.[25] Fodd bynnag, mae gwahaniaeth mawr rhwng y math o ddyletswyddau sydd dan sylw yn y trafodaethau hynny a'r rhai sydd dan sylw yma. Dyletswyddau tuag at aelodau o grŵp arall a wyntyllir fel rhan o'r drafodaeth ynglŷn ag anghyfiawnder hanesyddol – dyletswyddau i barhau i drin aelodau o'r grŵp hwnnw â pharch neu gymryd camau i leddfu cam a wnaed iddynt yn y gorffennol – nid dyletswydd cenedlaethau o bobl i lynu at lwybr gwleidyddol neu ddiwylliannol penodol a osodwyd iddynt gan eu rhagflaenwyr. Byddai'r ail ffurf ar ddyletswydd rhwng cenedlaethau yn broblemus oblegid byddai'n golygu arddel safbwynt sy'n mynnu na ddylai gwahanol genedlaethau gael y cyfle i ddehongli eu hetifeddiaeth ddiwylliannol ar eu telerau eu hunain, gan ei gwerthuso a'i haddasu yn ôl anghenion a blaenoriaethau'r oes. Efallai y byddai rhai yn ddigon hapus i gau'r drws ar gyfleoedd o'r fath yn enw parhad ieithyddol. Fodd bynnag, i unrhyw un sy'n arddel ffurf ar foesoldeb gwleidyddol lle rhoddir o leiaf elfen o gydnabyddiaeth i bwysigrwydd ymreolaeth unigol, nid yw'n gam y gellir ei gymeradwyo.[26] O ganlyniad, hyd yn oed o'i drafod o bersbectif y dehongliad cyfunol o hawl grŵp, gwelir mai anodd iawn yw arddel dadl sy'n mynnu bod gan y Cymry hawl i weld y Gymraeg yn goroesi.

Yr Hawl i Sicrwydd Ieithyddol

Mae'n bosib iawn y bydd casgliadau'r adrannau blaenorol yn destun siom i nifer o ddarllenwyr. Yn sgil hynny, cyn cloi hoffwn drafod ffurf amgen, ac i'm tyb i, mwy priodol ar hawl iaith, sef yr hawl i sicrwydd ieithyddol.[27]

Hawl i amgylchiadau cefndirol teg yw'r hawl i sicrwydd ieithyddol; hynny yw, amgylchiadau sy'n caniatáu i grŵp o bobl i ddefnyddio'u hiaith gydag urddas a'i throsglwyddo o un genhedlaeth i'r llall heb wynebu pwysau annheg sydd naill ai'n eu cymell, neu hyd yn oed yn eu gorfodi, i newid eu harferion.[28] Fel yr eglura Denise Réaume: 'Mae meithrin sicrwydd ieithyddol yn gofyn am *ddileu pwysau annheg* ac felly yn caniatáu i bobl barhau i ddilyn prosesau cymdeithasol normal sydd fel arfer yn arwain at iechyd parhaus y gymuned ieithyddol'.[29] Mae'r pwyslais, felly, yn wahanol iawn yn achos yr hawl i sicrwydd ieithyddol i'r hyn ydyw yn achos yr hawl mwy cyfarwydd i oroesiad. Trwy fynnu bod ganddynt hawl i sicrwydd ieithyddol, nid yw aelodau grŵp yn datgan bod yn rhaid, fel mater o gyfiawnder, i'w hiaith barhau i'r dyfodol, doed a ddêl. Yn hytrach, yr hyn a wneir yw dadlau bod ganddynt hawl i'r math o gyd-destun gwleidyddol a chymdeithasol sy'n rhoi cyfle teg iddynt gynnal yr iaith a'i throsglwyddo i'w disgynyddion, os mai dyna'u dymuniad. Nawr, canlyniad y gwahaniaeth pwysig hwn o ran pwyslais yw nad yw arddel yr hawl i sicrwydd yn arwain at rai o'r rhwystrau moesol sylweddol a nodwyd mewn adrannau blaenorol. Er enghraifft, ni fyddai cydnabod ac yna gwarantu hawl i sicrwydd ieithyddol yn galw am osod dyletswyddau sy'n clymu cenedlaethau'r dyfodol i lwybr diwylliannol penodol. At ei gilydd, felly, ymddengys yr hawl i sicrwydd yn un fwy priodol i garedigion y Gymraeg ei harddel.

Fodd bynnag, beth fyddai gwarantu'r hawl i sicrwydd

ieithyddol yn ei olygu'n ymarferol? Ym mha feysydd y byddai angen gweithredu er mwyn creu'r amgylchiadau ieithyddol teg? Yn ôl Green a Réaume, byddai galw am gymryd dau gam pwysig. Yn gyntaf, dylid sicrhau mesur o oddefgarwch ieithyddol. Golyga hyn y dylai siaradwyr yr iaith dan sylw fedru ei ddefnyddio mewn peuoedd preifat, anffurfiol, er enghraifft gyda'r teulu neu wrth ymwneud â ffrindiau.[30] Yn ail, ac yn bwysicach, dylid sicrhau bod yr iaith yn cael ei chydnabod yn swyddogol. Golyga hyn y dylai fod modd ei defnyddio wrth dderbyn gwasanaethau cyhoeddus, er enghraifft ym meysydd addysg neu iechyd, a hefyd wrth gyflawni busnes cyhoeddus, er enghraifft yn y llysoedd neu yn y ddeddfwrfa.[31] Hyd y gwelaf, dyma hefyd yw dealltwriaeth Gwion Lewis yn *Yr Hawl i'r Gymraeg* o oblygiadau sicrwydd ieithyddol.[32]

Eto i gyd, o ystyried mai hanfod yr hawl i sicrwydd ieithyddol yw'r angen am amgylchiadau sy'n caniatáu i batrymau defnydd iaith a phrosesau trosglwyddo iaith barhau heb ymyrraeth annheg, tybed a oes modd dadlau bod ei warantu, o leiaf mewn rhai achosion, yn galw am fwy na'r hyn a amlinellwyd uchod. Fel y dengys gwaith amryw o gymdeithasegwyr iaith, ac fel y gwyddom yn bur dda yng Nghymru, nid diffyg cydnabyddiaeth swyddogol yn unig sy'n medru cyfrannu at danseilio cynaliadwyedd cymuned iaith benodol. Gall prosesau strwythurol, megis symudiad poblogaeth, sy'n gysylltiedig â safle'r gymuned o fewn yr economi chwarae'u rhan hefyd.[33] A ddylid casglu gan hynny y dylai'r pwysau a rydd ffactorau o'r fath ar allu cymuned iaith i'w hatgynhyrchu ei hun dderbyn sylw hefyd wrth geisio gwarantu'r amgylchiadau gwleidyddol a chymdeithasol teg hynny sy'n sail i'r hawl i sicrwydd ieithyddol?

Hyd yn hyn, ychydig o sylw a roddwyd gan athronwyr gwleidyddol i degwch neu annhegwch newidiadau mewn patrymau iaith sy'n deillio o weithrediad y farchnad. Fodd bynnag, mae dylanwad y farchnad ar gynaliadwyedd diwylliannol yn bwnc a gafodd ei wyntyllu fel rhan o'r drafodaeth normadol sy'n canolbwyntio ar sefyllfa pobloedd brodorol. Ymhellach, yr awgrym gan amryw o'r cyfranwyr i'r drafodaeth honno yw y dylai ein dehongliad o bwysau annheg gwmpasu, nid yn unig ffactorau sy'n deillio'n uniongyrchol o benderfyniadau gwleidyddol swyddogol, ond hefyd rhai sy'n ymwneud ag amgylchiadau marchnadol anffafriol. Er enghraifft, mae trafodaethau'r athronydd gwleidyddol rhyddfrydol o Ganada, Will Kymlicka, ynglŷn â'r math o 'warchodfeydd allanol' y dylid eu cyflwyno er mwyn gwarantu amgylchiadau teg i lwythau brodorol Gogledd America yn cynnwys cymeradwyo mesurau sy'n ffrwyno'r broses o werthu tir ac eiddo, ac yn sgil hynny, ffrwyno'r broses o symud poblogaeth sy'n ei gwneud yn anodd i'r llwythau hyn gynnal eu diwylliannau a'u ffyrdd o fyw.[34]

Yn wir, o safbwynt Cymreig, mae amddiffyniad Kymlicka o'r math yma o fesurau yn awgrymog tu hwnt. Fel rhyddfrydwr, mynna fod i'r farchnad ei lle a bod ystod o'r gwahaniaethau cymdeithasol a ddeillia o'i gweithrediad yn deg a derbyniol.[35] Fodd bynnag, yn unol â rhagflaenwyr megis John Rawls a Ronald Dworkin,[36] pwysleisia nad yw hynny'n wir ym mhob achos ac felly ar brydiau dylid ymyrryd yng ngweithrediad y farchnad er mwyn gwarantu tegwch. Er mwyn sefydlu pryd yn union y dylid ymyrryd, eglura fod yn rhaid rhoi sylw i'r rhaniad rhwng dewisiadau ac amgylchiadau. Mae rhai o'r gwahaniaethau a geir rhwng pobl yn deillio o ddewisiadau gwahanol ac yn adlewyrchu'r amrywiaeth o ran gwerthoedd neu chwaeth a geir ymhlith unigolion. Serch hynny, mae gwahaniaethau eraill yn deillio o amgylchiadau gwahanol ac yn seiliedig ar ffactorau na ellir eu dewis, er enghraifft, ein talentau naturiol, ein hil, ein dosbarth cymdeithasol neu'n cefndir diwylliannol. Eglura

Kymlicka mai ein cyfrifoldeb personol yw'r dosbarth cyntaf o wahaniaethau ac felly ni ddylai deilliannau marchnadol sy'n ganlyniad i ddewisiadau personol gael eu hystyried fel rhai sy'n galw am sylw. Fodd bynnag, pan fo gweithrediad y farchnad yn golygu bod pobl ar eu colled yn sgil amgylchiadau cefndirol sydd y tu hwnt i'w rheolaeth, dylid gweithredu.[37] Ar sail y ddadl gefndirol hon, aiff Kymlicka yn ei flaen i amlinellu pam fod mesurau sy'n ffrwyno'r farchnad eiddo a thir er lles rhai o lwythau brodorol Canada yn gyfiawn, a'r ymyrraeth â 'rhyddid' Canadiaid gwyn i brynu a symud fel y mynnont yn dderbyniol o dan yr amgylchiadau. Mynna nad gwneud iawn am ddewisiadau annoeth ar ran aelodau'r llwythau brodorol yw'r nod, ond yn hytrach mynd i'r afael ag anfantais ddifrifol o ran amgylchiadau cymdeithasol, a hynny er mwyn hybu nwydd – cymuned ddiwylliannol gynaliadwy yn yr achos hwn – y mae'r Canadiaid gwyn eisoes yn meddu arno ac yn ei fwynhau'n ddigwestiwn.[38]

Dylid pwysleisio na ddylid casglu ar sail yr uchod bod modd i'r sawl sydd am ladmeru ar ran ieithoedd lleiafrifol fynd ati i wneud cymariaethau uniongyrchol â sefyllfa llwythau brodorol Canada a dadlau o blaid yr union fesurau a welir ar waith mewn perthynas â hwy. Fel y noda Kymlicka, pan ddaw'n fater o benderfynu ar gamau polisi penodol rhaid ystyried pob achos yn unigol, a bydd hyd a lled y mesurau y gellir eu cymeradwyo yn dibynnu ar yr hyn sy'n briodol o dan yr amgylchiadau, ynghyd â difrifoldeb y rhwystrau sy'n wynebu'r grŵp dan sylw.[39] Fodd bynnag, nid oes amheuaeth nad oes yma gynsail y gall mudiadau iaith adeiladu arno er mwyn mynnu y dylai'r dehongliad o amgylchiadau teg sy'n sail i'r hawl i sicrwydd ieithyddol ymestyn y tu hwnt i'r gydnabyddiaeth swyddogol sy'n tueddu i gael ei argymell gan athronwyr gwleidyddol ar hyn o bryd. Oherwydd hynny, awgrymaf mai ieithwedd yr hawl i sicrwydd y dylid ei fabwysiadu o hyn allan gan y sawl sy'n pryderu ynglyn â dyfodol hirdymor y Gymraeg. Byddai dilyn llwybrau eraill, gan barhau i wyntyllu rhinweddau'r hawl i oroesiad, yn debyg o arwain i gors ddyrys dros ben.

Nodiadau

1 Cyflwynwyd fersiwn cynharach o'r ysgrif hon i gyfarfod o Grŵp Ymchwil Ieithoedd Lleiafrifol Prifysgol Aberystwyth. Diolch i'r sawl a fynychodd am eu cwestiynau pwrpasol. Diolch hefyd i Simon Brooks, Patrick Carlin, Nêst Lewis a Colin Williams am ddarllen y gwaith a chynnig sylwadau.

2 Cymdeithas yr Iaith Gymraeg, *Deddf Iaith Newydd i'r Gymraeg: Dyma'r Cyfle* (Aberystwyth, 2005), tt. 7-8; Colin H. Williams, 'Articulating the Horizons of Welsh', yn Colin H. Williams (gol.), *Language and Governance* (Cardiff, 2007), tt. 387-433 [tt. 410-13]; Gwion Lewis, *Yr Hawl i'r Gymraeg* (Talybont, 2008), tt. 101-10.

3 Cymdeithas yr Iaith Gymraeg, *Deddf Iaith Newydd i'r Gymraeg: Dyma'r Cyfle*, t. 8; Simon Brooks, *Yr Hawl i Oroesi: Ysgrifau Gwleidyddol a Diwylliannol* (Llanrwst, 2009).

4 Gweler, er enghraifft, Will Kymlicka (gol.), *The Rights of Minority Cultures* (Oxford, 1995); Will Kymlicka a Wayne Norman (goln.), *Citizenship in Diverse Societies* (Oxford, 2000); Will Kymlicka ac Alan Patten (goln.), *Language Rights and Political Theory* (Oxford, 2003).

5 Joseph Raz, *The Morality of Freedom* (Oxford, 1986), t. 166.

6 Ronald Dworkin, *Taking Rights Seriously* (London, 1977).

7 Denise Réaume, 'The Group Right to Linguistic Security: Whose Right, What Duties?', yn J. Backer (gol.), *Group Rights* (Toronto, 1994), tt. 119-41 [t. 120].

8 Leslie Green, 'Are Language Rights Fundamental?', *Osgoode Hall Law Journal* 25 (1987), 639-69 [649].

9 Charles Taylor, 'The Politics of Recognition', yn A. Gutmann (gol.), *Multiculturalism and the Politics of Recognition* (Princeton, 1994), tt. 25-73 [t. 25].

10 Denise Réaume, 'Individuals, Groups and Rights to Collective Goods', *University of Toronto Law Journal* 38.1 (1988), 1-27 [7-13]. Noder mai'r mwynhad o'r nwydd neu'r cyfle sy'n allweddol yn ôl

Réaume, nid y broses fwy sylfaenol o'u cynhyrchu. Eglura nad yw'r angen am gydweithio a chyd-gyfranogiad mewn perthynas â'r ail o anghenraid yn arwain at sefyllfa debyg mewn perthynas â'r cyntaf. Cyfeiria, er enghraifft, at awyr iach. Dyma nwydd pwysig na ellir ei 'gynhyrchu' ond os yw casgliad o bobl yn cydweithio gyda'i gilydd, gan ymatal fel grŵp rhag llygru. Fodd bynnag, gall unigolion fwynhau a manteisio ar awyr iach ar ei ben ei hun, ac yn sgil hynny, mynna Réaume fod modd sôn am hawl unigolyddol i awyr iach (Gweler yn benodol *ibid.*, 8).

11 *Ibid.*, 11.

12 Will Kymlicka, 'Individual and Group Rights', yn J. Baker (gol.), *Group Rights*, tt. 17-33 [tt. 18-19].

13 Peter Jones, 'Group Rights' yn *The Stanford Encyclopaedia of Philosophy* (2008); ar gael o: http://plato.stanford.edu/ entries/rights-group/. Mae Peter Jones yn ysgolhaig sydd wedi ysgrifennu'n helaeth iawn ar bwnc hawliau grŵp a phrofodd ei waith yn ffynhonnell bwysig wrth i mi lunio'r ysgrif hon. Gweler hefyd *idem*, 'Group Rights and Group Oppression', *The Journal of Political Philosophy* 7.4 (1999), 353-77; *idem*, 'Human Rights, Group Rights and People's Rights', *Human Rights Quarterly* 21.1 (1999), 80-107; *idem* (gol.), *Group Rights* (Aldershot, 2009).

14 Vernon Van Dyke, 'Collective Entities and Moral Rights: Problems in Liberal-Democratic Thought', *Journal of Politics* 44.1 (1982), 21-40 [24]. Gweler hefyd *idem*, 'The Individual, the State and Ethnic Communities in Political Theory', *World Politics* 29.3 (1977), 343-69.

15 Mae ystod o ysgolheigion eraill wedi defnyddio'r dehongliad corfforaethol wrth drin a thrafod hawliau grŵp. Yn eu plith mae: A. Addis, 'Individualism, Communitarianism and the Rights of Ethnic Minorities', *Notre Dame Law Review* 67.3 (1992), 615-67; J. Naveson, 'Collective Rights', *Canadian Journal of Law and Jurisprudence* 4.2 (1991), 329-45; M. McDonald, 'Should Communities Have Rights? Reflections on Liberal Individualism', *Canadian Journal of Law and Jurisprudence* 4.2 (1991), 217-37.

16 Peter Jones, 'Group Rights'.

17 *Ibid.*

18 Denise Réaume, 'The Constitutional Protection of Language: Security or Survival?', yn D. Schneiderman (gol.), *Language and State: The Law and Politics of Identity* (Cowansville, 1991), tt. 37-57 [t. 44].

19 Dylid nodi na fyddai modd osgoi'r problemau ontolegol a moesegol

a amlinellwyd uchod drwy addasu ffocws y drafodaeth ychydig, gan gyfeirio at hawl siaradwyr Cymraeg i weld yr iaith yn goroesi, yn hytrach na hawl y Cymry'n gyffredinol.

20 Joseph Raz, *The Morality of Freedom*, t. 208.

21 *Ibid.*, tt. 207-9.

22 Peter Jones, 'Group Rights'.

23 *Ibid.*

24 Denise Réaume, 'The Constitutional Protection of Language: Security or Survival?', tt. 37-57 [t. 43].

25 Gweler, er enghraifft, Janna Thompson, *Taking Responsibility for the Past* (Cambridge, 2002), pennod 1.

26 Will Kymlicka, *Multicultural Citizenship* (Oxford, 1995), pennod 5.

27 Leslie Green, 'Are Language Rights Fundamental?', 639-69 [658-60]; Denise Réaume, 'The Constitutional Protection of Language: Security or Survival?', tt. 37-57 [tt. 45-8]; *idem*, 'The Group Right to Linguistic Security: Whose Right, What Duties?', tt. 119-41 [tt. 127-34].

28 Denise Réaume, 'The Constitutional Protection of Language: Security or Survival?', tt. 37-57 [t. 47].

29 *Ibid.*, t. 48. Mae'r pwyslais wedi'i ychwanegu.

30 Leslie Green, 'Are Language Rights Fundamental?', 639-69 [660].

31 *Ibid.*, 662-3.

32 Gweler y drafodaeth fer ar waith Green a Réaume yn Gwion Lewis, *Yr Hawl i'r Gymraeg*, t. 103.

33 Peter H. Nelde *et al.*, *Euromosaic: The Production and Reproduction of the Minority Language Groups in the European Union* (Luxembourg, 1996), tt. 6-8.

34 Will Kymlicka, *Liberalism, Community and Culture* (Oxford, 1989), t. 137, tt. 182-90; *idem*, *Multicultural Citizenship*, t. 110; *idem*, 'Concepts of Community and Social Justice' yn Fen Osler Hampson *et al.* (goln.), *Earthly Goods: Environmental Change and Social Justice* (Ithca, 1995), t. 45.

35 Will Kymlicka, *Liberalism, Community and Culture*, t. 185.

36 John Rawls, *A Theory of Justice* (Cambridge Mass., 1971), tt. 74-102; Ronald Dworkin, 'What is Equality? Part II: Equality of Resources', *Philosophy and Public Affairs* 10.4 (1981), 283-345.

37 Will Kymlicka, *Liberalism, Community and Culture*, t. 186.

38 *Ibid.*, tt. 189-190.

39 *Idem, Multicultural Citizenship*, t. 110.

ASTUDIAETH ACHOS

Gwasanaeth rheithgor yng Nghaernarfon
Hawliau ar waith

gan Richard Glyn Roberts

Dwyieithrwydd ffurfiol sy'n weithredol yn Llys y Goron, Caernarfon a chan hynny y mae'n sefydliad trwyadl Saesneg. Daw'r wŷs i wasanaethu ar reithgor, ynghyd â'r ffurflenni cysylltiedig, drwy'r post yn Saesneg ac yn Gymraeg. Dyna ben draw y dwyieithrwydd a sicrheir i aelodau rheithgor, oddieithr bod gan bob darpar reithwr yr hawl ffurfiol i gymryd y llw yn Gymraeg. O'r rhai a gymrodd y llw pan fûm i yno, yr oedd y mwyafrif yn Gymry, yn siarad Cymraeg yn stafell y rheithgor. Er hynny, un ohonynt yn unig – halen daear Dyffryn Ogwen – a ddarllenodd y llw yn Gymraeg. Dim ond ffŵl fyddai'n gweld bai ar y lleill am wneud hynny yn Saesneg. Roedd dieithrwch arswydus y llys, Saesneg taten boeth y barnwr, osgo hyderus y cyfreithwyr a'r clerc ac, ymlaen dim, eu hymdeimlad hwy eu hunain ag annigonolrwydd eu cyfalaf diwylliannol yn gwthio'r rheithwyr eraill i gydymffurfio â norm y gyfundrefn a darllen y llw ym mhriod iaith y gyfraith. Gellir galw hyn yn *ddewis*, fel y deellir y gair yn gyffredin, ond dylid sylweddoli mai dewis wedi ei amodi gan amgylchiadau ydyw ac nad ydyw'r sawl sy'n dewis fel hyn yn dewis yr egwyddor ddigrybwyll sy'n sail i'w ddewis. Gorfodir honno arno gan y gyfundrefn megis yn ddiarwybod.

Pan ddaeth fy nhro innau i gymryd y llw, gofynnais am sicrwydd y cawn gyd-drafod ag aelodau eraill y rheithgor yn Gymraeg. Rhoes y barnwr ateb cadarnhaol, difeddwl. Gofynnais drachefn sut yr oedd yn disgwyl imi gyfathrebu â'r aelodau hynny o'r rheithgor nad oeddent yn siaradwyr Cymraeg. Gwyddai'r barnwr o'r gorau mai Saesneg fyddai iaith y drafodaeth rhwng deuddeg o reithwyr yr oedd rhai ohonynt yn Saeson (hyd yn oed a'r rheiny yn y lleiafrif) ac ni fu'n hir cyn iddo fy rhyddhau o'r llys.

* * *

Mae'r gyfraith gyda golwg ar iaith rheithgorau ym Mhrydain, ac felly yng Nghymru, yn eglur. Yn ôl Deddf Rheithgorau 1974 y mae'n rhaid i bawb sy'n gwasanaethu ar reithgor fedru Saesneg. Trwy hynny sicrheir fod gan bob diffynnydd Saesneg ei iaith yr hawl i gael rheithgor o siaradwyr Saesneg i wrando'i achos. Yn 2010 gwrthododd Llywodraeth San Steffan gyflwyno deddfwriaeth a fyddai'n caniatáu rheithgorau Cymraeg gan y byddai hynny, meddir, yn ymyrryd â'r egwyddor o ddewis rheithgor ar hap (rhagdybir bod pob dinesydd Prydeinig yn medru Saesneg a chan hynny nid ystyrir y gofyniad Saesneg yn ymyrraeth). O'r herwydd, nid oes gan ddiffynnydd Cymraeg ei iaith yr hawl i gael rheithgor o siaradwyr Cymraeg i wrando'i achos. Un o ganlyniadau ymarferol hyn yw fod disgwyl i Gymro sy'n aelod o reithgor drafod yr achos yn Saesneg efo rheithwyr nad ydynt yn siarad Cymraeg. Os myn siarad Cymraeg yn unig, ystyrir ei fod yn anghymwys i wasanaethu ar reithgor.

Er gwaethaf yr ymffrostio mynych am statws cyfartal ieithoedd a hawliau cyfartal eu siaradwyr, ymddengys nad oes ddarpariaeth yn Neddf Iaith 1993 na Mesur y Gymraeg 2011 ar gyfer sicrhau bod rheithwyr yn gallu trafod yn Gymraeg ac nad oes gan Gomisiynydd y Gymraeg ddiddordeb mewn tynnu sylw at yr anghydraddoldeb gwaelodol enghreifftiol yma rhwng siaradwyr Cymraeg a siaradwyr Saesneg, boed ddiffynyddion neu reithwyr. Mae'n debyg y byddai hynny'n gyfystyr â gollwng y gath o'r cŵd, gan ddatgelu'r anwiredd sylfaenol am ddosbarthiad grym y sefydlwyd swydd y Comisiynydd i'w gynnal.

Yn wythnosol yn Llys y Goron, Caernarfon y mae siaradwyr Cymraeg yn cael eu gorfodi'n dawel gan y wladwriaeth i wrando ar achosion Saesneg a thrafod yr achosion hynny yn Saesneg ymysg ei gilydd. Yma nid oes gan y dinesydd o Gymro ddewis ond derbyn mai Saesneg yw iaith y rhyngwyneb sydd rhyngddo a'r wladwriaeth. Oherwydd agwedd ar ymwneud dinesydd â'r wladwriaeth ydyw gwasanaeth rheithgor. Pan elwir arnynt i gyflawni'r ddyletswydd sifig hon, disgwylir i siaradwyr Cymraeg droi i'r Saesneg neu dderbyn eu hamddifadu o gyfran o'u dinasyddiaeth; a hynny mewn tref y mae mwyafrif helaeth ei thrigolion yn siarad Cymraeg.

Fel y gwelodd Gilles Deleuze a Félix Guattari, acsiomau yw hawliau dynol sy'n 'gallu cydfodoli ar y farchnad gyda nifer o hawliau eraill ... sy'n eu hanwybyddu neu'n eu gohirio'n fwy nag y maent yn eu gwrthddweud.' Yng Nghymru hefyd, dyna hyd a lled gwleidyddiaeth hawliau.

CYMUNED

Yr ethnig, y sifig a'r gymuned ieithyddol wedi datganoli

Ned Thomas

Rwy'n dechrau gyda gosodiad amlwg iawn, sef bod Datganoli wedi newid cyd-destun y drafodaeth am yr iaith Gymraeg a'i dyfodol, a hynny'n arbennig wedi i'r Cynulliad Cenedlaethol gael yr hawl i ddeddfu yn y maes. Yng Nghaerdydd y llunnir y rhan fwyaf o'r polisïau sy'n effeithio ar y Gymraeg bellach, ond y mae'r newid yn mynd ymhell y tu hwnt i hynny. Nid yr un peth yn union oedd brwydr yr iaith a'r frwydr genedlaethol yn y gorffennol, ac eto nid oedd angen dewis rhyngddynt, gan fod enillion mewn un maes yn cryfhau achos y llall. Mae Datganoli'n datgysylltu'r ddau gwestiwn ac yn ein gorfodi i ddiffinio'r hunan mewn perthynas â'r Gymraeg ar y naill law a'r drefn lywodraethol ddatganoledig ar y llaw arall. Pwrpas y llith hon yw trafod rhai o'r termau sydd ar gael i ni wrth wneud hynny. Er bod hyn yn mynd â ni i feysydd ieithegol, hanesyddol a syniadol a all ymddangos ymhell o fyd polisi, nid materion damcaniaethol pur sydd dan sylw. Termau o'r fath fydd yn diffinio'r ffordd y byddwn yn meddwl amdanom ni ein hunain, a hynny yn ei dro fydd yn penderfynu'r polisïau yr ydym am weld eu gweithredu.

Dyma ddau air a glywir yn amlach mewn cyd-destun Cymreig ers Datganoli: *dinesig* (neu *sifig*) wrth sôn am genedligrwydd neu genedlaetholdeb, ansoddair a wrthgyferbynnir yn amlach na pheidio ag *ethnig*, fel yn y cyfuniad *grŵp ethnig*. Defnydd llac a geir yn aml iawn o dermau sydd wedi eu tynnu o'u cyd-destun arbenigol gwreiddiol a mynd yn ffasiynol, a phan geisir lleoli'r iaith Gymraeg o fewn y disgwrs a'r ddeuoliaeth hon, y mae'r canlyniad yn arbennig o niweidiol. Cystal i mi ddweud yn syth fy mod yn anfodlon cael fy nghaethiwo gan ddeuoliaeth sy'n cyfyngu'n ormodol ar y posibiliadau. Dyna paham yr wyf, yn ail hanner yr ysgrif, am drafod ymadrodd o ddraddodiad arall, sef *cymuned ieithyddol*.

Bydd yn dda inni gofio bod termau haniaethol, y categorïau a ddefnyddir i roi trefn ar realiti, eu hunain yn rhan o'r realiti symudol hwnnw. Dyfeisir termau o fewn ieithoedd arbennig ac ar adegau arbennig. Maent yn newid eu hystyr wrth deithio a thros amser, dan bwysau gwahanol rymoedd cymdeithasol. Mae hynny'n wir am y termau sydd gennym dan sylw. Mae'n bwysig hefyd sylwi ar ba garfannau sy'n defnyddio'r termau. Nid rhywbeth yn sefyll y tu allan i'r strwythur cymdeithasol, felly, yw'r termau a ddefnyddiwn i'w ddadansoddi, ond rhan o'r strwythur hwnnw, sydd felly hefyd yn agored i gael eu dadansoddi. Pwrpas y drafodaeth ieithegol a hanesyddol sy'n dilyn yw ceisio ein rhyddhau o orthrwm termau a all ymddangos ar yr olwg gyntaf ac i'r lleygwr fel pe bai holl awdurdod athroniaeth wleidyddol tu ôl iddynt.

Mae'r geiriau *dinasyddiaeth* a *dinasyddion* mewn cyd-destun Prydeinig yn cyfeirio at ffeithiau cyfreithiol pwysig ond digon sych ac anniddorol, o leiaf i ni sy'n gallu cymryd ein dinasyddiaeth gyfreithiol yn ganiataol. Mwy cyffrous yw eu clywed yng nghyd-destun Cymru gan eu bod yn awgrymu fod yma egin-wladwriaeth. I'm clust i, fodd bynnag, nid yw 'dinesig' wedi llwyr ymgartrefu yn yr iaith Gymraeg fel rhan o'r sgwrs wleidyddol. Mae'r ystyr o fod yn 'perthyn i'r ddinas' yn dal yn rhy gryf, ac efallai nad yw'r diwylliant Cymraeg wedi llwyr uniaethu â'r ddinas ychwaith. Dyna, efallai, paham y mae rhai am ddefnyddio *sifig* sy'n ein pellhau o'r ddinas ddiriaethol. Ond y mae'n well gennyf i weld cyfieithu termau i'r Gymraeg yn hytrach na'u benthyg yn ddifeddwl, gan fod cyfieithu yn ein gorfodi i archwilio'r ystyr yn ddyfnach.

Mae gan y Saesneg ddewis o eiriau a gwreiddiau: *urban* yn tarddu o'r Lladin *urbs* ac yn tueddu i gyfeirio at y ddinas ddiriaethol; eraill megis *civic* a *citizen* yn cysylltu â'r Lladin *civitas*, term lled-haniaethol oedd yn cwmpasu'r ffordd y trefnwyd llywodraeth y ddinas neu'r ddinas-wladwriaeth. Yn yr un modd, y mae *polis* – gair yr hen Roegiaid am ddinas – yn esgor ar *politica*, 'pethau'r ddinas' a tharddiad *politics*. Datblygiad arall o'r un gwreiddyn Lladin yw'r geiriau hynny sy'n awgrymu diwylliant uwch ac arferion cwrtais y ddinas – *civilisation* yn Ffrangeg a Saesneg, a *sifil* yn Gymraeg, yn un o'i ddau ystyr. Nid gweision sifil yw'r 'gweision suful iawn' yn y gân werin 'Y Bachgen Main'!

O gyfnod y Dadeni ymlaen y gwelir y geiriau uchod yn cyrraedd y Saesneg, naill ai'n uniongyrchol neu'n aml iawn drwy'r Ffrangeg. A siarad yn gyffredinol, naws gadarnhaol sydd iddynt, o leiaf yn y byd gorllewinol. Maent yn awgrymu ein bod fel dinasyddion yn gyfartal, yn cyfrannu i broses wleidyddol gynhwysol a'r un pryd yn elwa ohoni. Mi ddown yn ôl at y syniadaeth wleidyddol sy'n cynnal y geiriau hynny, ond trown gyntaf at y gair *ethnig*.

Gair yr hen Roegiaid am genedl oedd *ethnos*, ond beth yn union oedd ystyr cenedl iddynt? I'r hanesydd Herodotos, bod o'r un gwaed, o'r un iaith a bod â'r un arferion. Dim ond yn y bedwaredd ganrif ar bymtheg yn Saesneg y gwelir *ethnography* (1834), *ethnology* (1842), ac *ethnic* (1851) mewn perthynas ag astudio cenhedloedd, yn aml iawn y rhai a ystyrid yn gyntefig neu'n ymylol. Roedd y bedwaredd ganrif ar bymtheg yn ei chael hi'n anodd gwahaniaethu rhwng iaith, diwylliant a hil, ac os rhywbeth yn blaenoriaethu hil. Ym marn Matthew Arnold ni fyddai llenyddiaeth y Cymry'n colli dim o'i chymeriad Celtaidd o'i mynegi yn Saesneg gan mai Celtiaid oedd yn ei chreu.[1]

Ond beth sy'n diffinio cenedl i ni? Os bydd y genedl-wladwriaeth wedi meddiannu'r syniad o genedl, gwell sôn efallai am *ethnie* a gofyn beth sy'n diffinio'r categori hwnnw. Mae astudiaethau DNA diweddar yn cymhlethu'r ddealltwriaeth draddodiadol o hil. Nid pob *ethnie* neu genedl, na chenedl-wladwriaeth am hynny, sy'n meddu ar iaith wahanol, ac y mae rhai yn meddu ar fwy nag un. Gall crefydd fod yn elfen bwysig mewn hunaniaeth, felly hefyd brofiadau hanesyddol o bob math. Mae modd i fwy nag un hunaniaeth orgyffwrdd, a gall grwpiau ail-ddyfeisio'u hunain dros amser. Ai wyneb yn wyneb â grwpiau eraill y diffinnir ein grŵp *ni* yn ddi-ffael? A oes gan bob cymdeithas fewnol 'ddinesig' wyneb 'ethnig' wrth edrych dros y ffin?

Cwestiwn pellach cwbl allweddol: ai hunan-ddiffiniad y grŵp sy'n cyfrif, ei allu i greu *mythos*, neu ryw ddiffiniad 'gwrthrychol' o'r tu allan? Yn ystod yr ugeinfed ganrif, o Weber ymlaen, rhoddwyd pwyslais cynyddol ar hunan-ddiffiniad y grŵp. Dechreuwyd amau mai math o goloneiddio oedd yn digwydd pan oedd anthropolegydd o ddiwylliant grymus yn gosod categorïau o'r tu allan ar ddiwylliant diymadferth. Yn naturiol, y mae iaith y diffiniad yn bwysig yn y cyswllt hwn.

A ydyw'r termau *ethnig* a *grŵp ethnig* heddiw i'w deall rywle o fewn y cymhlethdod uchod? Tebyg eu bod felly i gymdeithasegwyr ac anthropolegwyr, ond fel dechreubwynt yn unig. Rhaid manylu wedyn ar y grŵp a'r sefyllfa benodol, ar y gymysgedd o ffactorau perthnasol, fel y gwna Richard Wyn Jones wrth ddadansoddi holiadur am hunaniaeth Gymreig poblogaeth Cymru yn dilyn refferendwm Datganoli 1997:

Byddai syniadau sifig yn cael eu cysylltu fwyaf â diffinio hunaniaeth yn nhermau preswylfod, a rhai ethnig â diffiniad yn nhermau tras. [...] mae byw yng Nghymru a chael eich geni'n ddisgynnydd i Gymry yn cael eu hamgyffred fel elfennau tua'r un mor bwysig mewn hunaniaeth Gymreig, hyd yn oed os ystyrir man geni fel y nodwedd bwysicaf o hyd. Yn y cyd-destun hwn annoeth fyddai rhoi gormod o bwyslais ar y ffaith mai 43% yn unig o'r atebwyr a ystyriai fod y gallu i siarad Cymraeg yn bwysig iawn neu'n eithaf pwysig ar gyfer hunaniaeth Gymreig gan fod modd dehongli'r iaith fel nodwedd ethnig a sifig – yr olaf yn yr ystyr bod yr adfywiad yn y Gymraeg yn y blynyddoedd diweddar wedi bod yn enghraifft baradeimatig o ymgyrchu sifig, wrth i rai nad oeddent yn siaradwyr Cymraeg fynd ati'n ymwybodol i gofleidio'r iaith iddynt hwy eu hunain ac i'w plant.[2]

Mae hynny'n ieithwedd ddigon gofalus ac arbenigol. Mae'n diffinio'r elfennau cymhleth sydd gan yr awdur mewn golwg wrth ddefnyddio *sifig* ac *ethnig* yng nghyd-destun Cymru, ac y mae'n gosod yr iaith Gymraeg ar y naill ochr a'r llall i'r rhaniad a ddiffinnir ganddo. Pe bai'n rhaid derbyn y rhaniad, byddwn i'n cytuno â hynny.

Er nad yw iaith yn gategori mor fiolegol â hil a lliw, cydnabyddir y cyswllt biolegol pan ddefnyddiwn y gair *mamiaith*. Mae cyfeirio at *iaith fyw* neu at *gymunedau naturiol Cymraeg* yn rhagdybio bod iaith yn perthyn i lefel mwy organig na'n cyfreithiau a'n cyfundrefnau cyfansoddiadol. Nid oes angen gradd mewn cymdeithaseg iaith i ddeall fod ieithoedd yn cael eu harfer a'u trosglwyddo mewn teuluoedd ac ym mywyd anffurfiol y gymdogaeth. Y ffeithiau diriaethol hyn sydd wedyn yn creu sail gref i fynnu cyfundrefn fydd yn amddiffyn siaradwyr yr iaith. Gallwn fod â phob ewyllys da tuag at hyrwyddo'r Gernyweg neu'r Fanaweg ar dir hanesyddol a thiriogaethol, ac eto yn ei chael hi'n anodd defnyddio'r un dadleuon hawliau dynol a hawliau cymunedol yn yr achosion hyn, a hynny am nad yw'r cyswllt 'naturiol' yno bellach.

Ond gellir troi'r ddadl honno ar ei phen: heb statws yn y gymdeithas, heb bresenoldeb yn y meysydd ffurfiol, dinesig – y gyfundrefn addysg, y cyfryngau, y gweithle, ac mewn gweinyddiaeth – y mae'n annhebyg yn ein cymdeithas ni heddiw y bydd yr iaith yn cael ei throsglwyddo am hir yn y teulu nac yn y gymdogaeth anffurfiol. Ai ni, felly, sy'n arddel dwy ddadl anghyson yn ôl anghenion tactegol y foment? A oes dau fath o siaradwyr Cymraeg, y dinesig a'r ethnig? Neu ai'r ddeuoliaeth ei hun sy'n creu'r broblem wrth drafod iaith, fel y byddwn i'n dadlau?

Byddai diffiniadau Richard Wyn Jones yn gallu ffitio oddi mewn i'r hyn a gefnogwyd mewn cyfres o ddatganiadau gan UNESCO o 1950 ymlaen, sef defnyddio *ethnig* i ddisgrifio ystod eang iawn o hunaniaethau, ac osgoi sôn am 'hil' heblaw yng nghyd-destun nodweddion corfforol a ffisiolegol. Rhywbeth cwbl groes i hynny sydd wedi digwydd yn iaith bob dydd yr awdurdodau a'r cyfryngau yn y Deyrnas Gyfunol (yn Gymraeg yn ogystal â Saesneg) sef defnyddio *ethnig* ac *ethnic* fel ffordd fwy derbyniol o gyfeirio'n benodol at hil. Ar ffurflen ddwyieithog Cyfrifiad 2011 gofynnwyd inni: 'Beth yw eich grŵp ethnig?', gan roi dewis rhwng 'Gwyn, Cymysg aml-ethnig, Asiaidd, a Du'.

Roedd yn rhaid i ffurflen y cyfrifiad ddarparu ar gyfer pob hil a lliw gan gynnwys *gwyn*, ond anaml y bydd mwyafrif pwerus yn gweld ei hun fel grŵp *ethnig*. Yn aml iawn defnyddir yr ansoddair, y tu allan i rengoedd arbenigwyr, ar gyfer grwpiau neu wrthrychau ar gyrion neu y tu allan i'r hyn a gymerir yn norm gan y siaradwr. Gwrthrychau egsotig yw dillad neu emwaith ethnig, ac o fewn y Deyrnas Gyfunol ystyr 'ieithoedd ethnig' yw ieithoedd mewnfudwyr – y rhai o Asia yn bennaf, ond nid y rhai o wledydd Ewrop sy'n rhy debyg i ni.

Yn ddiddorol iawn, y mae'r pwyslais uchod yn cysylltu ag ystyr gynharach y gair yn Gymraeg a Saesneg. Fel hyn y mae Beibl William Morgan (Mathew 17: 17) yn cyfeirio at bobl y tu allan i gorlan yr Eglwys: 'Ac os efe ni wrendy ar yr eglwys chwaith, bydded ef i ti megis yr ethnig a'r publican'. Mae'r un adnod yn y *Beibl Cymraeg Newydd* yn darllen: 'Ac os bydd yn gwrthod gwrando ar yr eglwys, cyfrifa ef fel y pagan a'r casglwr trethi'. I'r Iddewon a'r Cristnogion cynnar, *paganiaid* oedd y cenhedloedd eraill i gyd – yr *ethnig*, y *cenedl-ddynion*. Am ganrifoedd dyma oedd unig ystyr *ethnic* yn Saesneg hefyd. Gair arall am yr un peth yn Saesneg oedd *gentile*, o'r Lladin *gentilis* sy'n cyfieithu'r Roeg *ethnicos*.

Mewn cyd-destun arbennig heddiw hefyd y mae awgrym o atafistiaeth yn y defnydd o'r gair *ethnig*. Pan oedd sôn am *ryfel ethnig* yn Rwanda, neu am *lanhau ethnig* ym Mosnia a Chosofo, yr oedd rhagdybiaeth fod y pethau hyn yn digwydd oherwydd rhyw elyniaeth lwythol, afresymol a chyntefig. Ystyriwch y frawddeg hon ar wefan BBC News sy'n lled-awgrymu mai *ethnig* yw'r gwrthwyneb i *cymhedrol*: 'Lladdwyd oddeutu 800,000 o Tutsi a Hutu cymhedrol yn y lladdfa 100 diwrnod a drefnwyd gan eithafwyr ethnig Hutu.'[3]

Ni fyddem yn disgrifio ein rhyfeloedd ni, rhwng gwladwriaethau sefydlog, fel rhai ethnig ond yn hytrach yn eu trin fel canlyniad ffactorau hanesyddol cymhleth y gellir eu trafod a'u dadansoddi. Ond y mae llawn cymaint o gymhlethdod hanesyddol tu ôl i'r gwrthdaro rhwng yr Hutu a'r Tutsi, ac y mae'r un peth yn wir yn achos cenhedloedd yr hen Iwgoslafia. Ac oni welwyd emosiwn 'llwythol' yn brigo yn rhyfeloedd diweddar Prydain wrth i'n 'hogiau ni' hwylio o Portsmouth am y Falklands/Malfinas ac wrth i gyrff y milwyr ddychwelyd o Affganistan i Wootton Bassett? Gawn ni gytuno efallai mai rhyfeloedd ethnig yw'r ffordd y cyfeirir at ryfeloedd rhwng grwpiau nad oes ganddynt strwythurau cyfansoddiadol sy'n caniatáu iddynt ymladd rhyfeloedd gwladwriaethol?

Y tu allan i gylchoedd arbenigol, felly, y mae *ethnig*, yn wahanol iawn i *ddinesig*, yn cario llwyth o gysylltiadau negyddol. Mae *Civic* yn air digon cymeradwy i fynd yn enw ar fodel o gar. Mae'n ddychryn meddwl sut fath o fodur fyddai'r *Ethnic*. Ond beth am y defnydd cyfoes o *ethnig* yng Nghymru?

Dangosodd Simon Brooks fod tueddiad bellach i neilltuo'r diwylliant Cymraeg i'r maes ethnig, a'i weld fel diwylliant unffurf, caeëdig ac anoddefgar, yn wahanol i ddiwylliant dinesig, cynhwysol, agored y gymdeithas fwyafrifol – a elwir yn amlddiwylliannol ond a fynegir yn ddieithriad yn Saesneg.[4] Yn sicr y mae'n bwysig manteisio ar bob cyfle i ddangos, fel y gwna Simon Brooks, fod y byd Cymraeg hefyd yn fyd amrywiol. Mae'n bodoli ar groesffordd ddiwylliannol, nid ar ynys ddiwylliannol. Mae'n bwysig hefyd ein bod yn sôn nid yn unig am amddiffyn y Gymraeg ond am ei datblygu. Ond yr ydym yn ymwneud â mwy na dadl syniadol. Awgrym Simon Brooks, a byddwn i'n cydweld, yw mai o fewn cylchoedd llywodraethol neu'n agos at ganolfannau grym yng Nghymru y clywir neilltuo'r Gymraeg i'r maes ethnig. Os felly, gallwn ddod i'r casgliad mai rhan o'r disgwrs dinesig yw'r gair *ethnig* a bod arwyddocâd gwleidyddol i hynny.

Yn achos y pleidiau Prydeinig yng Nghymru nad oeddynt am ddegawdau wedi uniaethu â'r iaith Gymraeg, nid yw'r disgwrs ethnig mewn perthynas â'r Gymraeg yn golygu newid mawr. Yn wir, gall fod yn welliant o'i gymharu ag agweddau mwy negyddol fyth a gafwyd mewn cyfnod cynharach. Yn achos plaid genedlaethol y bu'r iaith leiafrifol yn rhan greiddiol o'i chenhadaeth, y mae defnyddio'r disgwrs dinesig/ethnig yn newid pellgyrhaeddol ac yn gwrthddweud y disgwrs arall am 'godi cenedl' sy'n dal yn gryf ymhlith rhai o gefnogwyr y blaid honno. Yr ail safbwynt a fynegir gan Siôn Jobbins sydd am weld y gofod dinesig yn cael ei lenwi gan yr iaith Gymraeg:

> ... cyfrwng i gryfhau'r iaith a'r diwylliant Cymraeg yw gwladwriaeth Gymreig – nid yw'n nod ynddi hi ei hun. Adfywiad yr iaith Gymraeg yw pwrpas moesol Cymru.[5]

Gellir dadlau bod camau pwysig i'r cyfeiriad hwnnw wedi digwydd pan oedd Plaid Cymru yn rhan o'r llywodraeth glymblaid yng Nghaerdydd, ond erys y ffaith mai lleiafrif yw'r siaradwyr Cymraeg yng Nghymru a bod gwireddu'r dyhead uchod o fewn ffrâm democratiaeth yn dibynnu ar ennill cefnogaeth y mwyafrif nad ydynt yn siarad yr iaith genedlaethol. Wrth inni ddynesu at wleidyddiaeth ymarferol, gwahanol iawn yw'r pwyslais. Yn ôl adroddiad yn *Golwg* yn 2003:

> Mae Cyfarwyddwr polisi Plaid Cymru wedi dweud fod yn rhaid i bob plaid gadw draw oddi wrth genedlaetholdeb sydd wedi ei seilio ar iaith a chenedligrwydd... Yn hytrach na defnyddio 'cenedlaetholdeb ethnig' sy'n rhoi'r pwyslais ar wahaniaethau rhwng pobl, roedd 'cenedlaetholdeb dinesig' yn dweud fod pawb sy'n byw o fewn y wlad yn rhan o'r wlad honno.[6]

Mae rhyw eironi yn y ffaith y gallai unrhyw un o'r pleidiau Prydeinig fod wedi defnyddio'r union eiriau hyn cyn sefydlu'r Cynulliad i ddadlau yn erbyn cenedlaetholdeb Cymreig a datganoli grym i Gymru, ond ni ddylem synnu. Mae'n ddigon naturiol i wleidyddion Cymru wedi Datganoli addasu syniadaeth y genedl-wladwriaeth Brydeinig ar gyfer y rhanbarth neu'r egin-wladwriaeth yr etholwyd hwythau i'w llywodraethu.

A siarad yn fras, yn ystod y ddeunawfed ganrif y gwelodd gorllewin Ewrop sefydlu'r disgwrs modern seciwlar am amcanion a natur y wladwriaeth. Roedd y Dadeni Dysg a'r Diwygiad Protestannaidd eisoes wedi llacio gafael y darlun diwinyddol monolithig o drefn 'naturiol' cymdeithas a dwyfol hawl brenhinoedd. Clasuron Groeg a Rhufain oedd conglfaen addysg, a chan eu bod yn ffynhonnell syniadau o'r tu allan i'r traddodiad Cristnogol ac eglwysig, nid rhyfedd iddynt gael dylanwad ar y drafodaeth newydd. Pan fydd *philosophes* Ffrainc y ddeunawfed ganrif yn trafod y maes gwleidyddol, yr un fath o ddisgwrs athronyddol a geir ag yn *Y Wladwriaeth* gan Platon. Paham yr ydym yn dod at ein gilydd mewn cymdeithas? Pa fath o lywodraeth sydd orau ar gyfer y ddinas? Beth yw ystyr cyfiawnder? Erbyn heddiw y mae clasurwyr yn gwybod tipyn am strwythur cymdeithas yr Athen glasurol, am y rhyfeloedd allanol a'r rhwygiadau mewnol oedd yn gefndir i drafodaeth yr athronwyr, ond i ddarllenwyr y ddeunawfed ganrif testunau awdurdodol heb gyd-destun hanesyddol oedd y clasuron. Canlyniad mabwysiadu'r model hwn o drafod oedd dadlau ar lefel haniaethol ac athronyddol heb feddwl am gefndir hanesyddol nac ychwaith am beth oedd yn gosod ffiniau'r uned wleidyddol yn y lle cyntaf. Digon naturiol oedd i'r ddisgyblaeth academaidd a ddatblygodd gael yr enw 'athroniaeth wleidyddol'.

Un o'r testunau enwocaf yn y traddodiad hwn yw traethawd Jean-Jacques Rousseau (1712-1778), *Du Contrat Social* (1762). Er bod y naratif yn sôn am gyfnodau yn natblygiad y ddynoliaeth, nid hanes wedi ei seilio ar gasglu a dehongli ffeithiau a geir, ond yn hytrach ragdybiaethau am y natur ddynol. Rhagdybir bod unigolion yn rhagflaenu unrhyw drefn ar y gymdeithas a'u bod nes ymlaen yn gweld mantais i glymbleidio. Bodlonwyd ar y cychwyn i ddarostwng yr hunan i awdurdod brenhinoedd ond gorthrwm fu'r canlyniad. Cynigia Rousseau fodel amgen yn seiliedig ar gytundeb gwirfoddol yr unigolyn i ildio peth o'i ryddid i gorff y byddai ef ei hun yn aelod cyfartal ohono. Y drefn hon yn ei thro fyddai'n gwarantu rhyddid yr unigolyn. Dyna chi *liberté* ac *egalité* yr un pryd. Dyma gnewyllyn y ddadl:

> Felly, wrth i bob unigolyn ildio i bawb arall, nid yw'n ildio i neb yn arbennig; a chan ei fod yn ennill yr un hawl dros bawb o'i gyd-aelodau ag y mae ef ei hun yn ei hildio, y mae'n ennill cymaint ag y mae'n ei golli, a mwy o nerth i gadw'r hyn sydd ganddo...[7]

> Mae pob un ohonom ar y cyd yn gosod ei hun dan awdurdod llywodraethol yr ewyllys gyffredinol; a hefyd yn derbyn pob aelod yn rhan annatod o'r cyfanrwydd.[8]

Er bod lle i gredu mai uned fechan megis Genefa (lle magwyd ef) oedd gan Rousseau mewn golwg wrth drafod natur llywodraeth mewn termau cyffredinol, bu ei syniadau yn ddylanwadol adeg Chwyldro 1789 yn Ffrainc, adeg llunio cyfansoddiad yr Unol Daleithiau, a byth ers hynny yng nghyd-destun twf democratiaeth a pharchu hawliau'r unigolyn. Ond nid dyma'r lle i gloriannu'r testun cyfan. Digon at fy mhwrpas i yw nodi natur gyffredinol, haniaethol ac anhanesyddol y gosodiadau. Roedd hynny'n gymorth i ledaenu'r syniadau, hynny a'r ffaith mai Ffrangeg oedd iaith y testun.

Yn y ddeunawfed ganrif Lladin a Ffrangeg oedd prif ieithoedd y drafodaeth ddeallusol ar draws Ewrop. Ffrangeg hefyd oedd iaith y dosbarth llywodraethol a ffasiynol y tu allan yn ogystal â'r tu mewn i Ffrainc, gan gynnwys ym mân lysoedd niferus y tiroedd Almaeneg eu hiaith. Yn Ffrangeg yr oedd y 'teyrnedd goleuedig' Ffredric II o Brwsia a Catrin II o Rwsia (hithau'n Almaenes) yn gohebu â Voltaire a Diderot, ac, yn wir, nid oedd Ffredric yn rhy hapus yn siarad

Almaeneg. Lledaenwyd y syniadau ymhellach gan Chwyldro Ffrainc a ysbrydolodd lawer o feirdd a deallusion Ewrop yn y dyddiau cynnar. Er i greulonderau'r Jacobiniaid a byddinoedd Napoleon greu adwaith yn nes ymlaen, yr oedd hedyn democratiaeth fodern wedi'i blannu.

Mae hanes twf democratiaeth yn wahanol ymhob gwladwriaeth, ond un peth pwysig oedd yn gyffredin i Ffrainc, Sbaen a Phrydain, sef eu bod eisoes yn wladwriaethau canoledig pan ddechreuwyd trafod democratiaeth. Oherwydd hynny yr oedd modd trafod trefn cymdeithas gan gymryd ffiniau ac iaith y gymdeithas honno'n ganiataol; a'r hyn a gymerir yn ganiataol nid oes rhaid ei drafod. Gwahanol iawn oedd y sefyllfa ymhellach i'r dwyrain. Roedd hi'n 1861 erbyn i'r Eidal uno ac 1871 cyn i hynny ddigwydd yn yr Almaen.

Neidiwn i'r cyfnod hwnnw ac i sylwadau'r ieithydd a'r athronydd Ernest Renan (1823-1892) yn ei ddarlith enwog *Qu'est-ce qu'une nation?* ('Beth yw cenedl?') a draddodwyd yn y Sorbonne ym Mharis yn 1882. Llydäwr a gadwodd y Llydaweg ar hyd ei oes oedd Renan, ond mabwysiadodd Ffrainc a Ffrangeg fel tynged anorfod hanes. Dyma ei ddiffiniad ef o'r genedl yn nhraddodiad y *Contrat Social*, sef bod y wladwriaeth yn seiliedig ar gyfranogaeth wirfoddol ei thrigolion:

Mae cenedl felly yn fath o gyd-ymdrech fawr, yn seiliedig ar yr hyn aberthwyd drosto yn y gorffennol a'r hyn y mae parodrwydd i aberthu drosto yn y dyfodol. Mae'n rhagdybio profiadau hanesyddol yn gyffredin, ac yn y presennol y mae'n dibynnu ar un ffaith sylfaenol: cydsyniad y gymdeithas, a'r awydd i barhau'r bywyd cymunedol, a hynny wedi ei fynegi'n gwbl glir. Mae bodolaeth cenedl yn fath o refferendwm beunyddiol (maddeuwch y trosiad) yn yr un ffordd ag y mae bodolaeth unigolyn yn gadarnhad parhaol o fywyd.[9]

Erbyn y bedwaredd ganrif ar bymtheg, fodd bynnag, y mae'r ymwybyddiaeth hanesyddol cymaint yn gryfach ac amhosibl yw peidio â sôn am seiliau hanesyddol gwladwriaeth Ffrainc. Mae hyn yn broblem i Renan sy'n rhy onest i guddio'r ffeithiau. Er mwyn achub y model gwirfoddol y mae'n gorfod awgrymu anghofio'r union hanes y mae'n tynnu ein sylw ato:

> Mae *anghofio* hanes, a mwy na hynny, *camgofio* hanes, yn elfennau anhepgor yn y broses o greu cenedl; a dyna paham y mae astudiaethau hanesyddol, wrth iddynt ddatblygu, yn aml iawn yn gallu peryglu'r ymdeimlad cenedlaethol. Yr hyn a wna ymchwil hanesyddol yw datgelu'r trais a ddigwyddodd ar ddechrau pob uned wleidyddol, gan gynnwys y rhai wnaeth fwyaf les yn y pendraw. Proses greulon yw creu undod bob amser. Drwy laddfa brawychus a barodd yn ddi-baid am agos i ganrif yr unwyd gogledd a de Ffrainc.[10]

Yn ieithyddol hefyd, hanes dyrchafu tafodiaith yr Île de France dros dafodieithoedd ac ieithoedd eraill fu hanes Ffrainc, a hynny trwy ddulliau gormesol. Mae Renan yn gwadu hyn ond y mae'n broses sy'n parhau. Cofier, fodd bynnag, mai creadigaeth brenhinoedd, a'r *élites* o'u cwmpas, oedd Ffrainc, a rheiny'n aml yn tarddu o'r ymylon. Deuai Henri IV (Henri de Navarre) o'r tiroedd Basg. Ef, fel Harri Tudur yng Nghymru a Lloegr, osododd seiliau'r Ffrainc fodern ganolog, ac aethpwyd â'r canoli ymhellach yng nghyfnod Napoléon o Gorsica. Roedd Renan yn ei gyfnod wedi mynd yn rhan o *élite* deallusol Paris ac nid oedd yn gweld yr asimileiddio yn orfodaeth nac yn ormes. Ond nid dyna oedd profiad pob Llydawr.

Nid oes rhaid i mi restru rhinweddau'r model democrataidd sy'n sicrhau pleidlais i bob unigolyn ac etholiadau rheolaidd i ddewis llywodraeth. Dyma'r patrwm a gymhellir heddiw i bawb o Affganistan i Simbabwe. Mae'n hawdd hefyd tynnu sylw at y bwlch rhwng y delfryd a'r realiti, gan nodi, er enghraifft, ddylanwad buddiannau masnachol a'r wasg ar y broses, ond nid mor hawdd cynnig model amgen deniadol a chredadwy. Rwyf innau wedi canolbwyntio ar fath arall o feirniadaeth sy'n berthnasol yn achos cenhedloedd neu grwpiau ieithyddol lleiafrifol. Oherwydd natur haniaethol, unigolyddol ac anhanesyddol y disgwrs dinesig, y mae'n anodd iddo amgyffred diwylliannau eraill a'u hanghenion.

Os gwelir hwy'n fygythiad gellir eu neilltuo i'r ymylon ethnig peryglus, ond gellir hefyd eu cofleidio dan ymbarél y gymdeithas amlddiwylliannol fel y deellir hynny yn y cyd-destun Prydeinig. Ystyr hynny yw bod croeso i ddiwylliannau eraill fodoli ond iddynt aros yn y cefndir a derbyn y Saesneg yn iaith y drafodaeth ddinesig. Bydd mewnfudwyr diweddar fel arfer yn fodlon â statws o'r fath, a chaniatáu bod parch i'w diwylliant a bod rhywfaint o adnoddau ar gael i'w feithrin. Mewn gwledydd eraill y penderfynir tynged eu hiaith nhw.

Mae lleiafrifoedd ieithyddol cynhenid Ewrop, a ninnau yn eu plith, yn dehongli 'amlddiwylliannol' mewn ffordd wahanol ac yn hawlio gofod tiriogaethol lle bydd ein hiaith yn y blaendir a lle byddwn yn croesawu unigolion o gefndiroedd gwahanol i ymuno yn ein diwylliant fel sydd yn digwydd i ryw raddau yng Nghymru. Clytwaith o diriogaethau tebyg fydd yn creu Ewrop amlddiwylliannol. Dyna'r delfryd.

Roedd Datganoli'n gam i'r cyfeiriad hwnnw a dim ond

cam. Bu'n haws diwygio'r model cyfansoddiadol ym Mhrydain a Sbaen nag yn Ffrainc lle dinistriwyd yr hen ffiniau tiriogaethol, ond sylwer mai ar sail tiriogaeth hanesyddol nid ar sail ieithyddol y datganolwyd. Golyga hyn bod rhai o'r hen gwestiynau a ofynnwyd yn y cyd-destun Prydeinig bellach yn cael eu trosglwyddo i gyd-destun Cymru. Mae'n sefyllfa fwy ffafriol gan fod y gymuned Gymraeg yn cyfrif mwy ar diriogaeth llai, ond lleiafrif ydym serch hynny ac yn wynebu rhai o'r un rhagdybiaethau am yr ethnig a'r amlddiwylliannol a fodolai yn y cyd-destun Prydeinig. Dyma lle gall y syniad o gymuned ieithyddol agor y drafodaeth i bosibiliadau newydd.

Mae *cymuned ieithyddol* yn ymadrodd digon dealladwy yn Gymraeg, wrth siarad yn llac ac yn rhethregol, ond does dim ystyr ffurfiol na gwleidyddol iddo fel sydd yn y rhan fwyaf o wledydd canol a dwyrain Ewrop, ac mewn ambell un yn nes i'r gorllewin. Wedi chwalu ymerodraethau'r Otoman a Habsbwrg ac yn dilyn yr anhrefn yn Rwsia ar ddiwedd y Rhyfel Byd Cyntaf, sefydlwyd nifer o wladwriaethau ar sail un neu fwy o gymunedau ieithyddol. Aeth y rhannu gwleidyddol ymhellach wedi cwymp comiwnyddiaeth wrth i'r hen Iwgoslafia a'r hen Tsiecoslofacia ddatgymalu, ac unwaith eto, ieithoedd oedd yn sail yr unedau newydd. Yn anorfod yr oedd lleiafrifoedd o fewn yr unedau newydd hefyd, a bron yn ddieithriad cawsant statws cymunedau ieithyddol a lleiafrifoedd cenedlaethol.

Yng ngorllewin Ewrop ceir tair cymuned ieithyddol o fewn Gwlad Belg a hefyd cymuned ddwyieithog Brwsel. Conffederasiwn yw'r Swistir o gantonau ieithyddol, ac mae'n werth nodi i'r wlad honno greu canton newydd yn 1979 (y Jura) mewn ymateb i brotestiadau ieithyddol y siaradwyr Ffrangeg o fewn Canton Berne.[11] Mae trefniadau cyfansoddiadol amrywiol ar gyfer nifer o gymunedau ieithyddol lleiafrifol yn yr Eidal a'r Ffindir. Nid fy mwriad yw awgrymu bod pawb heddiw'n fodlon eu byd nac ychwaith fod pawb yn ysu am annibyniaeth neu'n aros i uno â gwladwriaeth gyfagos. Digon at fy mhwrpas i yw sefydlu mor eang yw dosbarthiad y syniad o gymuned neu grŵp ieithyddol swyddogol yn Ewrop. Mae'r statws hwnnw gan y Gymraeg yn Siartr Ewropeaidd yr Ieithoedd Rhanbarthol neu Leiafrifol a baratowyd gan Gyngor Ewrop a'i lofnodi a'i gadarnhau gan y Deyrnas Gyfunol ymhlith eraill.[12]

Os Ffrainc yw tarddle'r model haniaethol dinesig o wladwriaeth, yr Almaen yw crud y syniad o *Sprachgemeinschaft* neu gymuned ieithyddol. Mae hyn yn creu anhawster ar y cychwyn gan i'r syniadaeth a'r eirfa gael eu defnyddio gan genedlaetholdeb ymosodol y wladwriaeth Almaenig o'i chychwyn yn 1871. Yn dilyn buddugoliaeth filwrol Prwsia yn rhyfel 1870-1871, collodd Ffrainc Alsace-Lorraine i'r Almaen unedig newydd. Cyfiawnhad yr Almaen dros hyn oedd mai Almaeneg oedd iaith trigolion y rhanbarthau dan sylw. Dadl Ffrainc oedd mai ymlyniad wrth egwyddorion Chwyldro Ffrainc oedd yn cyfrif, nid iaith. Dyna ddadl ddiriaethol yn cwrdd â dadl haniaethol. Yn Alsace yn y cyfnod hwn y lleolir stori fer enwog Alphonse Daudet (1840-1897), 'La dernière classe' (Y wers olaf).[13] Bachgen ysgol sy'n adrodd hanes trist y wers Ffrangeg olaf ar ôl i Berlin ddeddfu mai'r Almaeneg fydd iaith y dysgu o hynny ymlaen. Mae'n ddigon i dynnu dagrau o lygaid y darllenwyr nes inni sylweddoli mai Frantz oedd enw'r bachgen a thafodiaith o Almaeneg fyddai mamiaith y plant. O dde Ffrainc y deuai Daudet ei hun.

Roedd colli Alsace-Lorraine yn fyw iawn yn y cof pan draddododd Renan y ddarlith y cyfeiriais ati yn gynharach. I wrthbrofi dadl yr Almaen bod undod rhwng iaith a chenedl y mae Renan yn falch o gael tynnu sylw at y Swistir lle mae gwahanol gymunedau ieithyddol wedi uno'n wirfoddol yn un genedl. Ond y mae'n dewis peidio sylwi mai conffederaliaeth a thiriogaethau ar wahân oedd sail y berthynas hapus honno.

Ar sail yr un syniadaeth y cefnogodd yr Almaen wrthryfelwyr Iwerddon yn ystod y Rhyfel Byd Cyntaf a chenedlaetholwyr Llydaw yn ystod yr Ail, yn sinigaidd a dim ond i'r graddau yr oedd hynny'n cyd-fynd ag amcanion rhyfel yr Almaen. Defnyddiwyd y ddadl ieithyddol eto gan Hitler wrth gipio'r Sudetenland oddi ar Tsiecoslofacia yn 1938, ond yr oedd yn fodlon aberthu cymunedau Almaeneg y Südtirol yn yr Eidal yn sgil cytundeb â Mussolini. Gwaeth na dim oedd bod y gymysgedd rhwng hil ac iaith oedd yn gyffredinol yn Ewrop y 19eg ganrif wedi esgor yn y cyfnod Natsïaidd ar gred yn rhagoriaeth yr hil Aryaidd, gan agor y ffordd at ddifa'r Iddewon a'r Roma.

Dechreuais drwy sôn am wledydd canol a dwyrain Ewrop er mwyn inni sylweddoli nad cenedlaetholdeb ymosodol a hiliol oedd canlyniad anorfod y syniad o genedligrwydd ieithyddol. Yr un syniad oedd yn ysbrydoli democratiaid gwâr megis Thomas Masaryk yn Tsiecoslofacia. Ar ba sail os nad ar sail iaith yr oedd cenhedloedd o fewn hen ymerodraethau llac yr Otoman a'r Habsbwrg i'w trefnu eu hunain wedi i'r ymerodraethau ddiflannu?

Mudiadau ieithyddol a diwylliannol oedd wedi cynnal pobloedd canol a dwyrain Ewrop cyn dyfod annibyniaeth, a syniadau Almaenwr, Johann Gottfried Herder (1744-1803), oedd ysbrydoliaeth llawer o'r mudiadau hynny, yn enwedig yn y gwledydd Slaf. Diwylliannol ac ieithyddol yn hytrach na gwleidyddol oedd ei neges wrth siaradwyr yr Almaeneg a siaradwyr pob iaith arall. Anogodd pawb i ymhyfrydu a theimlo balchder yn eu hieithoedd. Wedi oes Herder yr oedd canlyniadau gwleidyddol i'r deffroad diwylliannol a ysgogodd, ond anodd dychmygu rhywun oedd yn ei ddydd yn llai o genedlaetholwr gwleidyddol. Nid oedd cenedlaetholdeb Almaeneg yn bodoli ac yr oedd

Herder yn casáu trefn haearnaidd Prwsia. Beirniadodd ymerawdwr Awstria, Joseph II, am fynnu defnyddio Almaeneg yn ardaloedd Slofac a Hwngareg ei deyrnas.

Mae yng ngwaith Herder rai cyfeiriadau digon gelyniaethus at yr iaith Ffrangeg ond gwir darged ei ymosodiad yw'r iaith honno yng ngenau snobyddlyd dosbarth arbennig o Almaenwyr oedd yn dirmygu eu hiaith eu hunain. Roedd pwyslais Herder yn bwyslais democrataidd ar iaith y werin ymhob man; yn wir byddai *gwerin* yn gyfieithiad reit dda o'r geiriau Almaeneg *Volk* a *Nation* fel y mae Herder yn eu defnyddio. *Narod* oedd y cyfieithiad yn yr ieithoedd Slaf, gair sydd â'r un tinc cadarnhaol iddo â *gwerin*. Ni chredaf fod angen amddiffyn Herder ymhellach yn erbyn y fath o feirniadaeth ôl-syllol sy'n dal awduron yn gyfrifol am y camddefnydd a wnaethpwyd o'u syniadau mewn cyfnod diweddarach, ond gellir cyfeirio'r darllenydd at waith Isaiah Berlin, edmygydd ac amddiffynnydd mwyaf huawdl Herder yn y cyfnod diweddar.[14]

Diddorol yw cyferbynnu syniadau Herder â'r hyn a drafodwyd yn achos Rousseau a'r *Contrat Social*. Dechreubwynt Rousseau oedd y rhagdybiaeth mai unigolion sy'n dod at ei gilydd i greu cymdeithas. I Herder, y gymdeithas a ddaw gyntaf, a thebyg bod casgliadau bioleg gymdeithasol ddiweddar yn ffafrio safbwynt Herder:

> Cyflwr naturiol dyn yw bod mewn cymdeithas, gan mai ynddi hi y genir ef a'i fagu. I gyfeiriad y gymdeithas y mae ei anian yn arwain ym mlynyddoedd tyneraf ei ieuenctid, a chyda'r gymdeithas y cysylltir geiriau melysaf y ddynoliaeth – geiriau megis tad, brawd a chwaer, câr a chyfaill, rhieni. Dyma glymau naturiol dynolryw fel oedd yn wir yn y cyfnod mwyaf cyntefig. O'r cysylltiadau

cymdeithasol naturiol hyn y cyfyd y rheolau a'r cyfreithiau cyntaf...[15]

Gwahanol hefyd yw pwyslais Herder ar fanylion unigryw pob cymdeithas. Gwêl bob diwylliant yn gynnyrch hanes arbennig, yn gynnyrch hinsawdd ac amgylchfyd a thir arbennig, a hefyd â phosibiliadau creadigol unigryw. Mae'r cyfnewid â diwylliannau cymdogol hefyd yn effeithio ar gymeriad y grŵp. Adlewyrchir y cwbl o fewn ieithoedd unigryw.

Hawdd cysylltu hyn i gyd â chefndir Herder. Magwyd ef yn nwyrain Prwsia, mewn ardal gymysgiaith sydd heddiw yng Ngwlad Pwyl, ac aeth i'r coleg yn Königsberg (heddiw Kaliningrad yn Rwsia). Fel dyn ifanc bu'n weinidog Lwtheraidd yn Riga, heddiw'n brifddinas Latfia a phryd hynny yn borthladd masnachol Almaeneg o fewn Lifonia yn ymerodraeth Rwsia. Roedd ieithoedd niferus yn rhan o brofiad Herder o'r cychwyn felly, ac ychydig iawn o gysondeb oedd rhwng y ffiniau ieithyddol a gwleidyddol yn ei brofiad ef. Nid oes rhyfedd ei fod yn gweld cymunedau ieithyddol fel yr unedau sylfaenol sy'n clymu pobl at ei gilydd mewn cymdeithas, a'r trefniadau cyfansoddiadol, gwleidyddol a gweinyddol yn bethau eilradd, mecanyddol a dieithr.

Os oedd Herder yn byw mewn cyfnod cyn-wladwriaethol yn y rhan honno o Ewrop efallai ein bod ni yn byw mewn cyfnod pan mae gafael y wladwriaeth yn llacio. Ni fydd incwm Apple Inc yn 2013 ddim llawer yn llai na Chynnyrch Domestig Crynswth gwladwriaeth Roeg yn yr un flwyddyn, ac y mae grym ariannol Tesco yn fwy na all unrhyw awdurdod lleol yng Nghymru fforddio ei wrthwynebu yn y llysoedd. Mae Llywodraeth Cymru, Llywodraeth Llundain a Senedd Ewrop i gyd yn cynnig mathau o lais gwleidyddol ac amddiffyniad gwleidyddol cyfyngedig, ond prin eu bod yn hawlio teyrngarwch absoliwt nac yn cynnig y rhagfur yr oedd y wladwriaeth yn ei chynnig mewn cyfnod cynharach. Mae'r gymuned ieithyddol yma o hyd ac yn gorfod ceisio deall sut orau i oroesi.

Mae llawer o syniadau Herder yn bwydo'r mudiad Rhamantaidd a ymledodd drwy Ewrop, gan arwain at gasglu caneuon a storïau gwerin ac ysgogi datblygiadau yn y celfyddydau i gyd. Yn ganolog i'r mudiad hwnnw yr oedd y syniad o nerth creadigol, a hynny'n bresennol yn y gymdeithas yn ogystal ag yn yr unigolyn. Yn 25 oed y mae Herder yn cychwyn ar fordaith o Riga i ddarganfod mwy o 'ieithoedd byw'r cenhedloedd byw'. Mae'n gwirioni ar amrywiaeth a bywiogrwydd diwylliannol y byd, a dyna fydd ei bwnc ar hyd ei oes. Mor wahanol yw pwyslais diriaethol a hanesyddol Herder i'r model mecanyddol a haniaethol a geir gan Rousseau yn y *Contrat Social*. Mor wahanol hefyd i duedd y ganrif ganlynol i chwilio am hanfod digyfnewid pob cenedl neu hil, fel y gwna Renan ac Arnold yn achos y Celtiaid.

Mae *creadigrwydd* mewn perthynas â'r gymuned ieithyddol yn bwnc a gafodd ry ychydig o sylw yng Nghymru. Defnyddiaf y gair mewn ystyr eang sy'n cwmpasu nid yn unig y celfyddydau ond yr hyn oedd gan Saunders Lewis mewn golwg wrth alw'r Eisteddfod Genedlaethol yn greadigaeth y Gymru Gymraeg. Mae'r cwestiwn yn codi mewn perthynas â'r Sianel Deledu Gymraeg hefyd, ac yn ehangach na hynny. Rydym yn sôn am gael gofod lle mae'r diwylliant yn rhydd i anadlu a datblygu, boed hwnnw'n ofod tiriogaethol neu'n ofod sefydliadol.

Sut y mae cysoni hyn â dwyieithrwydd? Ar lefel genedlaethol a chyfansoddiadol y mae'n amlwg fod dwyieithrwydd cyfartal yn allweddol er mwyn cynnal statws y Gymraeg. Yr un pryd, bydd dwyieithrwydd cyfartal ar bob lefel ac ymhob sefydliad yn troi'r diwylliant lleiafrifol yn gyfieithiad o'r un mwyafrifol. Annhebyg y bydd diwylliant o'r fath yn denu siaradwyr newydd ychwaith.

Casgliad y bennod hon yw bod angen diwygio democratiaeth Gymreig fel ei bod yn cydnabod y Gymraeg nid yn unig fel iaith siaradwyr unigol ond fel iaith cymuned ieithyddol – yn yr un modd ag yr addaswyd democratiaeth Brydeinig at ofynion Cymru adeg Datganoli. Fel yr awgrymwyd eisoes, y mae amrywiaeth o drefniadau'n bodoli yn y gwledydd lle derbynnir y cysyniad o gymuned ieithyddol, rhai'n drefniadau tiriogaethol, rhai'n awgrymu datganoli o fewn y datganoli, rhai'n gwarantu'r hawl i sefydliadau penodol. Y pwysicaf oll i'w harchwilio yn fy marn i yw sefydliadau cynrychioladol megis *Folktinget* Swediaid y Ffindir sy'n rhoi llais democrataidd i'r gymuned ieithyddol o fewn y ddemocratiaeth ddwyieithog ehangach. Ni fu Cymru'n brin o fudiadau milwriaethus ar y naill law na chyrff lled-swyddogol ar y llaw arall i gyd yn honni cynrychioli'r gymuned neu'r cymunedau Cymraeg, ond heb sail ddemocrataidd i'r 'gynrychiolaeth' honno, hawdd yw ynysu'r cyntaf ar yr ymylon *ethnig* a diystyru'r ail fel *vested interest*.

Y gamp gyntaf, fodd bynnag, fydd sefydlu'r cysyniad o gymuned ieithyddol mewn ffordd sy'n cyfateb i amgylchiadau'r Gymru gyfoes lle mae'r Gymraeg i fod yn perthyn i bawb. Mae'n broblem derminolegol i raddau. Os ydy sôn am *siaradwyr Cymraeg* yn rhy unigolyddol a heb gydnabod y posibilrwydd o gymuned ieithyddol, y mae sôn am y *Gymru Gymraeg* neu'r *Cymry Cymraeg* yn cau allan ar sail diriogaethol neu etifeddol. Mae'r *diwylliant Cymraeg* yn ymadrodd sydd â llawer i ddweud o'i blaid dim ond inni ei ddeall yn ystyr ehangaf y gair *diwylliant* – y mae'n rhywbeth y gall pawb gyfrannu iddo ac ymhob maes gweithgarwch. Gall fod yn gymuned o gymunedau ac yn rhwydwaith o rwydweithiau, ac y mae naws greadigol a gweithredol i'r ymadrodd. Ond ni wna'r tro pan ddaw hi'n fater o sôn am drefniadau cyfansoddiadol. Efallai mai'r diwylliant Cymraeg yw'r gymuned Gymraeg yn ei dimensiwn gweithredol, a'r gymuned Gymraeg fydd y diwylliant Cymraeg yn ei dimensiwn cyfreithiol a chyfansoddiadol.

Nodiadau

1   Gweler Matthew Arnold, *On the Study of Celtic Literature* (London, 1867).

2   Lindsay Patterson a Richard Wyn Jones, 'Does Civil Society drive constitutional change?' yn Bridget Taylor a Katarina Thomson (goln.), *Scotland and Wales: Nations Again?* (Cardiff, 1999), t. 184.

3   BBC News, 'Rwanda grenade case: Men with FDLR links found guilty', 13 Ionawr 2012. Gweler http://www.bbc.co.uk/news/world-africa-16553318

4   Simon Brooks, 'The Rhetoric of Civic "Inclusivity" and the Welsh Language', *Contemporary Wales* 22, 2009, 1-16.

5   Siôn Jobbins, *The Phenomenon of Welshness* (Llanrwst, 2011), t. 212.

6   *Golwg*, Hydref 2, 2003.

7   Jean-Jacques Rousseau, *Oeuvres Complètes* cyfrol 2 (Paris, 1971), t. 522.

8   *Ibid.*, t. 522.

9   Ernest Renan, *Qu'est-ce qu'une nation?* (Paris, 1867).

10 *Ibid.*

11 Gweler Ioan Bowen Rees, 'The Jura Question', *Planet* 31 (Mawrth 1978).

12 Y lle mwyaf hwylus i weld yr holl ddogfennaeth yn ymwneud â'r Siartr mewn perthynas â'r Gymraeg ac ieithoedd lleiafrifol eraill yw safle we Eokik, http://languagecharter.eokik.hu/sites/languages/L-Welsh_in_the_UK.htm

13 Cyhoeddwyd y stori yn *Contes du Lundi* (Storïau Dydd Llun) yn 1873 a'i chyfieithu i'r Gymraeg gan E. T. Griffiths. Cyhoeddwyd y cyfieithiad yn *Cymru* XLVII (1914), 206. Sylwer ar ddyddiad y cyfieithiad.

14 Gweler Isaiah Berlin, *Vico and Herder* (London, 1976).

15 Bernhard Suphan (gol.), *Herders Sämmtliche Werke* cyfrol 13 (Berlin, 1887), t. 375.

Breaking through language barriers

Almost seven years after Coleg Meirion Dwyfor started hosting English classes for foreign migrants, reporter **DION JONES** attempts to find out what difference they're making to the area's newest residents.

GOOD READ: Romana Akther from Bangladesh

LANGUAGE: Mousumi Akther with course coordinator Glyn Williams and Muhammad Monsur Ahmad from Bangladesh (above); Sibel Bekirova from Bulgaria, with tutor Suzanne Evans; Nozir Hossain from Bangladesh now working in the Polash Restaurant Pwllheli.

ALIEN surroundings, a new language and an unfamiliar way of life.

These are just some of the challenges facing modern migrants attempting to build a new life on Llŷn.

For almost seven years however, a weekly class at Coleg Meirion Dwyfor's Pwllheli campus has been helping new arrivals overcome some of these obstacles.

ESOL (English for Speakers of Other Languages) classes are open to migrant workers and members of settled communities whose first language is not English, but who need the English language skills to live, work and integrate into the local community.

At 10.30am last Thursday morning, the group were hunched over a local newspaper article which was being used as a learning aid when I paid them a visit.

Tutor Kath White told me that many students use the course to prepare for citizenship.

She said: "At the moment we have Turkish, Bangladeshi, Chinese and Bulgarian nationals in the class.

"They tend to come and go but we have some students who have been here for a number of years, and their level of English varies.

"All of the students live in Pwllheli and work here, mostly in the catering industry.

"Because of their hectic work schedule, this might be the only chance they get to practise their English all week.

"We get them to speak to each other, listen to tapes and watch DVDs as part of the course.

"We try and make the learning process fun so they remember it more."

So what of the people behind the statistics? Are they reaping the benefits of the ESOL course?

Bulgarian national Sibel Bekirova seems to think so.

The 26-year-old trained midwife has been living and working as a waitress in Pwllheli for the past seven months and sees the ESOL course as an essential part of her future aspirations.

She said: "I speak what we call 'business English' which I was taught in secondary school.

"It (the course) has been a great benefit as it has helped me to become much more fluent in my English.

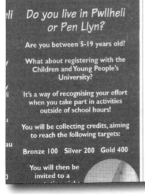

"I worked as a midwife for two years in Bulgaria and I hope to go back to midwifery one day."

It's a similar story for course veteran Stephen Chung who moved from Hong Kong to Pwllheli in 1972.

The 61-year-old who runs Chung's Takeaway with his wife Joanna said: "I've been attending the course for two years and am really enjoying it.

"I've been able to pick a lot of things up from work, mostly English but also a bit of Welsh, but most of my pronunciation I have learned from here.

"I hope one day to be able to write in English and Welsh."

Course coordinator Glyn Williams said: "It's important to note that most of these students are very keen to learn Welsh as most have been in a similar situation with two languages.

"The employers have responded very positively to what we are trying to achieve and most have understood the benefit it gives.

"I think this course is a service to the community as a whole as it helps the companies involved blend into the community.

"It also helps the individuals involved to settle in more easily and make friends."

dion.jones@northwalesnews.co.uk

ASTUDIAETH ACHOS

Pennu Saesneg yn iaith dinasyddiaeth
Ieithoedd 'ethnig' ac ieithoedd 'sifig'

gan Simon Brooks

> Amgylchfyd dieithr, iaith newydd a ffordd o fyw anghynefin.
>
> Nid yw'r rhain ond rhai o'r sialensau sy'n wynebu ymfudwyr modern wrth iddynt geisio sefydlu bywyd newydd yn Llŷn.
>
> Ers bron i saith mlynedd fodd bynnag, mae dosbarth wythnosol ar gampws Coleg Meirion Dwyfor ym Mhwllheli wedi bod yn cynorthwyo newydd-ddyfodiaid i oresgyn rhai o'r rhwystrau hyn.
>
> Mae dosbarthiadau ESOL (Saesneg i Siaradwyr Ieithoedd Eraill) yn agored i weithwyr ymfudol ac aelodau o gymunedau sefydlog nad yw'r Saesneg yn iaith gyntaf iddynt, ond y mae arnynt angen sgiliau iaith Saesneg i fyw, gweithio ac integreiddio i'r gymuned leol.
>
> ('Breaking through language barriers',
> *Caernarfon and Denbigh Herald*,
> Mawrth 25, 2010)

Dyma ddosbarth dysgu iaith i fewnfudwyr yn Llŷn sy'n ymylu'r Gymraeg. Mae'r adroddiad papur newydd amdano yn ei hymylu eto fyth. Cyfeirir at newydd-ddyfodiaid yng nghefn gwlad fel 'ymfudwyr' sy'n dymuno integreiddio i'r gymuned leol trwy'r weithred o ddysgu Saesneg. Ieithwedd sydd wedi'i benthyg yn uniongyrchol o'r drafodaeth yn Lloegr am gymathu mewnfudwyr i'r 'genedl' Brydeinig.

Dyma sefyllfa hynod felly. Mewnfudwyr i ardal Gymraeg yn dysgu iaith fewnfudol wahanol i'w hiaith eu hunain er mwyn gallu 'ymdoddi' i'r gymdeithas leol trwy gyfrwng yr iaith fewnfudol honno. Beth all fod yn fwy trefedigaethol? Ni chaiff y mewnlifiad Saesneg i gefn gwlad, sydd ddengwaith trymach na'r mudo iddo o'r tu allan i wledydd Prydain, ei broblemateiddio fel hyn. Yn wir, trwy fod mewnfudwyr 'tramor' yn gorfod dysgu Saesneg, caiff y mewnlifiad Saesneg hwnnw ei normaleiddio a'i ddyrchafu. Ni chyfeirir at Saeson mewn ardaloedd Cymraeg fel 'ymfudwyr' ac ni thaera asiantaethau'r llywodraeth fod rhaid iddynt ddysgu Cymraeg er mwyn bod yn rhan o'r gymuned leol.

Er bod y papur newydd yn honni wedyn fod 'y rhan fwyaf o'r myfyrwyr yn awyddus iawn i ddysgu Cymraeg', does dim tystiolaeth i 'ymfudwyr' fel Sibel Bekirova o Fwlgaria sydd am fod yn fydwraig, a Nozir Hossain o Fangladesh sy'n gweithio mewn tŷ bwyta lleol, dderbyn cefnogaeth i'w meistroli. Ac os Saesneg sy'n agor y drws i gyfleoedd economaidd ac ymdoddiad i'r gymuned leol, ac os nad oes gorfodaeth neu anogaeth i ddysgu Cymraeg fel sydd i ddysgu Saesneg, pa gymhelliad sydd dros ddysgu Cymraeg?

Cymhwyster yw ESOL sy'n profi meistrolaeth mewn Saesneg, yn bennaf oll er mwyn bodloni gofynion dinasyddiaeth Brydeinig. Yn ddamcaniaethol, mae modd cael pasbort ar sail gwybodaeth o Gymraeg neu Aeleg yr Alban, ond cydraddoldeb ffug yw hwnnw. Yn 2010, amcangyfrifwyd gan Lywodraeth Cymru fod £8 miliwn y flwyddyn yn cael ei wario yng Nghymru ar ddarparu cyrsiau dysgu-Saesneg-i-fewnfudwyr. Fe'u cynigir ymhob rhan o'r wlad, gan gynnwys mewn cymunedau Cymraeg a dwyieithog fel Aberteifi, Rhydaman, Rhuthun, Dolgellau, Blaenau Ffestiniog a Llangefni. Ni cheir unrhyw gyrsiau dysgu Cymraeg gorfodol neu led-orfodol ar gyfer Saeson sy'n symud i fyw i'r broydd hyn.

Portreadwyd gan y cyfryngau alwadau am orfodi, neu hyd

yn oed gymell, mewnfudwyr i ddysgu Cymraeg fel polisi afrealistig os nad ynfyd, neu fel cyfyngiad annerbyniol ar ryddid yr unigolyn, a chochl am senoffobia gwrth-Seisnig. Fe'i cysylltwyd â gwleidyddiaeth 'ethnig', a'i gondemnio'n hallt am 'gau pobl allan'. O ganlyniad, does yna'r un gwleidydd yng Nghymru yn dadlau o ddifrif y dylai mewnfudwyr i gymunedau Cymraeg ddysgu Cymraeg, ac nid oes o'r herwydd unrhyw bwysau gwleidyddol sylweddol am wariant digonol yn y maes hwn.

Eto, ffordd anonest a dauwynebog o danseilio'r gymuned Gymraeg yw gwadu'r angen hwn pan fo'r camau a gymerwyd gan y Wladwriaeth Brydeinig i orfodi Saesneg ar newydd-ddyfodiaid i Loegr, ac yn sgil hynny i Gymru hefyd, mor gaethiwus. Llywodraeth Lafur Tony Blair oedd y cyntaf i glymu dinasyddiaeth yn ffurfiol wrth wybodaeth o iaith. Erbyn heddiw, mae'r egwyddor wedi ymestyn i bob math o beuoedd gwladwriaethol newydd, yn fwyaf diweddar ym mhenderfyniad y Canghellor Ceidwadol, George Osborne, yn ystod haf 2013 i wneud derbyn budd-ddaliadau yn ddibynnol ar ddysgu Saesneg. Dangosodd arweinydd y Blaid Lafur, Ed Milliband, ei liwiau yntau pan alwodd yn 2012 am lunio 'un genedl' Brydeinig ar sail y defnydd o un iaith, sef Saesneg, a siaradodd o blaid torri crib grwpiau ethnig yn Lloegr sy'n siarad ieithoedd lleiafrifol, wrth gael gwared â 'chyfieithu di-angen' ac annog rhieni i rannu'r 'cyfrifoldeb' o ddysgu Saesneg i'w plant.

Yn ddi-os, gwleidyddiaeth ethnig Seisnig yw hwn. Ond yn nhyb y Saeson eu hunain, gwleidyddiaeth 'sifig', nid ethnig, yw gorfodi mewnfudwyr i ddysgu Saesneg. Dygwyd y meddylfryd hwn i Gymru, a honnir yn y ddogfen, *ESOL yng Nghymru: Dysgu oddi wrth y Sector Gwirfoddol* (2009), a luniwyd ar gais Llywodraeth Cymru, fod 'gallu dinasyddion i siarad Saesneg yn rhan hanfodol o ddyfodol Cymru' a bod y ddarpariaeth yn bwysig 'yng nghyswllt materion cyfiawnder cymdeithasol, cydlyniant cymdeithasol a chymunedol, dinasyddiaeth ac adfywiad economaidd a chymdeithasol.' Disgwyliwn yn eiddgar am ddogfen yn datgan fod 'gallu dinasyddion i siarad Cymraeg yn rhan hanfodol o ddyfodol Cymru', ag awgrym ynghlwm bod dyletswydd ar bob mewnfudwr i'r wlad ei dysgu a'i harfer.

Yn y Gymru Gymraeg, nid priod iaith y gymdeithas yw'r un a wisgir â mantell dinasyddiaeth, ond iaith gwladychiaeth. Gorfodir Saesneg ar fewnfudwyr trydydd byd a Chymry brodorol fel ei gilydd, a hyn oll i ddangos mor barod yw'r grŵp Saesneg i fod yn deg at eraill. Ond mae disgwyl i fewnfudwyr Saesneg ddysgu Cymraeg yn ofyniad 'ethnig' sy'n arwydd diymwad o gulni'r Cymry, ac yn dangos tuedd naturiol at hiliaeth. Fel yn achos *Newspeak* George Orwell troir cyfiawnder a gwirionedd ar ei ben. Diben geiriau bach hunanbwysig fel 'sifig', 'dinesig', 'cynhwysol' ac 'amlethnig' wrth glodfori'r Saesneg, ac 'ethnig', 'caeëdig', 'monoethnig' ac '*exclusive*' wrth drin y Gymraeg, yw gwthio iaith y Cymry dan yr hatsys, a chadw'r Cymry yn eu lle.

Gair am y cyfranwyr

Ysgolhaig sy'n trigo yn Eifionydd yw **Simon Brooks** ac awdur y cyfrolau *O dan lygaid y Gestapo* (2004) ac *Yr Hawl i Oroesi* (2009). Bydd ei gyfrol nesaf, *Pam na fu Cymru?*, yn gofyn pam nad yw Cymru'n wlad fwyafrifol Gymraeg heddiw. Yn gyn-olygydd y cylchgrawn *Barn*, rhwng 2001 a 2003 ef oedd trefnydd a phrif lefarydd y mudiad Cymuned.

Mae **Richard Glyn Roberts** yn gymrawd ymchwil yn Adran y Gymraeg, Prifysgol Aberystwyth ac yn ddarlithydd yng Ngholeg y Brifysgol, Dulyn. Cyhoeddwyd erthyglau ganddo yn *Dwned*, *Cambrian Medieval Celtic Studies*, *Histoires des Bretagnes*, *La Bretagne Linguistique* a *The Year's Work in Modern Language Studies*. Mae'n byw ar gyrion Abererch lle'i magwyd.

Brodor o Belfast sydd wedi byw hefyd yng Ngwlad y Basg yw **Patrick Carlin** ac wedi ennill doethuriaeth ar bolisi iaith llywodraeth leol yng Ngwlad y Basg, Catalwnia a Chymru. Mae'n gydymaith ymchwil erbyn hyn yn Ysgol y Gymraeg, Prifysgol Caerdydd ar brosiect sy'n ymchwilio i Gomisiynwyr Iaith Cymru, Iwerddon a Chanada.

Mewn cyfnod gwleidyddol gythryblus, diarddelwyd **Iwan Edgar** o'r coleg ym Mangor am safiadau dros y Gymraeg, er hynny gorffennodd ei ddoethuriaeth yn 1984. Aeth wedyn i weithio i gyrion y byd teledu am gyfnod o dros ugain mlynedd gan ddychwelyd i fyw i'w gynefin ym Mhwllheli. Er dyddiau coleg bu'n ymhel, a deil i ymhel, â mentrau busnes amrywiol gan gynnwys tai a thir a thafarnau.

Darlithydd yn yr Adran Gwleidyddiaeth Ryngwladol, Prifysgol Aberystwyth yw **Huw Lewis**. Mae ei ddiddordebau ymchwil yn cynnwys archwilio ymdrechion i adfer ieithoedd lleiafrifol o safbwynt athroniaeth wleidyddol normadol. Bellach mae'n gweithio ar ei gyfrol gyntaf a fydd yn dwyn y teitl arfaethedig, *The Ethics of Language Promotion*. Mae'n gyn-Gadeirydd Cymdeithas yr Iaith Gymraeg.

Un o Ynys Môn yw **Delyth Morris** ac Uwch Ddarlithydd mewn Cymdeithaseg a Pholisi Cymdeithasol ym Mhrifysgol Bangor, wedi ymddeol. Hi yw golygydd y gyfrol, *Welsh in the 21st Century* (2010), a chyd-awdur *Language Planning and Language Use: Welsh in a Global Age* (2000).

Cafodd **Ned Thomas** yrfa amlochrog fel awdur a newyddiadurwr, academydd a chyhoeddwr. Bu'n gweithio ym Mosco, Salamanca, Paris, Llundain a Chaerdydd a heddiw mae'n Llywydd ar Ganolfan Mercator ym Mhrifysgol Aberystwyth. Roedd ei gyfrol, *The Welsh Extremist* (1971), ymhlith llyfrau mwyaf dylanwadol y 1970au.